JPC
HK

瀛洲華聲

日本中文報刊一百五十年史

周佳榮●著

目錄

序章

日本近代新聞事業與香港報界

第一節　引言

鴉片戰爭後，中英兩國於1842年簽訂《南京條約》，清政府把香港島「割讓」給英國時，日本仍處於德川幕府（1603—1867）的「鎖國」政策之下。1853年，美國海軍提督培理（Matthew C. Perry, 1794—1858）率領軍艦到日本「叩關」，翌年日本「開國」，從此積極開展對外事務。與當時的中國不同，日本對於世界形勢和亞洲政局採取關心態度，主動搜集海外資訊和西洋知識。香港在19世紀中葉已是亞洲地區最早發展起來的城市之一，華洋雜處，圖書報刊出版事業漸趨蓬勃，成為日本吸收新知的一大來源，因此很快便與香港報業結下因緣，影響甚為深遠。

早在德川幕府末年，日本當局已致力搜集香港出版的報刊，加以傳抄，甚至翻刻和翻譯。到了明治時期（1868—1912），香港出版的書刊，包括報紙、課本和辭典，仍然備受日本重視；創辦《循環日報》的香港著名報人王韜（1828—1897），且應日本《報知新聞》之邀訪問日本達4個月之久。19世紀末、20世紀初，日本人開始在香港創辦中文及日文報刊；其後《香港日報》同時出版中文版、日文版和英文版，成為香港報業史上僅見的三語報紙。

第二次世界大戰結束以來，日本人仍一直重視香港的資訊傳播地位，除了在香港創辦介紹日本事物的中文期刊外，又出版了幾種供日本僑民閱讀的日文報刊。上述這些事例足以說明一個事實，就是日本人自幕末以來，中經明治時期、大正時期（1912—1926）、昭和時期（1926—1989）以至平成時期（1989—2019），日本人與香港報業是頗有淵源的，香港網絡是日本朝野人士收集中國消息、亞太資訊及世界輿論的重要渠道之一。

與此相反，香港各界人士雖然對日本流行事物和飲食文化等十分熱衷，而於日本報業和出版情況則所知甚少，更遑論有所參與。本章擬據零星的文獻和記載闡明戰前和戰時（香港淪陷時期）日本人與香港報業的關係，並以此為脈絡，釐清學界的推斷，冀能為港日文化交流史研究填補一些空白。

第二節　幕末日本人與香港報業

1853 年 8 月，香港英華書院創辦《遐邇貫珍》（*Chinese Serials*），是本地最早的中文刊物，也是鴉片戰爭後第一份在華人社會出現的中文報刊，出版至 1856 年 5 月停辦，歷時近 3 年之久，共有 33 期（號）。每期 12 頁至 24 頁，印 3 千冊，除香港外，還在廣州、廈門、福州、寧波、上海等地銷售和贈閱。該刊內容多為專題論說，包括天文、歷史、科學、醫學、宗教、商務等；還設有近日雜報欄，記載香港和中外大事。[1] 必須指出的是，定期為中國人提供近代新知和世界消息，在當時的香港以至中國，是十分可貴的。[2]

1853 年 7 月，日本從荷蘭船上知道太平軍佔領南京的消息；同年 12 月，到琉球出差的鹿兒島藩士鄉田仲兵衛、川上式部，從那霸港的美艦上得到兩冊《遐邇貫珍》，裏面有太平軍佔領南京和香港總督兼英國全權公使文翰（港譯般含；Sir Samuel George Bonham, 1803 — 1863）訪問南京的報導。翌年 1 月，他們即把該刊連同打聽到的關於太平軍的情報（如信奉基督教）一起送往幕府。自此之後，《遐邇貫珍》即受到日本外交官和有識之士的器重，例如著名思想家吉田松陰（1830 — 1859）讀了第 1 號上所載的〈伊娑菩喻言〉（即伊索寓言），便曾寫過一篇跋。[3] 吉田松陰是明治維新的先驅者，高杉晉作（1839 — 1867）、木戶孝允

（1833 — 1877）、山縣有朋（1839 — 1922）、井上馨（1835 — 1915）、伊藤博文（1841 — 1909）等傑出人物都是他的學生。

在這前後，發生了一件轟動日本的大事。1853 年 7 月，美國海軍提督培理率領艦隊抵達江戶灣的浦賀，要求日本開國，聲稱明年再來，隨後艦隊駛到香港駐泊。培理艦隊再度起程赴日時，還帶同香港一個叫羅森（向喬，1821？— 1899）的廣東人充當漢文翻譯。羅森目睹美日談判及簽約的經過，並遊覽了橫濱、下田、箱館等地，「香港人」最早踏足長崎以外的日本國土，實在非他莫屬。當年 8 月羅森返港後，把他的見聞寫成〈日本日記〉，分 3 次刊登在《遐邇貫珍》上。[4]〈日本日記〉是記載日本開國史事的重要著作，其後在日本有輯印本出版。[5] 至於《遐邇貫珍》，在日本有寫本流傳。[6]

羅森在日本期間，曾與不少官員接觸，通過筆談向他們介紹了太平天國的情況，還把自己的有關著述借給他們抄錄。以後日本即出現了幾種題為《南京記事》的抄本，又有木活字改訂本《滿清記事》的刊行。[7]

日本開國後，官民漸多出外遊歷，例如日本遣美使節團出發和回程時，曾於 1860 年及 1862 年過港，兩次都逗留一星期左右，除了到處參觀和購買書籍外，還到日本人慕名已久的英華書院會見傳教士理雅各（James Legge, 1814 — 1897）等，又與羅森見面。[8] 使節團的一個成員福澤諭吉（1835 — 1901），回國後便撰寫《西洋事情》等書，成為鼎鼎大名的啟蒙思想家。傳說明治天皇（睦仁，1852 — 1912；1867 — 1912 年在位）登基後，曾聘羅森為顧問，但其事不見於日本官方記載，未知是否屬實。

1860 年代，日本流行翻刻中文報刊，如上海的《六合叢談》、寧波的《中外新聞》和香港的《香港新聞》等，而且冠以「官版」字樣。[9] 一般認為，《香港新聞》是日本據《香港船頭貨價紙》翻印而成的，創於

1861年，有日文註解。《香港船頭貨價紙》創於1857年，是香港第一張中文報紙，由英文《孖剌報》（*The Daily Press*）報館印刷發行，因此被視為該報的副刊。每週出版3次，單張兩面印刷，一版為船期物價，另一版為新聞。[10] 該報於1865年間擴充版面，改名為《香港中外新報》。但事實是否如此，仍有商榷餘地。

第三節　王韜與港日文化交流

王韜是近代中國著名文士，亦是洋務運動時期重要的思想家，早年活動於上海，1849年進入英國傳教士麥都思（Walter Henry Medhurst, 1796—1857）所辦的墨海書館，參加編校工作，達13年之久。1862年間，因化名「黃畹」上書太平天國而遭清政府通緝，避地香港，協助英華書院院長理雅各翻譯中國經書，曾遊歷英、法、俄等歐洲國家。1871年歐洲爆發普法戰爭，戰爭結束後不久，王韜在聖保羅書院學生的協助下，編撰了《普法戰紀》14卷，敘述和分析戰爭的原因、經過和結果，並對戰後國際形勢的變化作了預測，成為近代中國第一本世界史著作。此書出版後，王韜聲名大增，《普法戰紀》旋即傳到日本，引起很大的反響。[11] 其後日本陸軍省命人句讀此書，重新排印，現時所見的大阪日本陸軍文庫校印本，是1885年（明治二十年）的版本。

1874年，王韜在香港創辦《循環日報》，每日發表論說1篇，宣揚變法自強等主張，開近代中國政論報紙的先河，這些政論連同他在其他報刊上發表的文章，後來結集而成《弢園文錄外編》於1883年出版。其間有一件重要的事，就是王韜在日本《報知新聞》栗本鋤雲（1822—1897）等人邀請下，1879年到日本訪問，歷時4個月，受到日本文士學者及政界人物的歡迎，在近代中日文化交流史上，盛況空前。他把此次行程經過寫成《扶桑日記》3 卷，由栗本鋤雲訓點，日本東京報知社出版，於當年冬至次年夏出齊。王韜返回香港後，仍與日本友人保持通信聯繫。[12]

日本早從幕末時起便注意香港出版的書刊，已如前述。1873 年（明治六年），日本設立駐香港領事館，另有日本雜貨店在中環開業，港日關係正式開展。香港書報在此之前對日本所起的啟蒙作用，使日本人更放眼世界，決心走上近代化之路，促成明治維新，足以說明幕末至明治初年這個關鍵時刻，港日之間的文化交流實在不是無足輕重的。當時日本官方考察團和知識人士經過香港，除拜訪本地知名人士外，通常都慕名到英華書院參觀，以及購買書籍。他們很多時在香港所接觸到的事物，或多或少對他們都會產生啟發性的意義。[13]

王韜訪問日本，是港日文化關係的一個里程碑，但也宣告了一個階段的結束，此後日本已不再如前此般重視香港出版的書刊了。不過，直至 1880 年代中期，王韜離港返滬後，還有一些日本知識人士如矢野文雄（1850 — 1931）等到香港擬訪晤王韜。[14] 1889 年（明治二十二年）《大日本帝國憲法》（通稱《明治憲法》）頒佈前後，日本在民族主義的大前提下，保守的國家主義、國粹主義相繼抬頭，民間且掀起了一股「反歐化主義」的浪潮。這個時代，尤其是 1894 年至 1895 年中日甲午戰爭之後，是日本走向軍國主義、帝國主義的一個過渡時期，港日兩地的關係亦隨之而有所調整，香港書刊在日本的重要性減低，從這一點看來，便不是偶然的了。

第四節　日本人在香港創辦的報刊

早於明治末年，日本人在香港已創辦了兩種報紙。第一種是中文的《東報》，創於 1899 年，張少春、張鶴臣為督印人，具體情況不詳。第二種是日文的《香港日報》，1909 年 9 月 1 日由松島宗衛（1871 — 1935）所創，估計當時《東報》已經停刊，所以《香港日報》是日本人在香港唯一的言論機關，而且持續刊行了三十多年，對象主要是本地的日本僑民。松島宗衛主持該報 12 年，其後情況不詳，至 1935 年 10 月 12 日，由井手元一繼任社長。1937 年 12 月起，該報的第 4 版改為中文；次年 6 月，獨立成為中文的《香港日報》。1938 年 11 月 1 日，井手元一因年事已高，辭去職務，由衛藤俊彥繼任為社長。1939 年 6 月，另出英文週刊《香港新聞》（*The Hongkong News*）。《香港日報》至此同時出版日文版、中文版和英文版，成為香港報業史上唯一的三語報紙。這個發展足以表明，當時日本人在香港辦報，已超越了服務日僑的初衷，而是希望傳達日本訊息給香港華人，以及當時在港的西方人士，日本人企圖染指香港事務的野心已是昭然若揭了。

大正時期的日本人，也有在港創辦報紙的紀錄。1921 年 6 月 17 日，平井真澄創辦日文日報《南支那新報》。翌年，平井真澄往廣州辦《廣州日報》，《南支那新報》遂告停刊。另有一說，謂《南支那新報》刊行約兩年半，至 1923 年 9 月，日本發生關東大地震後停刊。具體事實如何，仍有待考證。

1941 年年底，日本發動太平洋戰爭。12 月 8 日，日軍突襲香港；同月 25 日，香港總督楊慕琦（Mark Young, 1886 — 1974）向日軍投降，香港淪陷，進入「日佔時期」。至 1945 年 8 月 15 日，日軍投降，香港度過了「三年零八個月」的黑暗歲月，其間香港報業處於慘淡經營狀況。

太平洋戰爭爆發時，《香港日報》被香港當局查封；首腦人物亦被逮捕監禁，曾短暫停刊，此舉是恐怕日本人的言論影響時局；日軍佔領香港後，該報始恢復出版，其性質有如「官方刊物」，成為香港淪陷時期最重要的報紙，從中可以看到日本統治香港的主要措施，在一定程度上也反映了當時香港的社會民生狀況。英文的《香港新聞》（*The Hongkong News*）且由週報改為日報，以西方人士及不懂中文的華僑為主要對象。當時還有一份日文雙月刊，叫做《寫真情報》，是日本佔領當局報導部宣傳班所辦，相信是以本地的日本軍政人員為主要對象。

香港淪陷初期，共有 11 家中文報紙得以出版，包括《南華日報》、《天演日報》、《自由日報》、《華僑日報》、《華字日報》、《循環日報》、《星島日報》、《大眾日報》、《大光報》、《新晚報》和《香港日報》，後者另有日文版和英文版。除了日本人所辦的《香港日報》和汪精衛政權在香港所辦的親日報紙《南華日報》外，其他報紙都要被迫與日本佔領軍合作；1942 年 2 月 20 日，日本宣佈香港為佔領地，任命陸軍中將磯谷廉介（1886 — 1967）為佔領地總督，所有報紙和新聞消息均受香港佔領地總督部的報導部統制。

其後日本佔領軍政府以白報紙供應不足為由，逼迫各家報紙於 1942 年 6 月 1 日起合併，《華僑日報》與《大眾日報》合併，仍稱《華僑日報》；《華字日報》與《星島日報》合併，改名《香島日報》；《循環日報》與《大光報》合併，成為《東亞晚報》；《南華日報》繼續出版，《自由日報》、《天演日報》、《新晚報》均併入該報；至於《香港日報》，則維持中文、日文、英文三種語文版本。換言之，淪陷時期的香港，後期只有《華僑日報》、《香島日報》、《東亞晚報》、《南華日報》、《香港日報》5 種中文報紙繼續出版。[15] 到了 1944 年 8 月 22 日，情況更加惡劣，香港各報開始調整版面，減少內容，由原來的一大張改為半張；《東亞晚報》支撐了半年，維持不下去，於 1945 年 3 月停刊，《華僑日報》因而由 4 月創辦《華僑晚報》，刊行至 1988 年停辦。[16]

1945 年 8 月 15 日，日本宣佈投降；8 月 30 日，英國太平洋艦隊司令夏慤少將（H. J. Harcourt, 1892 — 1959）率艦抵港，從日軍手中接收香港。戰爭結束後，親日報紙紛紛停刊，近代日本人在香港的辦報活動，至此宣告結束。戰後日本人仍然在港有出版日文報刊，主要是為居港日僑服務，為他們提供一些本地和中國消息，以及與工商貿易有關的報導；此外，日本駐香港總領事館於 1968 年創辦《新日本月刊》（其後改為雙月刊），登載介紹日本的文章和相關活動消息，還有學習日語的專欄等。創辦報刊的宗旨和登載的內容，已與戰前大大不同了。

註釋

1 參閱李志剛〈早期教士在港創辦第一份中文報刊──《遐邇貫珍》〉，氏著《基督教與近代中國文化》（台北：宇宙光出版社，1989 年），頁 135 — 143。

2 周佳榮〈十九世紀香港書刊在日本的傳播〉，《歷史與文化》第 2 期（2001 年），頁 80。

3 參閱增田涉《西学東漸と中国事情》（東京：岩波書店，1979 年），頁 28。

4 羅森的〈日本日記〉，刊於《遐邇貫珍》1854 年第 11 號、12 號及 1855 年第 1 號。

5 王曉秋、史鵬校《早期日本遊記五種》（長沙：湖南人民出版社，1983 年）所錄羅森〈日本日記〉，便是根據日本小島晉治教授提供的輯印本排印，其書題為《米國使節隨行清國人羅森日記》，題後並有一小註，略云：「《遐邇貫珍》原本不易獲得，此係據向山篤《蠹餘一得》及中村《不能齋筆記》所錄重印。」

6 參閱卓南生《中国近代新聞成立史（1815 — 1874）》（東京：ぺりかん社，1990 年），頁 98。

7 有關羅森的生平，可參羅香林〈香港開埠初期文教工作者羅向喬事蹟述釋〉，《包遵彭先生紀念論文集》（台北：國立歷史博物館、國立中央圖書館；美國：聖若望大學亞洲研究中心聯合編印，1971 年），頁 289 — 293。亦可參羅晃潮〈近代唯一目睹日本「開國」的中國人：羅向喬及其《日本日記》〉，氏著《扶桑覓僑蹤》（廣州：暨南大學出版社，1994 年），頁 147 — 151。關於《滿清紀事》，可參增田涉前引書，頁 280 — 320。周俊基〈見證日本開國的首位中國人 —— 羅森研究資料綜述〉，《日本與亞太研究》第 2 卷 1 期（2018 年 1 月），頁 67 — 86，搜羅相關資料甚詳。

8 參閱陳湛頤《日本人與香港：十九世紀見聞錄》（香港：香港教育圖書公司，1995 年），頁 99 — 105；並參閱任文正〈十九世紀港日交通往來述略〉，譚汝謙編《港日關係之回顧與前瞻：香港日本文化協會二十五週年特集》（香港：香港日本文化協會，1988 年），頁 108。

9 參閱增田涉前引書，頁 18。

10 參閱史和、姚福申、葉翠娣編《中國近代報刊名錄》（福州：福建人民出版社，1991 年），頁 262 — 263。

11 參閱王曉秋《近代中日文化交流史》（北京：中華書局，1992 年），頁 215 — 216；忻平《王韜評傳》（上海：華東師範大學出版社，1990 年），頁 172 — 173。

12 參閱周佳榮〈在香港與王韜會面：中日兩國名士訪港記錄〉，林啟彥、黃文江主編《王韜與近代世界》（香港：香港教育圖書公司，2000 年），頁 391。

13 舉例來說，明治時期著名的宗教家及同志社大學創辦人新島襄（1843 — 1890），在幕末時於 1864 年（元治元年）秘密赴美國攻讀神學，途經香港，初次見到漢譯的基督教《聖經》，致使他日後在這方面加以著意。

14 同註 12，頁 392 — 393。

15 鄭鏡明〈香港報業斷代史：香港淪陷時期的中文報業〉，《明報月刊》第 23 卷 10 期（1988 年 10 月），頁 105 — 106。

16 周佳榮《香港報刊與大眾傳播》（香港：天地圖書有限公司，2017 年），頁 168。

第一章

近代日本出版文化與中文報刊的發展

近代日本通常是指19世紀中葉至20世紀中葉的歷史階段，包括明治時期、大正時期及昭和前期（1926—1945）；以第二次世界大戰結束為分水嶺，昭和後期（1945—1989）則屬於日本現代史的領域。近年日本出版的著作，也有以「昭和史」（1926—1989）作為一個階段的。從平成元年開始的平成時代，一般視為當代日本。

要瞭解中國人在日本辦報的情形，首先應對近代日本的報刊文化有概括認識，從中亦可以看到日本對西方文化的態度和對華政策的變化，以及複雜多元的中日關係的背景。中國人在日本創辦的報刊，除於日本華人社會和留學生界流傳外，早期主要是為國人而辦的，出版後多發行到中國內地多個省市；戰後出版的中文報刊，讀者以日本華裔人士、中國留日學生及旅居當地的華人為主。一般來說，日本人是很少接觸這類報刊的。中文報刊在日本雖然處於邊緣位置，未能進入日本傳播媒介的主流，但在一定程度上，也帶有日本報刊潮流的色彩。作為中日文化交流和資訊傳播的渠道，報刊是有積極作用和深遠影響的。

第一節　近代日本報刊文化的興起及其趨勢

■　新式報刊文化的開始

出版報紙和雜誌是近代文化活動的一環，報刊又是文化發展的工具之一。日本近代報業的真正產生和形成，是1868年（明治元年）明治維新開展前後的事，比歐洲近代報業興起遲了兩百年左右；不過，日本報業從最初時起，就與當時的政治產生了密切關係，並沿着日本社會變革的特殊軌跡發展下去，對文化、思想、經濟各方面都有巨大影響。近代報刊能夠在日本出現，主要由於兩個條件：首先是封建制度的崩潰，只有這樣，民眾始能置身於全國性的關係之中，才會要求知道廣泛的社會消息；而且，廢止了對報導活動的嚴厲縛束，報刊有更廣闊的發展空間，然後可以回應民眾的這一要求。其次是近代出版方式的引進，尤其是印刷術的改善，否則便沒法迅速地產生向大眾報導各種消息的媒介物，以及有效地在社會上流通。與當時其他亞洲國家相比，日本的近代化進程顯然居於領先地位。[1]

眾所周知，在德川幕府的鎖國政策下的日本，除中國外，另一個通商國家是荷蘭。1853 年（嘉永六年）美國海軍提督培理叩關，日本被迫於次年開國。自此，九州長崎的荷蘭商館館長遂獻上荷蘭東印度群島荷蘭總督府的機關誌 *Javasche Courant*（週刊），以代替舊有的《荷蘭風說書》。[2] 幕府認為這是瞭解海外情況的好材料，於是設立「蕃書調所」（即後來的「洋書調所」）進行翻譯，由 1862 年（文久二年）起發行《官版巴達維亞新聞》。譯報之外，又從事翻刻寧波、上海、香港各地英美人士所出版的中文報刊，並加上日本式閱讀法的符號，例如《官版中外新聞》、《官版六合叢談》、《官版香港新聞》等。1865 年（慶應元年）間，曾任美國駐日本領事館譯官的美籍日本人焦賽夫．海科（Joseph Heco；後改名濱田彥藏，1837 — 1897）在橫濱所創的《海外新聞》，是日本報紙的正式開始。《海外新聞》每月出版 1 次，內容主要轉載英美政經消息。

不過，在維新戰亂期間發行的近二十種報刊，才有一些關於國內事情的報導，而且表達了對政治的見解。京都、大阪一帶的報紙，都持「勤王」（捍衛天皇）觀點；江戶、橫濱一帶的報紙，則多「佐幕」（輔佐幕府）主張。1868 年明治新政府軍隊進駐江戶後，立刻取締所有「佐幕」派報紙，並逮捕了《江湖新聞》的主辦人福地源一郎（1841 — 1906）。隨後江戶易名東京，定為日本國都，自此成為新的文化中心。但這時的日本，對報刊仍未有普遍的需求，即使是沒有遭受禁止的報紙，其壽命也不長。明治初年，僅有少數為時短促的報紙出現。印刷術的落後，是一個很大的限制，上述報刊全部都是木版或木刻活字印刷，當時的書籍，例如銷數達到 10 萬冊的福澤諭吉的《西洋事情》初編，也是這樣印成的。福澤諭吉是近代日本的啟蒙思想家，有「國民教師」之譽。

雖然如此，幕末時代的日本，在出版事業方面已奠下了一些有益的基礎的。第一、幕末最具名氣的出版商，在江戶有老皂館的萬屋兵四郎，須原屋的茂兵衛，山城屋的佐吉、政吉，在京都則有村上勘兵衛、井上治兵衛等，這些人在進入明治時期以後仍有相當的活動；第二、日本最早的鉛字，是長崎的本木昌造（1824 — 1875）發明的，他在 1852 年試製成功，1870 年，他的弟子陽其二將鉛字用於印刷《橫濱每日新聞》，1872 年他的另一位弟子平野富在東京神田設立活字販賣店，日本的新式印刷可以說就是在這時開始的。當然，要到日本大舉學習西方新思想、新事物，教育文化事業日趨普及之後，具備了近代的條件，日本報業才有飛躍的進展。

■ 明治初期報業活動的進展

明治政府充分認識到報刊是組織統一國家所需的工具之一，遂於 1870 年左右開始採取助長報業發展的方針。1871 年 1 月創刊的《橫濱每日新聞》，是日本最早的日報，用鉛字活版及洋紙印刷，已具有近代報紙的形式。翌年更有幾種重要報紙創刊，如《東京日日新聞》、《郵便報知新聞》，以及英國人辦的《日新真事誌》，宣示了報業時代的到來。當時的報紙都率先倡導「文明開化」，排除舊慣和陋習，介紹歐美文物制度，和報吹教育普及等。這些報紙就算在 1874 年以後，演變成為站在政府一邊的「官權新聞」，及主張設立民選議院、宣揚自由民權以對抗藩閥政府的「民權新聞」，對文明開化的倡導仍然是其根本。東京曾一度出現所謂新聞茶館，顧客只需付少許費用，便可入座，一邊喝茶，一邊聽讀報紙所登的新聞消息。事實上，報紙也曾與人力車和煤氣燈並列，成為文明開化風氣的三大象徵之一。

除了以政論為主的官權、民權兩派報紙之外，還有以一般市民為對象、着重以新聞為本位的所謂「小新聞」（即小報），如 1874 年創於東京的《讀賣新聞》、1875 年創辦附有插圖的《東京繪入新聞》等，大體上也配合着時代的潮流。大多數的「小新聞」都在 1874 年至 1879 年間問世，除上述《讀賣新聞》外，另一份最具代表性的報紙是 1879 年在大阪創刊的《朝日新聞》。這些報紙因為不大涉及政治鬥爭，沒有受到政府當局的干預，反而獲得順利發展。相反的，當時的「政論報紙」以及在 1880 年代和 1890 年代曾經一度盛行的「政黨報紙」，有的衰落停刊了，有的轉變了辦報方針，有的甚至被日益壯大的「小新聞」收購了。

雜誌方面，推為日本雜誌元祖的《西洋雜誌》（1867 年創刊），有名的「明六社」創辦的《明六雜誌》、福澤諭吉的《民間雜誌》、小野梓（1852 — 1886）的《共存雜誌》，其基本路線也是指向文明開化的。醫學、農業、教育及其他學術性的雜誌也開始出版，而都屬於啟蒙性質。至於《東京新誌》、《花月新誌》等文學雜誌，以及反政府的政論雜誌如《評論新聞》、《近事新聞》等，均不見有反對或否定文明開化的暗流。

明治初期報刊的發行，在中央和地方都是受政府要人或地方政廳保護的，但當政論報刊中出現了反政府的言論後，政府便採取了一連串的措施。1873 年，明治政府修改了 1869 年初制定的《報紙印行條例》，增加了很多嚴格限制報紙出版發行的條款。1875 年又接連發佈了《報紙條例》和《讒謗律》，違反規定者，輕則罰款、停售，重則監禁、停刊。言論界受了極度的限制和壓迫，報人和記者遭懲處的很多。真正意義的、以確立人權為目標的文明開化之倡導，至此殆不可能，所謂「文明開化」的宣傳，只能在不妨害政府權力的情形下進行。

■ 自由民權運動時期的報刊

自由民權時代，大抵是指以 1882 年至 1883 年（明治十五年、十六年）為巔峰的前後五六年間。這時期的報刊，其中心內容是要求制定憲法、開設國會及國民參政權的擴大等等，對於憲法內容和國會、內閣組織的討論，是頗為活躍的。上文提過，1874 年以來，日本的報紙已有官權與民權之分，前者指《東京日日新聞》，後者則有《郵便報知新聞》、《橫濱每日新聞》、《朝野新聞》、《東京曙光新聞》。這傾向在 1877 年後仍然繼續，自由民權的主張年盛一年，1879 年《橫濱每日新聞》移至東京，改名《東京橫濱每日新聞》，而成為民權派社團組織之一的嚶鳴社的機關報，也是民權派方面最有力的喉舌。

1881 年又有以名門望族西園寺公望（1849 — 1940）為社長、中江兆民（1847 — 1901）為主筆的《東洋自由新聞》，這本來是一家很有特色的民權派報紙，但因天皇干預，敕令西園寺退出，致該報出版僅月餘即停辦。這一年明治政府被迫頒佈天皇詔書，承諾在 1890 年開設國會，各種政治勢力瞬即活躍起來，結成政黨，其中以自由黨、立憲改進黨、立憲帝政黨最大。1882 年創於東京、以馬場辰猪（1850 — 1888）為主筆的《自由新聞》，是自由黨系的報紙；東京的《東京日日新聞》、《明治日報》、《東洋新報》和大阪的《大東日報》，是帝政黨亦即政府方面的報紙；《東京橫濱每日新聞》、《郵便報知新聞》、《大阪新聞》是改進系的報紙；《朝野新聞》則具有自由、改進兩黨的中間色彩；《時事新報》

和《朝日新聞》中立，但前者對改進黨表明好意，後者則對政府顯示了消極而具好意的態度。

以上情勢在地方報紙上也可看到，1879 年府縣議會開設以後，地方報紙逐漸分裂為官權派與民權派，1881 年至 1882 年以後更趨明顯。至於以報導為本位的「小報」，在這時代中也不得不沾染政治色彩。這些報紙對於政論本來毫不關心，但其投函一概批判政府的設施；而當政黨出現後，都支持改進黨、自由黨，否則也採取反政府的中立態度。《讀賣新聞》稍稍接近改進黨，《東京繪入新聞》接近自由黨，有些報紙甚至執行了政黨機關報的任務，如《繪入自由新聞》、《自由燈》之於自由黨，《改進新聞》（後改為《開花新聞》）之於改進黨等等。

總之，這時期的報刊都傾向於支持自由民權。不過 1883 年由於改訂新聞紙條例中的保證金制度，使弱小的政黨機關誌迫於停刊，一些無黨派色彩的時事評論報刊，也多少受到牽連。

■ 明治中期的社會新聞

由 1886 年（明治十九年）左右以至 1895 年（明治二十八年）中日甲午戰爭結束為止的 10 年間，日本報界的發展，從新聞企業方面來看，是營利事業化的開始；從言論內容方面來看，則是國民主義由開始倡導以至成為潮流的時代。

1880 年代中期的日本社會，扼要地說，正是維新以來的改革活動大致完成之後，在政治方面，前一年已開始了內閣制度；經濟方面，則是承接兩三年來的不景氣而轉趨好景之時，向着資本主義作進一步的發展，企業增加，規模擴大。報刊企業化，作為營利事業的一種，是必然的趨勢。為了爭取眾多的讀者，態度不宜偏於一黨一派，記事也力求平易及有趣。向來的「小報」在版面上已具備了現代報紙「新聞大眾性」的特點，內容又迎合大眾的需要，在新的形勢下極為有利，因而迅速地發展起來。早年的大報，至此被迫走「小報化」的路線，如《郵便報知新聞》便是最先的一例，否則便往往遭遇停刊的厄運了。

至於以新鮮獨特面貌出現的中型報紙，應舉德富蘇峰（1863 — 1957）的《國民新聞》和黑岩周六（1862 — 1920）的《萬朝報》為代表。《國民新聞》創於 1890 年，這是從自命為「國民立場」的角度出發而又具有商業性質的報紙，已不同於過去的政論報紙或政黨報紙。《萬朝報》創於 1892 年，首先開闢了社會新聞欄，專門報導犯罪、獵奇、黃色之類的新聞，揭露社會名流的私隱醜聞，贏得了下層讀者的歡迎；其後進行改革，在青年一代中間展開了有關人生問題的討論，一度掀起了「日本主義」的熱潮，並聚集了一批優秀的人材如幸德秋水（1871 — 1911）、堺利彥（1871 — 1933）等。

明治初年推行的改革，至此產生了一些新的社會問題，例如中央集權使地方疲敝，受政府保護的資本與純粹的民間資本隔絕，貧富懸殊也日見擴大等等。明治政府致力於「歐化」政策，進行外交活動以圖修改與西方國家簽訂的不平等條約等，接待外國人的迎賓館——「鹿鳴館」的舞會、宴會，便成為日本貴族和官僚進行國際社交活動的場所。而在民間，則掀起了一股反歐化主義的勢力，反對軟弱的外交方針。三宅雪嶺（1860 — 1945）等「政教社」一派的《日本人》雜誌，陸羯南（1857 — 1907）的《日本新聞》，開始倡導以平民為基盤的、從下而上的國家主義，批判藩閥政府。此外，近衛篤麿（1863 — 1904）的《精神》、政教社的《亞細亞》等，也起來呼應。至於德富蘇峰的《國民新聞》，連同他前此發行的《國民之友》，則對政府的貴族主義傾向表示強烈的不滿，而高唱「平民主義」，可以說是鼓吹由下而上的歐化主義。

1888年，大阪的《朝日新聞》又發行《東京朝日新聞》，肇東西新聞界制霸之緒。《大阪每日新聞》則在本山彥一的指導下承繼了《大阪時報》，逐漸發展為實業本位的報紙。為了應付廣大讀者的需求，印刷設備的改善是必然的。《讀賣新聞》和《朝日新聞》先後在1876年和1882年開始使用紙型版；1890年起《東京朝日新聞》且使用每小時可印1萬5千張的法國馬里諾尼式輪轉印刷機，以往的平版印刷改為圓筒兩面同時印刷。不過，這時仍未能在紙面上加插照片。

報界的一大特徵是文學的興盛。文學界因坪內逍遙（1859—1934）的覺醒而產生了活潑的氣象，不單只報刊上有小說的連載，還出現了不少俳句、和歌及詩的專門雜誌。另一特色則是歷史作品的流行，這顯示了日本人進入回憶德川期的時代，與國家主義的抬頭不無關係。此外，《少年園》、《日本之少年》等為少年而設的雜誌，《女學雜誌》、《日本之婦女》、《家庭雜誌》等以婦女為對象的刊物，還有宗教、哲學之類的專門雜誌，也是在這時期內出現的。

至於這時期出版的圖書，亦與上述情形相應。一般來說，有關國家主義和歷史問題的書籍是十分顯著的。博文館的《日本文學全書》、《日本歌學全書》，田口卯吉（1855—1905）的經濟雜誌社所翻刻的《群書類從》等，是規模較大的出版物。日本的出版界到了這時，可說已經進入資本主義的階段了。1886年的富山房，1887年的博文館、民友社，1888年的福音社、目黑書店，都是明治及大正時期相當活躍的大出版社。

■ 明治後期的報紙企業化趨勢

自1895年中日甲午戰爭結束後，直至明治末年為止，日本報界在十幾年間的企業化，更向前推進了一步。報紙、雜誌都以營業為本位，一面避去了言論和主張，注重報導；內容亦往往以趣味為主，文學作品和娛樂事業的版面擴大了，廣告增多了，有關社會、經濟的報導也日見頻繁。日俄戰爭後，還有地方版和晚報的發行。

在 19 世紀末到 20 世紀初，有「大眾報紙」之稱的《萬朝報》，其發行量達到 12 萬份，居全國之首。1904 年，《大阪每日新聞》和《大阪朝日新聞》分別達到 20 萬份，《萬朝報》以 16 萬份退居其次。1907 年，《大阪朝日新聞》和《報知新聞》均達 30 萬份，《大阪每日新聞》達 27 萬份，《萬朝報》則為 30 萬份。上述數字充分反映出日本報紙發行量的增長極其迅速，這個現象與日本兩次對外戰爭的勝利以及日本產業革命的基本完成，是有着密切關係的。印刷技術的改善，通訊網和發售網的擴大以及資本的增加等，都是必需的。具有雄厚勢力的資本，在新聞界中的決定性日見顯著，如 1910 年後《日本》讓予伊藤欽亮（1857 — 1928），島田三郎（1852 — 1923）的《每日新聞》售予《報知新聞》，《大阪每日新聞》先後收購《電報新聞》及《東京日日新聞》而活躍於東京等，都是極好的例子。

在這情況下，黨派機關報刊的衰微是不必說的，編集長、主筆、名記者的權威已大不如前，德富蘇峰、黑岩周六雖是記者，卻以經營者身份而有名。在這時代揚名的，毋寧是村山龍平、三木善八之類的經營者。記者選擇報社，往往視乎職位和報酬的高低，很少是考慮到自己的主張的。內村鑑三（1861 — 1930）、堺利彥（1871 — 1933）、幸德秋水（1871 — 1911）之退出《萬朝報》，只是一個異常的例子而已。

但這並不是說，這時期報刊並不顧及言論主張。在 19 世紀末年，主張「日本膨脹」的言論頗強。1900 年中國發生義和團事件以後，日本希望進一步與歐美列強爭奪中國的利益，加上國內資本主義日見發展，輿論界進而轉變為帝國主義的鼓吹，沿着強硬對外的路線，依次發展為對「俄強硬論」、「對俄主戰論」、反對日俄的講和條約和肯定日本吞併朝鮮。至此，明治二十年代的自下而上的國家主義、歐化主義，遂演變成以國家權力為背景的帝國主義了。在當時的新聞界、雜誌界中，這種言論傾向是很普遍的，只有三四種報刊例外。

這時期的另一個特色，是社會主義言論的抬頭。在甲午戰爭後的日本社會中，勞資雙方的利害衝突明顯地存在，無論甚麼報紙都不可避免地涉及此類問題。有些報刊是以社會改良為目標的，如板垣退助（1837 — 1919）的《社會新報》、黑岩周六的《萬朝報》、秋山定輔（1868 — 1950）的《二六新報》、島田三郎的《每日新聞》等，但都屬於營利性質，其社會主義主張大抵不得不限於與資本勢力不相矛盾的範圍之內。《每日新聞》和《萬朝報》在日俄戰爭前夕主張「非戰論」，結果在言論上受到挫敗。而站在勞工階級立場的，由社會主義者及其支持者所辦的報刊，有《勞動世界》、《平民新聞》、《社會主義》、《直言》、《光》、《新紀元》、《世界婦人》、《社會新聞》等，《六合雜誌》也在這一線上。不過，1909 年發生了藉以鎮壓社會主義運動的所謂「大逆事件」，幸德秋水等人判處死刑，有關社會主義的圖書都禁止發售。

這時的雜誌界，是繼續走資本主義化的路線。在明治二十年代獲得成功的博文館，於 1895 年創刊綜合雜誌《太陽》，另出版《少年世界》、《文藝俱樂部》等，以後還次第增加其種類，稱雄於雜誌界。較為重要的雜誌，尚有《日本人》（後改為《日本及日本人》）、《中央公論》等。此外，甲午戰爭後竹越與三郎的《世界之日本》，日俄戰爭前夕山路愛山（1864 — 1917）的《獨立評論》，和日俄戰爭後的《新日本》（富山房）均為代表。不過，明治末期的報界和出版界，在帝國主義的重壓下，正日益失去言論的自由了。[3]

■ 大正時期的思想潮流與報刊

最能反映大正時代特色的文學團體應推白樺派——圍繞着《白樺》雜誌（1910—1923）的一班文學青年。白樺派作家於文學創作之外，更企圖在現實生活中實踐其理想主義的文學世界。武者小路實篤（1885—1976）在1918年（大正七年）創辦《新村》雜誌，為了實現烏托邦式的世界，且與志同道合者在宮崎縣木城村購置土地，設立「新村」。此外，有島武郎（1878—1923）的「農地解放」主張等，也是具體的例子。

緊接着大正中期白樺派的全盛時代而抬頭的，是在第三次（1914）、四次（1916—1917）《新思潮》雜誌上發表作品的芥川龍之介（1892—1927）、菊池寬（1888—1948）等人，他們的作風有明顯的主知傾向，又以多方面的取材和富於技巧的變化來重新處理現實的日常生活，稱之為「新現實主義」。菊池寬於1923年創辦《文藝春秋》雜誌，獲得很大的成功，成為一批青年作家的領導人物，並致力於提高文學家的社會地位。第一次世界大戰結束後，隨着社會和經濟的變動，社會主義思想在文學界開始萌芽。1920年創刊的《播種人》，奠定了日本無產階級文學的基礎；1924年《播種人》雜誌同人為抵制法西斯主義勢力而創辦的《文藝戰線》（後改稱《文戰》），可以說是無產階級在藝術上的共同戰線，且在文壇上逐漸形成了一股力量。

進入昭和時期後，全日本無產者藝術聯盟於1928年組成，並出版機關刊物《戰旗》，成為左翼文學的據點，以其急進的傾向，與《文藝戰線》的社會民主主義傾向相對峙，並且較佔優勢。1931年九一八事變後，無產階級文學在強烈的彈壓下消沉了；同時，文壇上自大正時期以來的自由主義傾向，也因着法西斯主義的崛起而漸次喪失；至於新感覺派的近代主義文學，一樣沒有太大的進展。在踏入戰時體制前後，日本文學已經屢受挫折，走向沒落一途。

■ 昭和初年及戰爭時期的報刊

1926年昭和時期伊始，即發生金融危機，加上世界性的恐慌和農村不景，使不景氣慢性延續下去。全國充滿了失業者，人們在色情和怪奇等無意義的事情中逃避現實。無產階級運動在此形勢下成立統一戰線，有飛躍的進展。但政府採取了徹底的彈壓政策，於1928年、1929年的三一五事件和四一六事件中，大肆檢舉共產黨員等，使共產主義者的運動瀕於全盤潰散的地步。而與社會主義運動相對抗的，是以軍部內的青年將校為中心的法西斯式「改造國家運動」。為了實現其軍部政權，這運動且大肆打擊政黨要人和重要大臣，致使日本政局的危機更加深化。

大正中期以後的新聞界，企業集中的傾向是很明顯的，地方報紙也不例外，如《北海時報》、《河北新報》、《新愛知》、《名古屋新聞》、《中國民報》、《福岡日日新聞》、《九州日日新聞》等，這些報紙且伸展其勢力於他縣。各報社大抵基於自由主義的立場，強烈希望實現普選、言論集會自由以及確立政黨政治，既反對極左的激烈運動，同時也排斥右翼的運動。

綜合性雜誌方面，前已出版而仍繼續的《中央公論》、《改造》、《太陽》，以及1923年創刊的《文藝春秋》、《經濟往來》（1935年改為《日本評論》）等，最具有代表性。此外，《日本及日本人》在大地震後復刊，但主筆三宅雪嶺與雜誌見解相異，遂自創《我觀》。《太陽》在大正中期以後不隨時代進步，終於在1928年休刊，結束了自1895年以來的光輝歷史。

《中央公論》、《改造》和《批判》是左翼雜誌，即使在法西斯主義日見發展的情勢下，仍固守其立場。大多數的雜誌，則先後偏向右翼方面。至於左翼報紙，主要有 1925 年創刊的《勞動新聞》（日本勞動組合評議會機關紙）和《無產者新聞》（日本共產黨合法機關紙），1928 年的《赤旗》（日本共產黨中央機關紙）等。但自 1925 年公佈《治安維持法》後，言論取締一年比一年嚴厲，1931 年九一八事變後更甚。1935 年 11 月又一起檢舉了無政府主義者，《勞動者新聞》、《自由聯合新聞》、《黑色新聞》等報刊全部停刊。

日本的法西斯主義在昭和初年逐漸形成一股龐大的勢力，各種右翼團體先後成立，並出版了不少機關報刊，例如青天會一派的《日本》、國本社的《國本新聞》、日本國家社會黨的《維新日本》、新日本國民同盟的《錦旗國民軍》、皇道會的《皇道》、明倫會的《明倫》、日本國家社會主義學盟的《國家社會主義》等。其見解大抵可以分為純正日本主義與國家社會主義兩類，兩者的分別是在經濟政策上：前者主張修正資本主義並對經濟進行統制；後者則渴想一國社會主義的確立。在 1935 年的右翼新聞雜誌中，純正日本主義系的佔 79 種，屬國家社會主義系的有 5 種，另有農本自治主義系的 6 種，共計達 90 種之多。

1937 年七七事變爆發前後，日本出版界已不再容許言論的自由，軍部、官僚的言論統制，明顯較前加強。1936 年 7 月設置了直屬內閣的情報委員會，次年 9 月升級為內閣情報部，1940 年又升格為情報局，而其實權則操於軍部。新聞界為了對應這一情勢，在 1941 年 5 月成立了社團法人新聞聯盟，更因《國家總動員法》，而於 1942 年 2 月有日本新聞會之創。

在言論自由完全被封鎖的情況下，報導陣營方面則有所進展，進入了航空及電訊照片的實際應用期，電訊、電話和印刷裝備高度發達，已無小資本報館生存的餘地。另一方面，由於新聞紙張及其他材料的不足，報紙的合併是不可避免的，而政府早已採取了這一方針，1939 年底報刊的停辦達到五百數十宗。其後又漸次發展為「全縣一紙」的統合政策，1942 年底在日本新聞會的斡旋下完成了合併。舉例來說，《讀賣新聞》吸收合併了《報知新聞》而為《讀賣報知》，《都》與《國民》合為《東京新聞》，《夕刊大阪》則與《大阪時事》合併為《大阪新聞》；商業報紙方面，東京有《日本產業經濟新聞》，大阪有《產業經濟新聞》，其他地方大體上是「一縣一紙」。

雜誌界也受到同樣的限制，發行的困難程度隨着言論及紙張統制而加深。一般來說，政府是以雜誌向來的表現及其適合時局的情況，作為決定配給用紙數量的根據，銷量少的刊物只好合併甚至停辦了。同一出版社發行的同類型雜誌，也先後合併起來。

綜合性雜誌方面，《中央公論》和《改造》仍然繼續刊行，《經濟往來》於 1931 年改為《日本評論》後，內容較前充實。但未幾，左翼的無產階級運動潰敗，自由主義者被逐出大學，再加上《國家總動員法》的公佈以及 1941 年《新聞紙等揭載制限令》、《言論等臨時取締法》、《言論出版集會結社取締法》的施行，報刊編輯工作相當困難，言論壓制更是異常嚴厲。結果，《改造》、《中央公論》、《日本評論》以及岩波書店的編者都受到檢舉，中央公論社及改造社且接到解散命令，這兩種雜誌在 1944 年中期宣告停刊，結束了長達四分之一個世紀之間致力於民眾啟發的工作。言論界一片沉寂，直至戰爭結束為止。

■ 戰後復興與文化重建

1945 年 8 月上旬，美國先後在廣島和長崎投下兩枚原子彈，造成史無前例的傷亡紀錄，日本終於宣佈無條件投降，結束戰爭狀態，也結束了明治以來的歷史階段。接着，盟軍最高司令麥克阿瑟將軍（Douglas MacArthur, 1880 — 1964）率領軍隊進駐日本，在東京設立聯合國盟軍司令部，作為管理日本的最高機構。

麥克阿瑟首先對日本首相發出 5 項指令：（1）解放婦女；（2）助長勞工組織；（3）教育自由主義化；（4）解放專制政治；（5）經濟民主化。其後又進行了一連串的變革，如財閥解體、農地改革、工人運動的解放以及教育、家族、司法、行政諸制度的改革等。其目標有二：第一是瓦解日本前近代的社會、制度和意識形態，促進日本的近代化；第二是摧毀戰前的軍國主義，使日本「弱體化」和「非軍事化」。1946 年底公佈的新憲法，也是在反封建、反軍國主義、反獨佔三個大前提下公佈的，標舉民主主義（國民主權、保障人權）及和平主義（放棄戰爭、不擁有戰鬥力）兩大原理，否定了舊憲法中的天皇主權，把天皇作為國民統治的象徵。

不過，由於美蘇的對立日見明顯，亞洲形勢又起了決定性的改變，隨着美國的亞洲政策和對日政策的轉換，第一目標的「近代化政策」仍然繼續，第二目標的「弱體化政策」則改為「自立化政策」，具體地說，就是着意扶植日本成為亞洲一個強有力的反共城堡。1952 年 4 月底，《舊金山和約》及《日美安全保障條約》（簡稱安保條約）生效，日本恢復獨立國家的地位，但美軍繼續駐留日本，因此從屬於美國的性格仍然很強。

至於出版界的發展情形，首先，雜誌方面，1945 年底，在一片廢墟中誕生的《新生》雜誌，打開了大作家復活的門戶，永井荷風、正宗白鳥、谷崎潤一郎、井伏鱒二、中野重治等名家的作品，先後在這刊物上登載。跟着，又有《民主評論》、《世界》、《展望》等新雜誌的出現，戰前的有力雜誌如《中央公論》、《改造》、《文藝春秋》、《日本評論》也陸續復刊。

其次，報紙方面，由於擺脫了軍國主義的桎梏，獲得相當程度的「新聞自由」，更有新生的現象。原有的報刊仍可繼續發行，又沒有了戰時「一縣一紙」的限制。1946 年 9 月，報社已達 180 間之多，在經營發展上進行自由競爭。《朝日新聞》、《每日新聞》、《讀賣新聞》三大報紙，《產經新聞》、《日本經濟新聞》等，都作全國性的發行。這些報紙，雖有各自的言論立場和內容特色，但商業性質漸見加強，廣告佔了頗多的篇幅，其後甚至有「商品的商品」之譏。

第二節　近代中日關係的開展和文化交流

■ 中國人在日本辦報的幾個類型

在日本國內出版的中文報刊，還有一些中日雙語報刊和少量中、日、英三語報刊，根據辦報者的身份、所屬團體或不同社群，大致可以分為幾類：第一類報刊是日本華僑、華裔人士和旅居當地的中國人所辦，主要在日本的華人社區內流通；第二類報刊是留日學生和青年團體所辦，很多都同時以運回中國內地發售為目的；第三類報刊是中國政黨或政治組織所辦，旨在向海內外人士宣揚其言論主張；此外，也有一些報刊是日本人創辦的，兼具語文學習和訊息交流兩方面的功能。

在晚清和民國時期，負笈海外蔚為風氣，或遊學日本，或遠赴歐美，當中以留日學生人數最多，並且激起了出版熱潮，報刊此起彼落，對年輕一代尤有重大影響。維新和革命兩派的輿論爭持，氣勢最為磅礴，對中國政治和社會造成巨大衝擊，向來備受學界注意。中日兩國的文化交流，本有深層意義，可惜由於時局變化，報刊所起的作用難以論定。第二次世界大戰後，情況異於戰前，報刊數目不少，呈多元化現象，讀者人數大增，其作用是值得肯定的，至於在中國內地的流通，卻反而不如戰前了。

■ 中日關係與旅日華人的活動

中日兩國自古以來就有頻密的交往，歷史文化關係源遠流長；但在近代前夕，由於日本江戶幕府自 17 世紀初以降實行長達兩個世紀的鎖國政策，中日亦曾有海禁措施，兩國人民不能有正常的接觸，彼此之間的隔閡很深。日本早在 1635 年起，便規定與明朝（1368 — 1644）的貿易以九州地區長崎一港為限，華人不得自由前往日本其他地方；明亡以後，日本對華貿易管束更趨嚴厲，以致中國商船前往日本，在幕末時期瀕於絕跡。

近代日本在美國軍艦叩關下，於 1854 年（嘉永七年；安政元年）開國，繼《日美親善條約》之後，分別與英、俄、荷等西方國家締結條約，但遲至 1871 年（明治四年），始有《中日修好條規》的簽訂。無論如何，日本開國後，華人前往長崎從事經商等業務的人數漸多，神戶、大阪、橫濱、函館等商埠也有華人的蹤跡。

1876 年，美國費城舉辦了一個世界博覽會，作為建國 100 週年紀念活動，曾在寧波海關擔任文牘事務的李圭（1842 — 1903），以中國工商代表的身份前往參加，由上海出發，途中訪問了日本，首先抵達長崎。當地華人多為福州泉漳、三江等系統，閩南「泉漳幫」且在「唐館」（中國商館）內設置「八閩會館」；而歐美商行的中、下級員工多為粵籍，廣東商人如廣州、肇慶兩地人士成為一股新興勢力，因此又有「廣肇會所」

之設，此即 1871 年後成立的「榮遠堂嶺南會所」。據稱「長崎一島，吾華為工商於此者，粵東約三百人，八閩三四百人，江浙百餘人。設廣肇會所一、八閩會所一（江浙人附），較之本土易謀生。惟察其言辭，似不甘受制於日本」。神戶、大阪兩地「居民共約六萬人，華人共七八百名，亦建有會館，規模與長崎同」。橫濱商民約四萬人，華人約一千六百名，「通商情形勝於長崎、神戶，而不及上海十之三四」。[4]

1877 年，中國第一任駐日公使何如璋（1838 — 1891）與參贊黃遵憲（1848 — 1905）及翻譯隨官等十餘人赴日本，首先在長崎登岸，到會館天后宮行香，並接見華商，得悉「華商寓此者分三幫，約七八百人。亦間有勝朝遺臣後裔，居此已十數世者」。長崎山麓有孔子廟，何如璋等亦往一謁。隨後到另一港口神戶，順遊大阪，「神戶商人數百，以居此日淺，勢未聯屬」。最後抵達橫濱，當地有華商近三千人，何如璋總結所見所聞，對華僑的分佈作出以下概括：「日本通商各口我民流寓者，橫濱為多，長崎次之，神戶、大阪又次之，箱館、筑地只數十人，新潟、夷港以僻險未有至者。」[5]

■ 近代日本國內出版的中文報刊

1876 年（明治九年）在東京創辦的《華字新報》，是華人在日本出版報刊的開端，該報刊行的時間雖然很短，卻具有先驅意義。在此之前，日本已有兩種中文報刊出現，一是《六合叢談》[6]，一是《香港新聞》[7]，但都不是中國人所辦的。值得重視的一事，是 1879 年（明治十二年）間，寓居香港的中國著名政論家王韜應日本《報知新聞》栗本鋤雲等人的邀請，到日本訪問，歷時四個月，受到日本文士學者和政界人物的歡迎，盛況空前。[8]

19 世紀、20 世紀之交，中國人赴日本留學漸成潮流，最盛時的人數成千上萬，遠遠超過中國學生負笈其他國家人數的總和。這批留日學生大多在日本首都東京學習，形成了一個龐大的新知識群，他們還創辦大量學生刊物，讀者包括遍佈國內各省各地的知識青年。與此同時，以梁啟超（1873 — 1929）為代表的維新派人士，先後在橫濱創辦《清議報》、《新民叢報》等宣揚保皇立憲的政論報刊，並使啟蒙思想在國內外造成巨大影響；以孫中山（1866 — 1925）為首的革命派人士，也出版了一些鼓吹排滿革命激烈言論的報刊，中國革命同盟會的機關誌《民報》，且與《新民叢報》就政治取態問題展開了一場大論戰。在近代中國思想史上，這是前所未有的，《民報》且取代了《新民叢報》，成為當時最受中國讀者歡迎的刊物。[9]

近代中國人在日本的辦報活動，以晚清時期最為活躍，當中有些報刊在海內外中國人社會起了領先作用，蔚為大觀，氣象萬千，影響深遠。就現時調查所得結果，在晚清創刊的不少於 107 種；1907 年達於高峰，這年新辦的刊物竟有 27 種之多。民國時期在日本新辦的報刊有 60 種，創刊年份的分佈較為平均，而以 1935 年和 1936 年較為活躍，但每年亦只有 7 種新辦報刊而已。1937 年中日戰爭爆發後，中國人在日本辦報的活動幾乎中斷了，直至 1945 年第二次世界大戰結束後才漸次恢復，而以近二三十年間的進展較為可觀。現時中國留日學生人數二三十倍於晚清時期，辦報活動卻無復當年盛況，畢竟時移世易，傳播媒介已不限於報刊了。

上文提到，中國人在日本經營的報刊，其初是居留日本的華僑、華人所辦，以報導華人社區的活動和商業消息為主，或流露懷念故國和鄉土之情，間亦顯示對時局的關心；留日學生刊物繼興，以報導學界消息和發表意見為主，對國內的情況亦頗關注，部分則為學術文章；至於從政人士或團體辦報，在晚清以維新、革命兩派為主，在民國則以國民黨系的人士居多，對當時國內政治常持批評甚至反對意見。此外，還有若干由日本人或日本團體經營的中文報刊，以居留日本的華人及中國留學生為主要對象，間亦為日人學習中國語文而設，雖有華人參與編輯及撰稿工作，但不屬於中國人自辦的報刊。

在晚清時期，留日學生創辦的刊物達七十多種；民國時期盛況不再，但也有四十種。連同一些青年社團所辦的刊物，青年學生報刊約佔總數七成，當中以雜誌和學報佔絕大多數，這是華人在日本辦報活動的特色。由於學生的流動性較大，所以留學生刊物一般刊行的時期很短，能夠持續出版三數年已算不錯，僅見創刊號的情況亦復不少。政界人士所辦的政論報刊，通常經費來源較為充足，刊行條件相對穩定，刊期也有較長的，但因政局變化很快，時移世易，難免亦有曇花一現的現象。至於服務日本華僑、華人的報刊，一般都有華僑、華人團體支持，兼具服務當地社區的功能，在戰後始逐漸發展成為中文報刊的大宗。

第三節　中文報刊在日本刊行情況的變遷

■　旅日華僑創辦的中文報刊

中國人在日本辦報始於 1876 年，已如前述。這年有一種名為《華字新報》的中文報刊創於東京，在旅日華僑中流通，翌年該報仍有出版，但其後情況不得而知。[10] 直至 20 世紀初，才再出現華僑主辦的中文期刊，1901 年，在橫濱就有兩種：其一是《大同學錄》，出版不久，於同年年底停刊；其二是《亞洲時務匯報》，不定期刊（或作半月刊），16 開本，是一種以時事報導為主的政治刊物，內容有內閣抄奉、中國各地官吏的各種大事記、新政奏議匯編、中外大員札示十二抄、中外交涉大事議、時務新治匯抄、通人著述等，現時存見最後一期為 1901 年出版的第 4 期。[11]

1908 年 11 月 13 日，旅日廣東梅縣人向津編輯發行的《梅州》雜誌在東京創刊，撰稿人多為旅日梅州人或國內梅州人。該刊以海內外梅州籍人為對象，內容注意有關梅州地方情況的報導，有濃烈的地方色彩，所載文章、圖畫等，揭露了地方政治和教育諸方面的腐敗，亦有反清、反封建及支持民主革命的傾向。欄目包括論說、時評、譯叢、文苑、小說、撰錄、雜俎等，並有圖畫。年餘之後，於 1910 年 1 月出版第 2 期。[12]

1910 年 6 月 17 日，《南洋群島商業研究會雜誌》（季刊）在東京創刊，是南洋群島商業研究會會刊，由李文權主編。其章程聲稱「注重僑民，先從南洋群島着手」，該刊「以聯絡感情，研究實業為目的」。季刊，每冊約四十頁，欄目有圖畫、論說、譯著、文牘、傳記、調查報告、僑音等。內容包括殖民地問題、僑民問題的論文和譯著，商貿問題調查報告，清政府考察南洋商業和教育的奏摺，外國駐華機構就移民問題發佈的公文，華僑要人的傳記及華僑界重要消息，會員通信等。第 3 期起移至北京出版，1911 年 5 月出版至第 4 期。[13] 該雜誌的〈發刊詞〉認為：「役人之人，而亦役於人。蓋文明之上，猶有文明，苟其文明，地不在大，人不在多，卒能戰勝於地球之一。」又強調：「而以商戰得利之為愈也，吾言商戰，吾不能不期望商人，吾不能不期望能戰之商人。」刊載的文章，有〈南洋地名表〉、〈日本稅則摘要〉、〈海產物〉、〈新加坡華人參事局規則〉、〈粵督札知勸業道開闢華僑新界事〉、〈蘭領爪哇群島現行之政略一斑〉、〈馬來半島視察談〉等。從創辦宗旨和關注內容看來，《南洋群島商業研究會雜誌》相信是旅日南洋華僑興辦的刊物。

1910 年 10 月，《中國實業雜誌》在東京創刊，社長為李文權，而由上海、北京的商務印書館發行。欄目有圖畫、論說、譯著、專件、傳記、調查、近事、文苑、附錄等。民國初年繼續出版，1917 年第 1 期至 4 期附《橫濱中華商務總會月報》。從 1917 年 8 月 1 日出版的第 8 卷 8 期起，遷至天津繼續出版，直至 1919 年第 7 期或以後，停刊時間待考。[14]

晚清時期的旅日華僑報刊，大概只有上述幾種，刊行時間很短，流傳亦不廣。1912 年中華民國成立後，情況大致相若，最早出現的一種，相信是 1916 年在神戶創刊的《神戶華僑商業研究會季報》，楊壽彭編，主要為當地華僑服務。刊載一些商業方面的論說，介紹商品學、貿易方法和日本商法，包括一些譯作，也有文藝天地。1917 年 10 月出版至第 7 期停刊。

1929 年 3 月，旅日華僑團體中華民國社在東京創辦一種題為《中華民國》的刊物，強調其宗旨是「宣揚正義，為國人先驅，志在推翻一黨專制，恢復中華民國」。主要發表政論性文章，批評國民黨的獨裁統治，評論國民政府的外交政策，此外還有關於國際政治及歐洲勞工問題的譯述。同年 9 月，該刊出版至第 5 期，照此推算，應該是一種月刊。

1937 年 3 月 1 日，旅日華僑及青年學生所辦的《留東週報》在東京創刊，余仲瑤編輯及發行，屬時事政治刊物。8 開紙，每期 2 張 4 版。主要內容是國際和國內時事評論，亦有關於日本文化、經濟、政治的介紹，以及報導旅日華僑和留日學生的消息。同年 5 月出版至第 11 期。

總的來說，第二次世界大戰前，日本的華僑報刊並不發達，可知的總共不到 10 種。但亦要指出，有些報刊僅於當時的華人社區內流傳，沒有發行到日本國外，而且不受學界注意。相信實際上不只此數，有待進一步調查、搜集和研究。戰後的情況有所改善，報刊數目漸多，發行量也較大，是研究日本華僑、華人的重要材料。

■ 中國留日學生刊物的崛興

現代中國新式出版事業始自19世紀、20世紀之交，並且很快形成一股巨大的文化力量。新知識、新思想的傳播，促進了劃時代的變革運動；辛亥革命爆發後，共和政體取代了君主專制，而有五四新文化的潮流，至今浩蕩不已。晚清及民國時期的留日學生適逢其會，掀起新式中文書刊的出版風氣，在知識普及、文藝創作和學術研究等方面，都作出了重要貢獻。由於文化的相近性，中日兩國在出版事業方面，一直存在着雙向學習和相互交流的現象，關係至為密切，共同促進了東亞文明。這主要見於業界的頻密往還，剛剛踏出國門的年青學子則廣泛起了媒介作用。

紙和印刷術都是中國人發明的，活字印刷術的貢獻尤大，在世界出版史上，中國曾領先一段很長時間。鄰近國家如朝鮮、日本等，在中國經驗下力求改進；西方人從中國得到啟發，迎頭趕上，其印刷術在19世紀回饋中國和日本，大大衝擊了兩國的近代文化。明治時期日本人向西方學習活字鑄造，自製小型印刷機，因字體和印刷都較精美，而為中國印刷界所樂用。

19世紀後期，中國人開始到外國留學，在康有為（1858—1927）、梁啟超等維新人士積極主張下，各省相繼派遣學生到鄰國日本進修。1896年有第一批留日學生13人，其後逐年增加，至1905年多達8千人，男女老幼以至兄妹留學、夫妻留學、家族留學都有。出洋讀書風氣盛行及國內新式學堂出現，使知識人士有集中一處的機會，形成一個具有覺悟性的新知識群，對政治形勢和國家處境都極為敏感。1905年至1939年間，留日畢業學生接近一萬二千人，是當時中國最龐大的新知識群，他們熱衷於出版活動，奠定了現代中國出版文化的規模，對文教事業影響至為深遠。

留日學生為挽救國家危亡，積極介紹外國新知新事，創辦大量報刊，藉此進行言論宣傳。1900 年出現的《開智錄》和《譯書匯編》，是最早的留日學生刊物；次年創刊的《國民報》，則為革命報刊的先驅。留學生同鄉會相繼出版《湖北學生界》、《浙江潮》、《江蘇》、《江西白話報》、《雲南》等，另有《河南》、《四川》等革命報刊繼起，且各自向本省發行，開創了編印地方刊物的風氣。

但留日學生迅即改變其地方主義色彩，致力營造國民意識和灌輸民族團結。《湖北學生界》改名《漢聲》繼續出版，各省學生聯合創辦《20世紀之支那》，1905 年中國同盟會在東京成立，其機關刊物《民報》實亦集結了大批留學生。此外，白話報刊的流傳，婦女刊物的興起，使中國人開始有切合本身需要的雜誌。

留日學生刊物亦是現代中國專業刊物的先驅，例如《譯書匯編》改為《政法學報》，《農桑會雜誌》、《教育》、《法政學交通雜誌》、《醫藥學報》、《衛生世界》、《武學》、《海軍》、《中國蠶絲業會報》、《中國商業研究會月報》等，在法政、農桑、教育、醫藥、軍事、商業各個領域中都有開創性的意義。論者並且指出：「中國留日學生的辦刊活動對中國現代的編輯出版工作也產生了重大的推動作用。」[15]

總的來說，晚清及民國時期的留日學生報刊總數超過 100 種，在當時國內缺乏新式報刊的情況下，起了重要的帶頭作用。20 世紀下半葉，中國人出洋留學的熱潮再興，留日學生估計達三數十萬人，他們秉承了20 世紀初年以來的傳統，相對於留學其他國家和地區的學生而言，比較重視著述和出版，或則撰文寄回國內發表，或則以日文撰寫論著，也有人致力於翻譯工作，把日文著作譯成中文。自己創辦報刊的條件，反比以前困難。無論如何，在 21 世紀初，隨着中國綜合實力的迅速發展，中文出版的第二個高峰將臨，其勢且更加磅礴，留日學生將可有更多的表現。

■ 中文政論報刊在日本的興替

中英鴉片戰爭後，中國面臨內憂外患的衝擊，開明的知識人士和朝中官員，遂有要求改革的呼聲。19 世紀後半期，洋務運動推行了 30 年，以富國強兵為目的，結果在甲午戰爭之中敗於日本，變法維新和排滿革命先後成為晚清政治運動的兩大潮流。

戊戌變法時期，維新派人士在日本神戶創辦《東亞報》；1898 年戊戌政變後，流亡日本的梁啟超等人在橫濱創辦《清議報》、《新民叢報》和《新小說》，影響至為重大，對留日學生自辦刊物的風氣，亦起了積極的刺激作用。其後創辦的《政論》，則是宣揚立憲運動的報刊。另一方面，1905 年革命派人士在東京創辦中國同盟會機關誌《民報》，與《新民叢報》抗衡，兩派就革命與君憲問題展開了一場大論爭，《民報》動員革命黨內的精英，《新民叢報》方面則以梁啟超為主奮起應戰，論爭的結果，迅速改變了國人的政治傾向。[16]《天義報》等鼓吹無政府主義的刊物，在晚清政治思想史上也有代表性的意義。

1912 年中華民國成立後，政局變化反覆。共和國雖已建立，革命的果實卻為政客掠奪，袁世凱（1859 — 1916）專制於前，北洋軍閥擾亂於後。1913 年 4 月，國民黨駐日各支部聯合主辦的機關刊物《國民雜誌》（月刊）在東京出版；與此同時，又有《讜報》（月刊）的創辦。《讜報》原是共和黨旅日支部的機關刊物，旋因共和黨與民主黨合併為進步黨，該刊自第 3 期起，改為進步黨留日東京支部的機關刊物。

1914 年 5 月，孫中山發起的《民國》雜誌在東京創刊，刊期不定，設有論說、譯述、文藝、紀事、雜著等欄。同年 7 月，中華革命黨成立，《民國》成為該黨的機關刊物。袁世凱帝制失敗後，該刊停止出版。與《民國》同時在東京創刊的有《甲寅》（月刊），由章士釗主編，以「條陳時弊，樸實說理」為宗旨，積極支持反袁鬥爭。翌年移至上海印刷出版，不久停刊。

1923 年和 1925 年，先後有國民黨東京支部主辦和編輯的《三五》和《國民評論》（半月刊）在東京創刊。1926 年，東京留日各界北伐後援會在東京編印《北伐》，這是一種時事性政治刊物，支持廣州國民政府北伐。這三種刊物，與中國政治的進程是息息相關的。

從清末至民國時期，中國人和政治團體在日本創辦的政論報刊，大體上反映了中國時局變化的情形，甚至起了帶頭和促進的作用。五四運動後，馬克思主義迅速在中國傳播。在此以前，中國人在日本所辦的刊物中，已有介紹馬克思、恩格斯和共產主義的文章，頗具先驅意義；但五四後在日本創辦的刊物以新文學創作居多，宣揚共產主義的刊物絕無僅有，主要是由於當時日本對言論思想的控制十分嚴密。中國人在日本，已逐漸沒有出版政論報刊的空間，這亦充分表明了，近代中國人在日本的辦報活動已接近尾聲了。抗日戰爭爆發，也就宣告一個時代正式結束。

■ 戰後日本出版的中文報刊

抗日戰爭期間，報刊出版活動大受影響，中文報刊幾於停頓，至戰爭結束後才重新起步。戰後在日本創辦的中文報刊，以華僑團體出版物較多，其次則是商業性質的通訊，再次是一些帶有政論的雜誌；此外，也有若干為留日學生而辦的報刊，包括升學指南、日語學習等。1970 年代以前，一些中文報刊與台灣方面有較多聯繫；中日兩國建交以後，中文報刊漸多面向中國大陸。整體來說，這些報刊都是以居留日本的華人和留學生為對象，像戰前那樣為行銷中國內地而出版的情況，已不復存在了。

戰後日本出現的第一種中文報刊，是1946年創刊的《華光》；在1940年代後期，還有《黃河》、《華文國際》、《華僑報》等。1950年代創辦的新刊，有《中華週報》、《大地報》、《自由新聞》、《新亞洲》；1960年代，有《東方文摘》、《自由中華》、《揚華僑報》、《太平洋經濟評論》、《中興報》、《東北研究》和《神戶中華同文學校通訊》等。這些報刊多在東京出版，也有在橫濱、大阪創辦的。1980年代新出的《社團法人神戶中華總商會報》、《橫濱華僑通訊》、《關西華僑報》和《橫濱華僑會報》，橫濱和關西地區（京都、大阪、神戶）各兩種，在一定程度上，反映了日本華人社會成長的情況。

1970年代末，隨着中日建交和中國改革開放的勢頭，中文報刊及中日雙語報刊較前有更大需求，因而相繼創辦，如雨後春筍，有的只是曇花一現，有的則能持續刊行。1980年代面世的新刊達10種，1990年代面世的新刊有二十數種之多。踏入21世紀以來，由於中日兩國爭拗日漸升溫，經濟貿易和文化交流都受影響，中文報刊似不復此前之盛。在世紀初創刊的，有《南華報》、《華人週報》和電視報《大富》等；時至今日，已不下三數十種。展望今後的趨勢，兩國關係難免有所反覆，中文報刊在日本的前景，豈稱得上是審慎樂觀而已。進入2010年代，中日關係陷於低潮，這類報刊的發展空間亦受影響，情況已經發展到令人擔憂的地步了。回顧過去一百餘年的情況，或者從中可以得到一些啟發，冀中日兩國的友好傳統得以延續，兩國的爭端通過和平的方式得以逐漸緩和。

註釋

1 周佳榮《近代日本文化與思想》（香港：商務印書館，2015 年），頁 7。

2 日本開國前，江戶幕府允許荷蘭人在長崎海面的出島設立商館，統籌外國商人和幕府間的官方貿易。荷蘭商館的長官把各商船帶去的外國消息加以整理，然後呈送幕府作為參考，通稱《阿蘭陀風說書》，意即「荷蘭傳聞書」。

3 周佳榮〈近代日本出版文化的興起〉，氏著《細雨和風：明治以來的日本》（香港：香港中和出版有限公司，2018 年），頁 115–116。

4 李圭《環游地球新錄》（長沙：湖南人民出版社，1980 年），頁 121 — 126。

5 何如璋《使東述略》，見羅森等《早期日本遊記五種》（長沙：湖南人民出版社，1983 年）。

6 《六合叢談》（*Shanghai Serial*）是 1857 年 1 月創於上海的月刊，英國人偉烈亞力（Alexander Wylie）主編，墨海書館印行。次年遷日本，不久即停刊。香港大學馮平山圖書館、香港中文大學圖書館、香港浸會大學圖書館都藏有《六合叢談》第 1 號至 14 號縮微膠卷。

7 《香港新聞》是日本人於 1861 年翻印香港出版的《香港船頭貨價紙》並加日文註解的報刊，改題《香港新聞》，內容除記載船期和貨價外，還有簡略的新聞報導。翻印本匯編為 8 卷，日本圖書館藏有《香港新聞》部分原件。

8 王韜於 1862 年從上海到香港，1871 年編撰《普法戰紀》，旋即傳到日本，引起很大反響。1874 年創辦《循環日報》，成為近代中國最早的政論報紙，自此名望更高，日本報界因而邀請他訪日。他的《扶桑日記》共有 3 卷，由栗本鋤雲訓點，日本東京報知社出版，於 1879 年冬至翌年夏出齊。

9 周佳榮〈《民報》與《新民叢報》論爭的再評價〉，氏著《新民與復興：近代中國思想論》第二版（香港：香港教育圖書公司，2008 年），頁 202。

10 上海《萬國公報》第 9 年 420 卷及 421 卷，分別錄有《華字新報》第 5 期和第 6 期的文章。日本圖書館藏有《華字新報》部分原件。

11 《華僑華人百科全書 · 新聞出版卷》（北京：中國華僑出版社，1999 年）。上海圖書館等處藏有《亞洲時務匯報》。

12 沈殿成主編《中國人留學日本百年史（1896 — 1996）》（瀋陽：遼寧教育出版社，1997 年）。

13 戈公振著《中國報學史》謂《南洋群島商業研究會雜誌》為月刊，僅出版 3 期，不確。中山大學圖書館藏有該刊原件，北京大學圖書館藏有該刊第 2 期（1910 年 5 月）和第 4 期（1911 年 5 月），香港浸會大學圖書館有該刊第 1 期至 2 期電子檔。

14《華僑華人百科全書》謂《中國實業雜誌》創於 1909 年（頁 513），疑誤。北京大學圖書館、北京圖書館、香港大學圖書館藏有《中國實業雜誌》第 3 年 1 期至第 9 年 7 期部分原件。香港理工大學圖書館藏有中國實業雜誌社編輯《大正博覽會出品圖說》（上海，1914 年）。

15 宋應離主編《中國期刊發展史》（開封：河南大學出版社，2000 年），頁 70。

16 周佳榮〈《民報》與《新民叢報》論爭的再評價〉，氏著《新民與復興：近代中國思想論》第二版，頁 183 — 203。

第二章

晚清時期留日學生在日本出版的刊物

晚清時期在日本出版的中文報刊，以留日學生刊物佔大多數。當中既有同鄉會刊物，較具地方色彩；又有白話文報刊，反映了新的趨勢；政論性和革命性報刊的興起，尤為值得重視；此外還有多種專門期刊，呈現了學術性和多元化的傾向。留日女學生創辦的刊物，在近代中國女性史上有特殊的意義。

論述近代中國留日學生活動的著作，大多對留日學生報刊有所涉獵，或加以探討，或作為史料應用。但主要着眼點是留學生報刊與政治思潮的關係，對於這些報刊在文化上、學術上的貢獻，措意甚少。必須指出，當時不少留學生刊物已初具專科學報的性質，即使是綜合性刊物，也刊登了一些有專業水平的論文，例如《浙江潮》、《湖北學生界》作了很多社會調查報告，對中國地方社會有較深入的研究。

第一節　草創期的幾種先驅刊物

■ 最早的留學生刊物《開智錄》

19 世紀末年，中國人開始赴日本留學，1896 年有第一批留日學生 13 人，其後逐年增加，於 20 世紀初出現了近代中國留學史上的第一個高峰，1905 年在日本的中國留學生多達 8 千人。在近代世界史上，是一次令人矚目的、大規模的學生出洋運動。他們親身體驗到，明治維新為日本帶來政治、經濟、思想、文化各方面的變化。他們在學習之餘還致力於出版活動，日本首都東京先後出現了多種留學生報刊。

最早的一種，當推 1900 年 11 月 1 日創於橫濱的《開智錄》（又稱《開智會錄》，半月刊）。這是留日學生團體開智會的機關報，由東京高等大同學校學生鄭貫一（又名鄭貫公）、馮自由、馮斯欒創辦，鄭貫一主編，撰稿人有蔡鍔、秦力山、蔣觀雲、丘菽園等。初為油印，同年 12 月 22 日出版「改良第一期」，改為鉛印，隨《清議報》發行，每期約五百份。後因言論傾向革命，與《清議報》保皇立憲的旨趣不同，又曾得到孫中山資助印刷費 200 元，受到維新派人士干預，於 1901 年 3 月 20 日出版第 6 期後停刊，共出油印數期（據說有三期）、鉛印 6 期。[1]

顧名思義，《開智錄》以「開民智」為宗旨，「倡自由之言論，伸獨立之民權，啟上、中、下之腦筋，採中、東、西之善法」。該刊又宣稱：「以爭自由發言之權及輸進新思想鼓勵國民獨立之精神為第一主義。」欄目有論說、言論自由錄、雜文、譯書、偉人小說、詞林、時事笑譚、粵謳解心等，曾刊載盧梭的《民約論》、大井憲太郎的《自由原論》、中川篤介的《民權真義》和《法國革命史》等，宣傳民權、自由思想，後期鮮明地提出推翻清朝統治的口號。

正如論者指出一般：「《開智錄》的思想內容表現得比較複雜。有些地方常出現互相矛盾的情況。」例如它一方面提倡民主共和，卻又提倡君主立憲等。[2] 這又充分表明，1900 年之際，年輕的留日學生正處於思想的十字路口，在國家前途等重大問題上仍然不知何去何從。

但應注意的是，1901 年春，馮斯欒、鄭貫一等在橫濱成立廣東獨立協會，主張廣東向清廷宣告獨立以度自保，反對清政府的賣國政策。粵籍旅日華僑入會的頗不乏人，多數廣東留日學生由此逐步轉向革命。[3]

■ 《譯書匯編》/《政法學報》

留日學生主辦的第二種刊物是《譯書匯編》（月刊），1900 年 12 月 6 日創於東京。其宗旨是「務播文明思想於國民」，編輯兼發行人初署坂崎斌，第二年起改署胡英敏，實際負責人是戢元丞（翼翬）、楊廷棟（翼之）、楊蔭杭（補孫）、雷奮（繼興）等。每冊約五十頁，以「務播文明思想於國民」為宗旨，最初只有譯稿，沒有論著，因而不分欄目，內容以譯介國外哲學、社會科學著作為主，登載過不少歐西名著的中譯，例如盧梭的《民約論》、孟德斯鳩的《萬法精理》、斯賓塞的《政法哲學》等，在近代中國翻譯史上有先驅意義；馬君武、汪榮寶等人所寫的政治、歷史、經濟論文，也多在該刊上發表。

《譯書匯編》面世比《開智錄》鉛印的改良第 1 期略早，因而被稱為「留學界雜誌之元祖」。1902 年 12 月 10 日出版的第 9 期起，改單一譯述為譯論並舉，內容以發表政法論著為主，編譯文章為副，提出改革社會和參與政治的要求，表現了強烈的愛國主義精神。篇首刊登圖片，並增設通論、法律、經濟、歷史、哲學等研究專欄。至 1903 年 4 月該刊改為《政法學報》為止，共出版了 21 期。該刊改變了傳統的線裝書形式，在近代中國報刊中，首先以兩面印刷和洋形式裝訂，開創先河。每期發行逾千份，銷往中國內地及香港、新加坡等處。[4]

特別值得注意的是，馬君武在《譯書匯編》上發表了〈唯物論二巨子學說〉和〈社會主義與進化論〉兩篇文章。「二巨子」是指達爾文和馬克思，文中強調：「欲救黃種之厄，非大倡唯物論不可」；又說：「馬〔克思〕氏嘗謂：『階級鬥爭，為歷史之鑰。』」論者指出：「這是我國第一種期刊提到唯物史觀和社會主義學說，特別突出地表現了愛國主義精神和民主主義色彩。」[5]

《譯書匯編》從第三年起，於 1903 年 4 月 27 日改名《政法學報》（月刊）繼續出版，戢元丞（翼翬）、楊廷棟（翼之）、楊蔭杭（補孫）、雷奮（繼興）等主持。內容減少了譯文，增加了留日學生自撰的論文，包括政治、經濟、歷史、哲學等方面，「務使此報為政法學界之燈，吾國之學者及經世家，均籍其光以為研究實行之基礎，他日政法學之發達及政法社會之改良進步，以此報為起點」。5 月 27 日出版的《政法學報》，宣佈自下一期起，增設歐美通信專欄，「與歐美在留邦人特約按月報告彼中情形，為吾國作緊要通訊機關」，是留日學生與留歐美學生聯繫之始。《政法學報》共出版了 11 期，發表過偉璠的〈行政法概論〉、耐先的〈立憲論〉、守肅的〈論國際公法關係中國之前途〉等，介紹國際公法和法制思想，名符其實是留日學生的第一種學報。

《譯書匯編》與 1900 年在東京成立的第一個留日學生團體勵志會有着密切的關係，該會基本上不帶政治色彩，當時留日學生大多數加入，其中可考的有 42 人。部分會員戢元丞等創辦了《譯書匯編》，他與秦力山、吳祿貞等又參加了唐才常組織的自立軍武裝勤王活動，會中逐漸分為激烈、穩健兩派。激烈派以沈雲翔、戢元丞、程家檉、雷奮等為代表，主張推翻清政府，建立共和制度；穩健派以章宗祥、曹汝霖、吳振麟等為代表，主張要求清政府立憲，並與官場接近，藉此謀取一官半職。兩派勢成水火，致使勵志會漸次解體。1901 年中，秦力山、沈雲翔、戢元丞等在東京成立國民會，其宗旨為革除奴隸積性，振起國民精神，使中國四萬萬人同享天賦之權利，並創辦《國民報》。

■ 最早提倡革命排滿的《國民報》

1901 年 5 月 10 日創刊的《國民報》（月刊），以「喚起國民精神」為宗旨，開留日學生創辦革命報刊的先河，最早提出革命排滿和反對保皇立憲說。編輯兼發行人署名「京塞爾」，秦力山、戢元丞、沈翔雲、楊廷棟、馮自由、王寵惠等主持。設有社說、時論、叢談、紀事、外論、來稿等欄，文章以中文為主，間有部分英文論說，所刊政論有〈原國〉、

〈說國民〉、〈說漢種〉、〈亡國篇〉、〈中國滅亡論〉等，譯文有〈美國獨立檄文〉、〈革命新論〉等，均不署撰譯者姓名。內容每多揭露清政府專制和賣國政策，廣泛介紹歐美革命理論和歷史，提出暴力革命、建立政黨等政策，在早期留日學生刊物中，是革命傾向最明顯的一種。

孫中山曾捐助出版費 1 千元，每期印 2 千份。《國民報》對康有為、梁啟超「保皇扶滿」的論調予以批駁，同年 8 月 10 日出版的第 4 期，登載了章太炎所作的反對復辟、鼓吹排滿以及批駁改革主張的重要文章〈正仇滿論〉，指出滿清政府「制漢不足，亡漢有餘」，是近代中國報刊上革命派抨擊保皇派的最早言論。留日學界公然主張革命排滿，《國民報》實為濫觴。此後停刊，1904 年上海作新社印行《國民報匯編》。[6]

《國民報》停刊後，國民會亦隨而解散。同年，留日學生楊蔭杭在無錫創立勵志學會，劉炎輝等在長沙成立碧螺詩社，戢元丞等與日本人下田歌子在東京創立創亞會。錦後，梅際郇、童顯懋等在重慶組成公強會。

■ 以刊載譯著為主的《遊學譯編》

1902 年 12 月 14 日，湖南留日學生同鄉會創辦《遊學譯編》(月刊)[7]，編輯人有楊毓麟、陳天華、梁煥彝、樊錐、黃興、周家樹、周宏業、楊度等，在國內由長沙礦務總局代為發行。該刊每期約五十頁，有學說、教育、軍事、時事、歷史、傳記、地理、外論等欄，內容以翻譯國外書刊上的文章為主，除了介紹西方的政治制度、教育制度外，亦有揭露列強侵華政策的文章，1903 年起兼刊創作稿。同年 11 月 3 日，出版至第 12 期後停刊。[8]

這是近代中國第一種由留日學生同鄉會編印的刊物，宣稱「專以輸入文明，增益民智為本」，創刊時為避免直接評議時政，使雜誌能夠在中國內地廣泛發行，規定「不著論說」，只在譯文前面加「譯者說」，或在文末以「譯後」形式抒發感想。其初宣揚改革，認為積極推行教育救國和實業救國，有了先進的文化，國家自然會富強起來；後期的政論文章，則大力鼓吹革命，遂使該刊成為革命派刊物，不過同時亦有宣傳地方自治之類的改革觀點。1903 年是學界言論和思想產生巨變的一年，《遊學譯編》是明顯可見的例子。

第二節　留日學生同鄉會刊物的出現

1903 年春，中國留日學生聯合部分旅日華僑，開始發起各省旅日同鄉會，最先成立的是浙江同鄉會和江蘇同鄉會。這些同鄉會都強調愛國必自愛鄉始，例如江蘇同鄉會「以厚篤鄉誼，培進人格，開發本省之文明事業，以共謀本省之樂利為宗旨」，認為只要「各省競以愛其本省者愛中國，馴致齊心一致，以集注於愛國之一點，則中國之興也。」[9] 隨後，湖北、福建、湖南、雲南、貴州等省的旅日同鄉會相繼成立，並出版刊物，一時蔚為風氣。

■　《湖北學生界》/《漢聲》

1903 年面世的幾種留日學生刊物，從名稱到內容都明顯帶有地方色彩，這是由於各省留日學生人數漸多，相繼成立同鄉會之後出現的一個現象。首先是 1 月 29 日創刊的《湖北學生界》（月刊），由湖北留日學生同鄉會主辦，劉成禺、李書城、時功玖、程明程、王璟芳、尹援一、竇燕石等編撰，是清末留日學界第一份以省份命名的刊物。該刊聲稱以「輸入東西之學說，喚起國民之精神」為宗旨，言論傾向民主革命。創刊號的〈敍論〉，強調不尚空談、不責精深，專為社會說法及專就目前說法，陳病症而兼及方法，婉勸而戒嘲罵。

《湖北學生界》設有圖畫、論說、政法、教育、經濟、實業（農學、工學、商學）、理科、醫學、地理、時評、小說、詞藪、雜俎、外事、國聞、留學記錄等欄目，又闢有湖北調查部記事專欄，集中發表有關湖北地區的調查報告，所擬調查綱目有政法、教育、經濟、實業、軍事、歷史、地理、民族、生產、交通、外人勢力 11 項。第 1 期至 4 期大量報導留日學生的拒俄運動，銷路頗廣，曾再版發行；所載不以本省為限，對各省留學生的活動均有報導。1903 年 6 月 25 日出版過一期增刊，題為《舊學》，專輯宋明兩代愛國者如岳飛、文天祥、瞿式耜、夏完淳、顧炎武等人的詩詞作品，以喚起漢人「驅除韃虜、恢復中華」的民族革命意識。同年 7 月 24 日出版的第 6 期起，改名《漢聲》，仍為月刊，更明確地體現了該刊的傾向。[10] 封面題有四句古語：「攄懷舊之蓄念，發思古之幽情，光祖宗之玄靈，振大漢之天聲！」當中「懷舊」、「思古」、「光祖」和「振漢」，是意味着反對清朝。[11]

《漢聲》編輯兼發行為湖北同鄉會雜誌部，欄目有論說、軍事、實業農學、實業商學、經濟、理科、算學、詞藪、政治小說、雜俎、外事、歷代傳記等，其中的傳記、小說類，刊載歷代一些富有民族思想的詩文，如〈中國民族考〉、〈論支那文學與群治之關係〉及小說〈血淚痕〉等。同年 9 月 21 日出版第 7、8 期合刊後停刊。[12]

■ 《浙江潮》和《浙江月刊》

1903 年 2 月 17 日，浙江留日學生同鄉會創辦《浙江潮》（月刊），編輯有孫翼中（江東）、蔣智由、蔣方震、馬君武、王家駒、許壽裳等，聲稱以「眷念故國」、「輸入文明」和「着眼國民全體之利益」為宗旨，藉「增長知識，激發志氣」，強調救亡圖存，宣傳民族民主革命思想，反對清朝政府。〈發刊詞〉說：「忍將冷眼，睹亡國於生前；剩有雄魂，發大聲於海上。」該刊設有圖畫、社說、論說、學術、大勢、教育、哲理、經濟、歷史、談叢、記事、文苑、小說等欄，是留日學生出版的重要革命刊物之一。魯迅因許壽裳約稿，在該刊發表了幾篇科學論文和譯作[13]；章太炎在該刊發表〈獄中贈鄒容〉、〈獄中聞沈禹希見殺〉等，頗有影響。同年12月出版至第12期後停刊。[14]另有一說，謂《浙江潮》第10期預刊第11期至12期目錄，但是否有出版，未詳。

《浙江潮》的編輯和撰稿人多屬光復會會員，有些人還參加了青年會等革命組織。每期卷首均有一幅彩色地圖，又有浙江名人、勝景插圖三四頁。欄目甚多，包括社說、論說、學術大勢、教育、哲理、歷史、談叢、時評、記事、雜錄、小說、文苑、新浙江和舊浙江、調查會稿、專件、圖畫等。

《浙江潮》的刊名，象徵着革命浪潮洶湧澎湃，所刊文章富有民族革命精神和民主主義色彩，如余一〈民族主義論〉、匪名〈中國愛國者鄭成功傳〉等。該刊又注意介紹自然科學，並重視社會調查工作，在一年之中發表了34篇社會調查，有的至今仍具文獻參考價值。此外，刊有〈國魂篇〉、〈公私篇〉等文；所載小說多為短篇，如〈少年軍〉、〈專制虎〉等。〈國魂篇〉載於1903年第1期，強調「民族而能立國於世界，則必有一物焉，本之於特徵，養之於歷史，鼓之舞之以英雄，播之種之於社會。扶其無上之魔力，內之足以統一群力，外之足以吸入文明與異族抗。其力之膨脹也，乃能力包轉世界而鼓鑄之；而不然者，則其族必亡。茲物也，吾無以名之，名之曰國魂。」此外，1903年3月在東京還有《浙江月刊》創刊，應是浙江省籍的留日學生所辦，同年12月出版至第10期。[15]

■ 直隸留學生的《直說》和《直言》

1903年2月22日（一作2月13日），直隸（今河北）留日學生同鄉會創辦《直說》（月刊），杜羲等主編，清國留學生會館總發行。該刊名稱，取直隸人所說和直言不諱雙重含義，以「輸東西文明，開內地風氣」為宗旨，文風要求「直捷爽快，一目了然」。有三特色：一、「由同人精心選譯，所取東西各論，皆適合吾國國民程度，務期可企而及」；二、「為一般國民說法，文辭不事艱深，且立論以實用為主，非徒尚空談者可比」；三、「各門理論，皆採日本最新學說，俾內地存志之〔士〕不必東渡，得聞各學要領。」每期約六十頁，有四萬餘字，欄目包括圖畫、教育、政治、經濟、軍事、外交、實業、歷史、地理、中外大事記、雜俎等，同年3月或4月出版的第2期，增加了法律、社會、傳記、外論、雜談等欄。提倡自由、平等、博愛思想，批判封建專制主義，內容具有明顯的民主革命傾向。

《直說》聲稱以刊登「東西各論」和「日本最新學說」為主，當中有一些學生自撰的論說，如未醒人的〈說夢〉和未署名的〈權利篇〉等，結合中國特別是華北地區的實際情況，闡明作者的觀點。所介紹的新知識包羅廣泛，古今中外、天文地理、科學技術都有。該刊總發行所設在東京中國留學生會館，代售處分設國內北京、天津、保定、豐潤、南京等地，較易在京畿一帶流通，但僅見兩期。[16]

順帶一提，1906年另有一種題為《直言》的日刊在東京創刊，是直隸留日學生杜羲等主辦，以宣傳革命。

■ 重視社會調查的《江蘇》

1903年4月27日，江蘇留日學生同鄉會創辦的《江蘇》(月刊)，秦毓鎏、張肇桐、汪榮寶等主編，參加撰稿的有柳亞子、陳佩忍、金松岑、丁初我、陳冷、劉師培、黃宗仰、寧太一、胡彬夏等人。孫中山署名逸仙發表了〈支那保全分割合論〉，何香凝等也曾發表過文章。該刊聲稱「腐敗者，我江蘇之特色；而談腐敗者，又我《江蘇》雜誌之特任」。目的是「去其陳，謀其新」。設有圖畫、社論、學說、時論、小說、記言、文苑、記事、調查等欄目，提倡民族主義和宣傳反清，建立共和國，實行地方自治，有明顯的民主革命傾向，對革命的態度較為明朗，是留日學生所辦的重要革命報刊之一。第3期起，不再使用光緒年號，改用黃帝紀元，以示與清廷決裂。1904年5月15日出版第11期、第12期合刊後停刊。

《江蘇》的宗旨是「厚篤鄉誼，培進人格，開發本省之文明事業，以共謀本省之樂利」。內容亦重視社會調查工作，刊登了大量調查報告，介紹江蘇的經濟、地理和風土人情等，有的至今仍具參考價值。除了學生自撰的文章外，還譯載外報（主要是日本報紙）有關中國問題的評論，另有大量介紹新書出版的廣告，從中可以看到當時的知識傳播情形。該刊除於東京、橫濱、神戶等地發行外，還在上海設立總經售處，國內其他城市也有分售處。

■ 《新湖南》及《湖南學生》等

1903年，還有一種題為《新湖南》的刊物在東京創刊，由湖南譯編社發行，執筆人有黃軫、陳天華、楊篤生、梁煥彝、樊錐等人。該刊的主旨是闡述湖南的形勢和人民的特質，以發揮民族思想，寓地方獨立之意。曾暢銷一時，甚至再版發行。

1904年間，續有以地方命名的留日學生刊物在東京出現，例如《湖南學生》（月刊）由楊度主持編務，是湖南籍留學生所辦。又有張百熙創辦、呂嘉榮主編的《湖北地方自治研究會雜誌》（月刊），欄目有論著、調查、譯述、雜錄等，大致都是闡述地方自治及介紹國外自治問題的文章，至1905年共出八期。其後一度停刊，1908年11月15日續辦，期數另起，至1909年4月停刊。[17] 不過，由於反滿革命風潮在1903年興起，漢族情懷逐漸蓋過地方主義，《湖北學生界》改名《漢聲》便是明顯的例子。此後數年，尤其是1905年及1906年間，地方色彩濃厚及兼具政論性質的刊物湧現，成為一時的特色。至於地方色彩刊物的再興，則在1907年至1908年間（表1）。

表1 晚清時期各地留日學生編印的刊物

地區／省份	辦報團體／人士	刊物名稱（創辦年份）
直隸	直隸留日學生同鄉會	《直說》（1903）
	直隸留日學生	《直言》（1906）
湖南	湖南留日學生同鄉會	《遊學譯編》（1902，後改名《法政學報》）
	湖南省籍留日學生	《新湖南》（1903）、《湖南學生》（1904）、《洞庭波》（1906，後改為《漢幟》）、《湘路警鐘》（1909，後改名《湘路危言》）。
湖北	湖北留日學生同鄉會	《湖北學生界》（1903，後改名《漢聲》）
	湖北省籍留日學生	《湖北地方自治研究會雜誌》（1904）
浙江	浙江留日學生同鄉會	《浙江潮》（1903）
	浙江省籍留日學生	《浙江月刊》（1903）
江蘇	江蘇留日學生同鄉會	《江蘇》（1903）

地區／省份	辦報團體／人士	刊物名稱（創辦年份）
江西	江西省籍留日學生	《江西白話報》（1903）、《江西》（1908）。
四川	四川省籍留日學生	《鵑聲》（1905）、《川漢鐵路改進會報告書》（1906）、《四川》（1907）。
山東	山東省籍留日學生	《晨鐘》（1905）
山西	山西留日同鄉會	《第一晉話報》（1905）
雲南	雲南省籍留日學生	《雲南》（1906）、《滇話》（1908）。
河南	河南省籍留日學生	《豫報》（1906）
廣西	廣西省籍留日學生	《粵西》（1907）

第三節　白話文報刊和具地方主義色彩的報刊

■ 《江西白話報》和《新白話報》

1903 年間新辦的留日學生刊物，其宗旨和內容已呈多元化傾向，值得注意的，是白話報的興起。這年江西留日學生創辦《江西白話報》（半月刊），張世膺（華飛）主編，他是留日學生革命組織軍國民教育會的會員，該刊曾為軍國民教育會作過宣傳，出版不久即停刊。[18] 這一年因國內外學界有拒俄運動之舉，軍國民教育會是留日學生成立的支援組織。事件是由於八國聯軍進攻北京時，俄國趁機出兵侵佔中國東三省，其後中俄立約規定俄兵分三期撤退，但到了 1903 年 4 月，俄國不肯履行第二期撤兵協議，反向清政府提出企圖獨佔東三省特權的要求。上海、北京兩地學界師生舉行集會，申明國人不認俄約之由，聯名請願，期政府及官員據理力爭。留日學生五百餘人召開大會，並組成拒俄義勇隊，致電北洋大臣袁世凱，要求將義勇隊隸其麾下，「擔荷主戰責任」，但日本政府加以干涉，不容外國學生成立軍隊名目，因而改為「軍國民教育會」。[19] 後以湯櫄（爾和）、鈕永建二人為特派員，返國要求見袁世凱被拒，導致留學生意見分化，部分會員退出，軍國民教育會名義上解散，實則成為一個秘密團體，從事排滿革命運動。[20]

1903 年 12 月，《新白話報》（月刊）在東京創刊，由上海普益書局總發行，南昌設有總代派所，是現時所知留日學生界較早的白話報刊之一，由江西留日學生主辦。參加撰稿的有擔當、易清、捕夷、公因、熱潮、轟球、昌漢、殪清等，均為筆名。該刊設有論說、政事、歷史、地理、傳記、時評、教育、軍事、科學、紀聞、雜俎、小說、文苑、戲曲等欄目，每期約三萬餘字。所刊文章有強烈的反滿色彩，鼓吹光復漢室，民族獨立，建立平等自由的共和國。以慷慨激昂的語言宣傳革命派的觀點，強調「愛國、愛種、排外」，揭露帝國主義的侵略陰謀，抨擊清政府的妥協政策，反對列強侵略。第 4 期至 6 期因延期過久，改印小說代替。1904 年 10 月出版第 8 期後停刊。[21] 按：《新白話報》有時又稱為《新白話》，名稱沒有「報」字。

■ 秋瑾主編的《白話》

1904 年 9 月 24 日，留日學生組織的演說練習會在東京創辦《白話》（月刊），秋瑾主編，並在該刊發表〈演說的好處〉、〈敬告中國二萬萬女同胞〉、〈敬告我同胞〉等文；社址附設於東京神田區駿河台鈴木町十八番地中國留學生會館內，由東京牛込區神田町一丁目二番地翔鸞社負責印刷，上海小說林社總經銷。該刊設有論說、教育、歷史、實業、理科、時評、談叢、小說等欄目，鼓吹推翻政府，提倡男女平權，觀點與《新民叢報》常對立。用干支紀年，以示抗清。採用白話，文字力求簡易。共出六期，於 1905 年停刊。[22] 所刊小說有鐵肝生的〈好夢醒來〉、金陵女史的〈家庭樂〉、苦學生的〈快醒來〉，彈詞有蝶化的〈海棠花〉，劇本有鈞天的〈改邪歸正〉，歌謠有小工調〈萬里長城〉和〈十八省〉等。[23]

秋瑾（1877 — 1907），號競雄，別署鑒湖女俠，是著名女革命家。她在《白話》上發表的文章，有時署「鑒湖女俠秋瑾」，有時使用筆名，如少年主人、愛群、強漢、鈞天、惟我齋主、鐵肝生等。《白話》總共出版了六期，於 1905 年停刊。1907 年 1 月，秋瑾在上海創辦《中國女報》，內容注重以小說宣傳民主革命思想，但僅出版兩期，秋瑾因投入革命活動，被清政府殺害。

■ 《鵑聲》及《後鵑聲》

1905 年 9 月四川留日學生創辦的《鵑聲》，是一種不定期出版的白話報。同年 12 月 26 日，翰林院侍讀學士惲毓鼎上疏清廷，要求查禁該報，並撤回留日四川官費生。該刊因引起清政府不安，川督錫良頒佈告示予以嚴禁，只出版了兩期，便被迫停刊。

1907 年，雷鐵崖、董修武、李肇甫等組織出版「再興第一號」，更名《後鵑聲》，刊有〈中國已亡之鐵案說〉、〈檄告蜀人當先天下興光復軍〉等文章，主持者和體例均已變更，又改登文言文。而仍襲用《鵑聲》之名，而加一「後」字，是因該報曾使清政府「驚擾而嚴禁者，正所以增吾報之價值」。其後改於翌年出版《四川》。

據載以《鵑聲》白話報為前身，1906 年另有一種《鵑聲》（月刊）創刊，是四川留學生雷鐵崖、董修武、李肇甫等主辦，32 開本，封面有題字「發明公理，擁護人權」，宗旨為喚起四川及全國同胞，挽救民族危亡，建立一個新中國；主張反清革命，宣揚民主自由思想。扉頁刊有《革命軍》一書作者、因《蘇報》案入獄而病死的鄒容遺像。該刊設有社說、論說、宗教、政治、軍事、經濟、記事、小說、文苑、時評、叢談等欄目，內容宣傳民主革命，大部分文章用白話文寫成。

■ 「純用白話編成」的《滇話報》

1905 年後出版的留日學生刊物，名稱雖然不以「白話」標榜，但刊物中使用白話文的情況越來越普遍，甚至全部用白話文寫作了。1908 年雲南留日學生主辦的《滇話報》(月刊)，便是明顯的例子。該刊強調「純用白話編成」，宗旨「在於普及教育，改良社會，統一言語，提倡女學，尤以鼓吹軍事思想、實業思想、政治思想為最注重」。欄目包括論說、大事紀要、專件、小說、戲曲、演說、時評等，刊有大量時政要聞，起到宣傳革命的作用。1910 年出版第 8 期後，併入其姊妹刊《雲南》。[24]《滇話報》總的傾向並非鼓吹革命，而是宣傳社會改良，不過對於當時的革命運動，具有一定的促進作用。

■ 《第一晉話報》

1905 年 7 月，山西留日學生同鄉會創辦《第一晉話報》(月刊)，同盟會會員景定成、王用賓、劉錦若、景太昭等擔任編輯，國內總發行所為山西太原師範學堂及教育研究會。該刊是革命刊物，言論激烈，曾被山西當局禁止進口，1906 年 9 月出版至第 9 期後停刊。該刊不能續出的原因，是山西留日學生同鄉會鬧分裂，景定成邀集景耀月、谷思慎、王用賓、榮炳、榮福桐等人另行組編《晉乘》，於翌年 9 月出版。

《第一晉話報》以救亡圖存為宗旨，主張實業競爭，開展救亡教育，提倡尚武精神，抨擊君主專制，實行民權政治。欄目有社說、地理、歷史、教育、實業、軍事、衛生、時評、緊要新聞（本省、各省、各國）、小說、詩歌、詞曲、雜俎、來稿等，刊登過〈危乎山西之礦〉、〈本維新之活動歷史〉、〈中國教案第一可敬可痛之歷史〉、〈俄使誘政府之甘言〉等文章，撰稿人多數使用筆名，如社員、竹崖個人、強男兒、內地、嵋下汗青、舟子、逸、者生、自笑生、夢周、覺者等。

■ 《雲南》及《滇粹》

1906 年 1 月，孫中山、黃興等同盟會領導人在東京約見雲南留日學生李根源（雪生）、楊秋帆、趙伸、羅佩金、呂志伊等，建議他們籌辦雲南地方刊物，進行革命宣傳。這年 10 月 15 日，《雲南》（月刊）便創刊了，由李根源、吳琨、趙伸等主辦，總編輯張鎔西，副總編輯席上珍、孫志曾，撰稿人有楊振鴻（志復）、呂志伊（俠少）、李燮羲等。該刊以揭露清廷黑暗、宣傳民主主義和反對帝國主義侵略為宗旨，也刊載過不少地方自治、爭回路礦利權的文章，宣稱「出死力以排去雲南監撫」，並出副刊「鎮礦危言」。

其〈發刊詞〉強調該刊「非僅商榷學術啟發智識之作，實為同人愛鄉血淚之代表。非激越過情之談，實不偏不頗、具有正當不易之宗旨。非草率無責任之文，實苦心孤詣、抱有絕大之希望者也。」刊有〈滇緬界事述略〉、〈雲南法國鐵路史〉、〈滇蜀鐵路公司集股章程私議〉、〈地方自治之精神論〉等文章，亦有關於男女平等和教育問題之作。

《雲南》創刊之初，每期銷約三千份，最多時達 1 萬份，影響極大。在眾多的留日學生刊物當中，《雲南》是出版時間最長的一種，至 1911 年 10 月停刊，5 年間共出版了 23 期及 1 冊紀念刊《滇粹》。該刊表現了鮮明的民族民主革命傾向，在辛亥革命前夕起了積極的作用。

■　主張爭回路權的刊物

1904 年，湖北、湖南、廣東三省都有發起收回粵漢路權的活動，三省的留日學生成立了鄂湘粵鐵路聯合會，以聲援國內的運動。其後，路權問題遂成為留日學生界關注的問題之一，專以爭回路權為目的而創辦的刊物，首先有 1906 年 6 月在東京創刊的《川漢鐵路改進會報告書》（月刊）。川漢鐵路改進會是留日四川籍學生所組成，該刊由蒲殿俊等編撰。1908 年蒲殿俊回國後，該刊也就停辦了。湖南、湖北兩省紳商在收回粵漢鐵路之後，又展開爭取商辦權的活動。留日學生界聲援此舉的的刊物有 1909 年 7 月創辦的《湘路警鐘》，是湖南留日學生組成的湖南鐵路研究社所辦，焦達峰主編，後因日本政府干涉而改名為《湘路危言》。

1909 年，留日學生常春元、張耀芬等組織了中國鐵路研究會，雲南留日學生成立保礦會，豫、晉、秦、隴四省留日學生組織四省協會，參與收回礦權運動。湖北留日學生成立留日湖北鐵路會，以黃恭輔為理事長，徐聲金、熊瑞棻為協理，公舉張伯烈、夏道南為代表，回鄂組織公共團體，主持爭取商辦權的活動。[25]

1910 年 7 月 20 日，《鐵路界》（雙月刊）在東京創刊，由中國鐵路研究會編輯部編輯發行，該會是留日鐵路專業學生於當年 1 月 16 日所組織的團體。張大義任總編輯，一說楊日新任總編輯，吳樹烈、程宗植、陳其殷為編輯，撰稿人還有常春元、吳振麟、李彭年、杜立權、陳策等。該刊的宗旨是「研究鐵路學術，啟發中國鐵路知識，討論中國鐵路利弊，聯絡同志感情。」欄目有論說、時評、歷史、學科、談叢、專件、調查、文苑、中國鐵路大事記、本會紀事、中國鐵路研究會章程等，內容揭露帝國主義掠奪中國路權和清政府媚外賣路的情況，報導了湘、鄂、滇、贛等省保路鬥爭的消息。[26]

〈鐵路界發刊之趣旨〉指出：「夫鐵路之所以左右國之存亡者，惟主權已耳。吾國各路主權，喪失殆盡矣，故鐵路所至之地，即列強勢力範圍侵入之地。」進而強調：「然欲使吾國人共趨於恢復主權之一途，不能不藉文字之功用，以使吾國人共知主權亡則鐵路亡，鐵路亡則國隨之淪、種隨之滅，必然之機勢，此《鐵路界》發刊之要點也。」刊載文章，有陸守忠〈中國鐵路進步研究之意見〉、楊日新〈火車之利用無線電信〉、張大義〈祝鐵路界發刊〉和〈各國借債熱〉、常春元〈現今中國鐵路制度商榷〉、吳樹烈〈鐵路之常識〉、陳策〈鐵路發達沿革小史〉等。

■ 《洞庭波》及《豫報》

1906年10月18日，湖南留日學生陳家鼎、楊守仁（篤生）、傅專、仇式匡、寧調元等在東京創《洞庭波》（月刊）。該刊設有圖畫、論著、學術、譯叢、時評、文苑、譚苑、附錄等欄，卷首有章炳麟題字。但只出版了一期，第2期起改名為《中央叢報》。[27] 其後改組為《漢幟》繼續出版，期數另起，但僅出兩期，旋即停刊。

1906年12月，河南留日學生創辦《豫報》（月刊），撰稿人有補天、仗劍、創餘、太憨、破浪子、燕斌等。該刊聲稱「以改良風俗、開通民智、提倡地方自治、喚起國民思想為唯一之目的」，設有圖畫、社說、論說、學說、政治、教育、地理、歷史、實業、軍事、時評、新聞、文苑、譯叢、談叢、小說、雜俎、專件、來稿、調查等欄，兼用文言、白話兩種文體。由於編輯部成員的政治傾向不一致，既有鼓吹革命的文章，也有主張改革的文章，總的來說是「以喚醒桑梓」為宗旨。刊出文章有〈論中國國民無國家思想由於不知國家政府之辨〉、〈說礦禍〉、〈敬告同鄉父老築路書〉等，也載有短篇小說如〈池上談（一名纏足痛）〉之類。由於一些激進學生對該刊不滿，復以資金不足為由，1908 年 4 月 30 日出版至第 6 期後停刊。

1906 年是地方主義色彩政論報刊湧現的一年，上述刊物反映了山西、雲南、四川、湖南、河南等省的留學生持論一般較為激進；同年還有直隸留日學生杜羲等創辦的《直言》（日刊），是宣傳革命的刊物。1907 年開始，《洞庭波》改組為《漢幟》，留日學生創辦革命刊物《漢風》，翌年陝甘留日學生刊物《秦隴報》改組為《夏聲》，地方主義色彩一時似有淡化的趨勢。

■ 地方色彩刊物的再興

1907 年下半年，具有鮮明地方色彩的留日學生刊物再度興起。短短幾個月間，就出現了三種新刊物：

第一種是 9 月 15 日創刊的《晉乘》（月刊），山西留日學生景定成、景耀月主辦，撰稿人多數為同盟會會員。《晉乘》原是古代山西一部史書的名稱，編者希望藉此激勵山西民眾「愛國愛種」和「獨立進取」的鬥志。該刊強調「為開通民智而作」，宣稱有六大主義，即發揚國粹、融化文明、提倡自治、獎勵實業、收復路礦、經營蒙盟，進一步主張用暴力推翻清朝統治，鼓吹實業救國，強調保存國粹，支持山西人民收回利權的運動。至 1908 年 6 月 5 日共出版了 3 期。曾發表過一些有號召力的文章，例如易滔的〈國民團結力之養成法〉、晉仍的〈晉報宜改為山西政教官報說〉、古唐的〈設鐵路必先講經費備人才說〉等。《晉乘》對山西省的鬥爭活動起了一定的指導，除在山西府、州、縣外，直隸、河南、陝西、京津等地也有流傳。

第二種是 11 月 15 日創刊的《粵西》（月刊），是廣西留日學生主辦，卜世偉、劉崛（原名美廷，字尊權）、陸涉川等編輯，主要撰稿人有燕斌、獨秀等。專以開通知識、發揚民氣、改變社會、增進公益為宗旨，內容揭露帝國主義對廣西的侵略和掠奪，以及清政府在廣西的暴政。《粵西》其實已是一種革命派刊物，所刊文章，既宣揚革命，也抨擊清朝統治和帝國主義侵略。1908 年出版至第 7 期停刊。

第三種是 12 月 5 日創刊的《四川》（月刊），留日四川籍同盟會會員主辦，吳永珊（玉章）任編輯發行，協助擔任編輯工作的有雷鐵崖、鄧絜等。主要的撰稿人，包括鐵崖、金沙、思群、南冥子、佛哀、鶴仙、雲飛、劍夫、融白、契秋、雪嵋、維金等。該報宗旨是「輸入世界文明，研究地方自治，經營藏回領土，開拓路礦利源」，內容反對帝國主義侵略和清朝封建專制統治，宣傳愛國主義思想和呼籲救亡。創刊伊始，便與國內外特別是四川省加強聯繫，發行範圍廣泛，一時頗有影響，有「四南半壁警鐘」之稱。每期一百六十頁左右，設有論著、譯叢、時評、文苑、大事記等欄。1908 年出版至第 3 期，被日本政府封禁；第 4 期剛印好，即遭日本警視廳沒收，並指控該刊鼓吹革命、激揚暗殺，煽動日本殖民地反對帝國和天皇。結果法庭判決查禁該刊，科罰金 100 元，編輯發行人吳永珊被判半年徒刑，緩期執行。《四川》第 1 期和第 2 期各銷售約四千份，第 3 期銷售約五千份。

1907 年 12 月 20 日，還有同盟會河南支部主辦的《河南》（月刊）創刊，總編輯劉積學，發行人張鍾瑞，協助編輯工作的有朱炳麟、曾昭文等。出版不久即風行海內外，每期發行 8 千份以上，或謂銷售達萬份以上，其中佔半數輸入河南本省。魯迅所寫的〈文化偏至論〉、〈摩羅詩力說〉、〈科學史教篇〉、〈破惡聲論〉等重要論文即在該刊發表。《河南》

的革命性言論，鋒芒畢露，足與同盟會機關誌《民報》相伯仲，被稱為「首屈一指」的留學生刊物。1908 年 12 月出版至第 9 期停刊。日本政府受到清政府的壓力，封閉了報館，發行人張鍾瑞被拘留數天，其留日官費學籍亦被取消。

1908 年 1 月 1 日，《雲南》雜誌刊行至第 13 期，雲南留日學生一百餘人在東京麴町區富士見軒舉行週年慶祝會，李根源作了長篇報告。會上並決定由李根源及呂志伊負責紀念特刊《滇粹》的編輯出版事宜。同年，劉鍾華主編的《滇話》(月刊) 創刊，內容以愛國主義的宣傳為主，向國內各省及雲南各大州縣發行。其宗旨為「普及教育，改良社會，統一言語，提倡女學」，「鼓吹軍事思想、實業思想、政治思想，及一般必要學說」。

1908 年 7 月 10 日，江西留日學生主辦的《江西》(月刊) 創刊，主要撰稿人有愍生、飛飛等，扉頁刊有章太炎題字。該刊的宗旨是「導引文明，啟發民智，鼓吹地方自治，圖謀社會公益」，設有論著、譯述、時評、文苑、雜俎、來函等欄，多報導江西情況，主張用暴力推翻清朝統治。1909 年 6 月出版至第 4 期後停刊。

第四節　革命性報刊在留日學生界的崛興

1902 年冬，原勵志會激進派葉瀾、董鴻禕、汪榮寶、秦毓鎏、張繼等二十餘人在東京發起成立青年會，是留日學生第一個明確揭櫫反滿宗旨的革命團體。該會後曾協同發起拒俄運動，至 1905 年更趨激烈。

■ 華興會成員創辦的《二十世紀之支那》

1905 年 1 月 3 日，有一班留日學生在東京越州館舉行集會，籌辦革命雜誌《二十世紀之支那》，參加籌備會的有宋教仁、張柄標、李柏宏、郭安定、魯魚、雷光宇、田桐、吳紹先、白逾桓、程家檉等十餘人。6 月 3 日，一份由湘、鄂、蘇、贛、粵等省留日學生聯合創辦的革命刊物《二十世紀之支那》（月刊）宣告誕生，由宋教仁、田桐、程家檉、黃瀛元、白逾桓、陳天華等主辦，程家檉為總編輯。創辦者多為華興會的主要成員。該刊鼓吹民族主義，以「提倡國民精神，輸入文明學說」為宗旨，〈發刊之趣意〉自揭其主張為「對於內足以組織完全之國家，對於外足以禦列強於吞噬，於是樹 20 世紀新支那之旗於支那。」創刊號印有軒轅黃帝像及美國總統華盛頓肖像，並用黃帝紀元作為紀年。每期 120 頁，初印 3 千份，委託香港《中國日報》、舊金山《大同日報》擔任代派工作。所刊〈二十世紀之支那初言〉，提倡愛國主義，鼓吹革命獨立，主張建立民主共和的「完全國家」。

《二十世紀之支那》力圖「破除地方團體意見」，其〈發刊趣意〉說：「對於內足以組織完全之國家，對於外足以禦列強之吞噬。於是樹二十世紀新支那之旗於支那，此則我《二十世紀之支那》雜誌所發刊之趣意也。」又強調「以正確可行之論，輸入國民之腦，使其有獨立自強之性，而一去其舊染之污，為世界最文明之國民，有同一程度，因得以建設新國家，使我二十世紀之支那，進而為世界第一強國。」欄目有論說、學說、政法、歷史、軍事、理科、實業、叢錄、文苑、時事、時評等，內容多揭露帝國主義國家瓜分中國的野心，頌揚反清志士的事蹟，明顯地持反清立場。當中亦有一些文章，介紹國際法及國家一般知識。孫中山在籌組同盟會的過程中，曾經到雜誌社，與宋教仁、陳天華等詳談，爭取他們的支持。

1905 年 8 月 20 日，中國革命同盟會在東京舉行成立大會，通過章程草案，並推舉孫中山為總理；會上還通過決議，以部分會員所創辦的《二十世紀之支那》作為該會的正式機關報。27 日，同盟會在江戶川亭舉行會議研究接辦《二十世紀之支那》有關事宜，決定由黃興代表同盟會總部為接收者，宋教仁代表原創辦人為移交者，共同辦理交接事宜。但是當晚，該刊第 2 期剛在秀光舍印刷所印好，即因蔡序東〈日本政客之經營中國談〉一文抨擊日本的侵華政策，「妨害安寧秩序」，被東京警視廳全部沒收，勒令停刊。次日，宋教仁、程家檉二人赴東京神田警署，就《二十世紀之支那》被禁一事進行交涉，但沒有結果。該刊遂於 9 月間，將物資設備移交給同盟會。

同年 9 月 17 日，同盟會的幹部會議決定該會即將出版的機關報，不沿用《二十世紀之支那》原名，擬另出一報，以表明該會「不欲持排外主義，啟人嫌忌也。」黃興即通知宋教仁，謂將創刊的機關報命名為《民報》。順帶一提，《民報》（月刊）於同年 11 月 26 日創刊，並與《新民叢報》展開筆戰；1908 年 10 月出版至第 24 期，被日本政府查封。停刊年餘之後，汪精衛在東京秘密出版了兩期，1910 年 2 月終刊，共出版了 26 期。

■ 《醒獅》和《晨鐘》

1905 年 9 月 29 日創刊，32 開，醒獅社主辦，新智社發行。第二期有啟事說：「本社同人為輸進文明貢獻學界起見，以學課之餘，組織此社，以與同胞研究進化之方針」，因此醒獅社是一個學生團體，《醒獅》是留日學生刊物的一種。內容以軍事、外交話題為重點，欄目有論說、軍事、法政、傳記、理科、學術、美術、小說、朱霞片片錄、文苑、時評、附錄等。日本東京留學生總會、上海正中書局等幾家書局及香港中國日報館發行。[28]

《醒獅》的刊名是寓意中國像一頭沉睡中的獅子，想要把牠喚醒。該刊並無一般雜誌慣有的發刊詞或例言之類，而以愛國、民主、革命為宗旨，第一期卷首刊載詩一首，提出「誅暴君」、「除盜臣」的主張。該刊標有黃帝紀元四千三百九十七年九月一日字樣，編輯者署名李壘，實為高旭（天梅）等所主持，撰稿人有馬君武、李惜霜、陳去病、柳亞子等。

留日學生刊物自始即有革命傾向，旗幟鮮明的當推 1905 年秋在東京創刊的《晨鐘》（週刊），是山東革命留日學生主辦，蔣衍升、丁鼎丞主編。

■ 《復報》及《雲南》

1905 年，江蘇吳江自治學社學生自治會油印的週刊《自治報》，1906 年 5 月 8 日第 68 期起，取光復神州之意，改名《復報》（月刊），柳亞子、田桐主編，撰稿人還有陳去病、高天梅、馬君武等。《復報》宗旨為「發揮民族主義，傳播革命思潮，為國民之霜鐘，作魔王之露檄」。該刊在上海編輯，送日本東京印刷，再寄回上海發行，共出版了 11 期，於 1907 年 10 月 2 日停刊。在《民報》與《新民叢報》、《中國新報》論戰期間，《復報》維護《民報》的立場觀點，發表〈新民叢報非種族革命論之駁論〉、〈駁梁啟超書〉等文，有《民報》「小衛星」之稱。順帶一提，《復報》的作者大多是 1909 年成立的革命文學團體「南社」的成員；光復會要員陶成章和章太炎，也為該刊提供過不少稿件。

1906 年 10 月 15 日，《雲南》雜誌創刊號出版，最初以雲南留學生同鄉會的一部分房屋充當臨時社址，總發行所設在東京雲南同鄉會事務所，實際上是同盟會雲南支部的機關報，出版至 1911 年辛亥革命後停刊。發行量最高時達到 1 萬冊，僅次於同時期的《民報》。

《雲南》的創辦經費，主要依靠緬、越華僑及滇籍官吏、留學生、商人等各界愛國人士捐款。該刊務求「開通風氣，鼓舞國民精神」。內容豐富，形式多樣，欄目有圖畫、論說、譯述、時評、新聞、詩選、歷史小說等。言論比較含蓄和穩健，沒有正面提出「反清」、「逐滿」的口號，亦沒有公開宣傳同盟會的綱領。除了抨擊清政府腐敗無能之外，對法國窺伺雲南的舉動，亦時有揭露，頗能發人深省。

■ 《漢幟》和《漢風》

1907 年 1 月 25 日，《漢幟》創刊，其前身為《洞庭波》，陳家鼎、景定成、仇式匡、劉道一等擔任編撰。該刊旨在宣傳民族革命思想，主張在反清的同時，必須反對漢族封建統治階級，建立民主國家。設有論說、譯叢、時評、時諧、小說、文苑、傳記等欄，創刊號有章太炎所作〈漢幟發刊序〉，聲稱「光復祖國，防護人權，喚起黃帝種魂，掃除白山韃虜，建二十世紀民國，還五千年神州，而尤以維持各國公共安寧，鼓吹漢人實行革命為最大要素」。僅出兩期，因經濟困難而告停刊。

1907 年 2 月 2 日，但燾主編的《漢風》（月刊）創刊，聲稱「專以網羅焚書佚笈為主」，「皆據原書錄出，不增減一字」。內容以宣傳民族主義、發揚國民精神為宗旨，章太炎曾為該刊題詞。《漢風》屬文學類刊物，所載多為歷代名人的詩文，而以明朝為最，都是反抗異族壓迫、悲國憂民之作，借古喻今，宣揚民族思想。

■《秦隴報》分為《關隴》和《夏聲》

1907 年 8 月 28 日，陝甘籍留日學生党積齡（松年）、郗朝俊、高又民等主辦的革命刊物《秦隴報》（月刊）創刊，經理人為楊銘源，撰稿人有孑遺、播種、心秦、春暉等。該刊反對立憲，指斥地方政治弊病，提倡民權、平等思想，號召推翻清朝政府，建立民主共和國，也有宣揚社會改良主義的言論。僅出版 1 期，即因內部意見不合，於 1908 年分為《關隴》（月刊）和《夏聲》（月刊）出版。

1907 年 9 月 4 日，清政府照會日本駐華臨時代理公使阿部守太郎，要求日本查禁《民報》、《復報》、《大江》、《漢幟》、《鵑聲》、《洞庭波》、《天義報》、《無政府主義》8 種在日本出版的「〇逆」報刊。10 月 17 日，阿部守太郎就此事報告日本外務大臣林董，建議日本政府對此類報刊「均須採取行政措施，設法加以禁止，至少亦須加以嚴格限制，不使有不穩之內容出現」。

■ 《支那革命叢報》

1908 年 7 月 8 日，留日學生主辦的《支那革命叢報》（半月刊）創刊，社址在東京神田駿河台鈴北町中國留學生會館內，主持人為李修文。其簡章說：「本報居中立之地位，介紹關於支那革命事情，以供世界人士之研究為宗旨。」該刊有紀事、電叢、論著、史談、專件、記事等專欄，內容側重有關革命的時事報導，提倡民主主義，讚頌革命黨。總共出版過四期。[29] 創刊時正值黃興在欽州起義，黃明堂於河口起事，該刊着重報導當時的革命消息，是研究辛亥革命前夕革命派活動的重要資料。

第五節　留日女學生刊物的發展

■ 婦女團體和女報的興起

近代中國的女報肇始於國內上海等地，由於留學日本的方式除了個人外，還有兄妹留學、夫妻留學、家族留學等，女學生人數漸增。1903年，胡彬夏等在東京成立日本留學女生共愛會，通稱共愛會，是留日學生界第一個婦女團體。留日女生在當時的出版熱潮中亦不甘後人，創辦了幾種女報，遂使東京等地成為女報出版的重鎮，在晚清時期佔有重要位置。

最早在日本創辦的婦女報刊，乃1904年僑居日本的華僑於東京所辦的《女子魂》，抱真女士（潘樸）主編，至1905年仍在出版，停刊時間不詳。此外，1904年8月，秋瑾主編的《白話》月刊出版，雖是留日女學生所辦，但不能視為純粹的婦女報刊。《白話》的出版情況上文已予介紹，此處不贅。

■ 陳擷芬與《女學報》

必須指出，第一種在日本出版的婦女報刊並非《女子魂》，而是陳擷芬（1883 — 1923）主編的《女學報》第4期，由上海《國民日日報》發行。陳擷芬是上海《蘇報》館主陳範的女兒，1899年在上海創辦《女報》，蘇報館發行，旋停刊。1902年5月續出，為月刊，期數重起，至同年12月底為止共出版了9期；翌年改名為《女學報》，又出版了3期。時人以其與《蘇報》關係密切，亦稱之為《女蘇報》。1903年中，《蘇報》因發表激烈的排滿革命言論，報館被封，釀成轟動一時的「蘇報案」。陳擷芬隨父親流亡日本，與留日女生秋瑾等人往還，在日本編印《女學報》第 4 期，增設「留學界」欄，有〈胡女士彬夏演說〉和〈共愛會改訂章程〉;「女界近史」刊出〈留學東京中國女學生現今之數〉等，是留學界的珍貴記錄。所登詩文〈沈藎死〉、〈章鄒回〉等，明顯帶有反清革命的色彩。沈藎是被慈禧太后下令杖打至死的新聞記者，章鄒是指「蘇報案」的主角章太炎和鄒容。

■ 燕斌與《中國新女界雜誌》

1907 年 2 月 5 日，《中國新女界雜誌》（月刊）創刊，留日河南女學生煉石女士（燕斌）主編，劉青霞等分任編輯工作，參加撰稿的有佩公、巾俠、筱隱、清可、草碧、媧魂等。該刊以宣傳婦女解放、男女平等為宗旨，〈社章錄要〉列出五大主義：（1）發明關於女界最新學說；（2）輸入各國女界新文明；（3）提倡道德，鼓吹教育；（4）破舊沉迷，開新社會；（5）結合感情，表彰幽遺。設有論著、演說、譯述、史傳、記載、文藝等欄。總的來說，該刊要求女子有參政權、生業權、文化教育權、婚姻自主權，並且提出興女權的方法與途徑，在於興女學和結團體。同年 7 月 5 日出版至第 6 期，日本警方以其所刊文章之中，鼓吹「婦女實行革命應以暗殺為手段」，予以查禁。

燕斌是當時留日中國女學生會書記、同盟會會員，她以筆名煉石撰寫的〈發刊詞〉，且以解放個性、發明新理為言：「但深望當事者，勿徒尚物質的教育，必發揮其新道德，而活潑其新思想。斯教育一女子，即國家真得一女國民。由此類推，教育之範圍日以廣，社會之魔害日以消，國民之精神即日之發達。十年以後，如謂中國女界不足與歐美爭衡者，吾不信也。顧東西女界教育而外，可以發明新理，提倡精神，聯絡感情者，惟恃乎雜誌。」她希望《中國新女界雜誌》出版後，「惟願吾女同胞家置一冊，人手一編，察其主義，觀其言論，而見諸實行。更願吾男同胞贊成而紹介之，令其普遍於家庭社會之間，則亦未始非改良積俗，造就國民之一助已」。

關於這個刊物，有兩點需要注意：第一，該刊全名是《中國新女界雜誌》，有些著作稱之為《中國新女界》，刊名少了「雜誌」兩字；第二，或謂燕斌創辦該刊是在 1906 年，不確，應該是在 1907 年。《中國新女界雜誌》第 1 期至 3 期設有論著欄，文章計有：煉石〈女權平議〉(第 1 期)、〈女界與國家之關係〉(第 2 期) 及〈中國婚俗五大弊說 (未完)〉(第 3 期)，巾俠〈女德論〉(第 1 期)，篠彙〈論女界醫學之關係〉(第 1 期)；第 4 期起改設文論一欄，所刊文章有：張竹君〈女子興學保險會序〉(第 4 期)，留學法國法律生陳籙〈論中國大恥之一斑〉(第 4 期)，慧劍女士〈勸女界節費購買鐵路股票小啟〉(第 4 期)，懺碧〈婦人問題之古來觀念及最近學說〉(第 5 期、第 6 期)，及沒有署名的〈男女並尊論〉(第 4 期) 和〈迷信為女界黑暗一大原因說〉(第 6 期)。

《中國新女界雜誌》的演說欄，前三期都特別註明用「白話體」，計有：珮公〈男女平等的真理〉(第 1 期、第 2 期)，煉石〈本報對於女子國民捐之演說〉(第 1 至 3 期) 和〈本報五大主義演說〉(第 2 期至 4 期)，本蘭同鄉〈恭賀新年〉(第 2 期)，趙之耀〈女子無才便是德駁〉(第 3 期)；後三期的演說有：〈直隸創辦天足會演說 (錄來件)〉(第 4 期)，煉石〈名譽心與責任心之關係〉(第 5 期)，〈金匱許玉成女士對於女界第一次演說稿〉(第 5 期) 和〈金匱許玉成女士對於女界第二次演說稿〉(第 6 期)，及〈女子經濟獨立說 (未完)〉(第 6 期)。

此外，《中國新女界雜誌》還有圖畫、譯述、記載、文藝、談叢、時評、小說、史傳、事件等欄目；第 4 期起設家庭、教育界、女藝界、通俗科學、衛生顧問等欄，大大加強了該刊的知識性。雖有介紹世界各國婦女生活和鬥爭的文章，但秋瑾曾批評該刊「不敢放言」。許多文章採用白話文表述，是該刊的特色之一。

■ 《二十世紀之中國女子》

1907 年 12 月，《二十世紀之中國女子》（月刊）在東京創刊，河南學生會出版，悔海女士主筆。據考，恨海女士或恨海是田桐（1879 — 1930）的筆名。該刊聲稱「以糾正近世女子教育之謬妄、提倡社會女子、注重道德、恢復女權」為宗旨。所謂「近世女子教育」，蓋指日本化的中國女子教育，當時中國各女學，多延聘日人為教習。1908 年 1 月出版至第 3 期停刊。

■ 《女報》與《新女界》

此後，東京留日學生界沉寂了一段日子。1909 年 1 月，留日女學生主辦的《女報》（月刊）在東京創刊，僅見第 1 卷第 1 期。或謂這是同年 2 月在上海出版的《女報》或者是兩報同名，東京、上海各有《女報》，待查考。[30] 1909 年 3 月前，另有《新女界》（月刊）在東京創刊。每冊 2 角。但有關《新女界》的記載，僅見於 1909 年 3 月 14 日《神州日報》。

■ 唐群英主編的《留日女學會雜誌》

晚清時期最後的一種留日女學生報刊，是 1911 年 5 月在東京創刊的《留日女學會雜誌》（季刊），唐群英主編，聲稱「以注重道德、普及教育及提倡實業、尊重人權為宗旨」。該刊的編輯方針是：「總期內容完美，立論平和，辨而不華，質而不俚，以合社會心理。」僅見一期，有圖畫、論說、譯著、科學、文苑、譚叢、小說、白話、來稿、附錄等欄目，內容揭露列強侵略和政府專制給民族帶來災難，且為婦女帶來痛苦，主張改革政治，仿照英法等西方國家設立議會，實行共和，改變男尊女卑、三從四德、包辦婚姻等不良習俗和社會積弊，並號召婦女負擔社會重任。值得注意的是，《留日女學會雜誌》成為晚清時期留日學生刊物的殿軍。留日女學會或作中國留日女學生會，是李元、唐群英、吳亞男等在東京成立，其章程規定：「本會以聯絡情誼，交流智識，推廣公益為宗旨。」[31]

第六節　留日學生刊物的多元化趨勢

隨着留日學生刊物的增多，以及留日學生界志趣的分歧，刊物的主旨、內容以至言論傾向，在 1905 年前後已見多元化。整體而言，介紹新知識和開啟民智，仍是不少留日學生創辦刊物的理想，而且越來越專門和深入，成為近代中國專門學刊的先導。除綜合性刊物外，有法政類、教育類、醫藥類，還有海陸軍學生創辦的刊物，以及其他各類型的刊物。

■ 綜合性刊物

1904 年 9 月 29 日，雲南籍留學生主辦《海外叢學錄》（月刊）創刊，劉昌明、田宗龍、陳詒恭等主編，昆明城內官書局發行。該刊以資學識、開民智、闢新學、張國勢為宗旨，欄目有論說、科學、教育、法律、外交、武備、地理、實業、雜俎、中外近事、餘錄等。內容主要選譯外國各科著作及學校講義，旁及中外時事，所載作品有拯救民族危機的強烈愛國思想，亦具民主主義思想。但僅發行一期。

1904 年出版的留日學生刊物，還有《日新學報》（月刊）和《四新學報》（月刊），均以「學報」為名，但內容不得而知；是否同一種刊物而名稱誤記，有待考證。《日新學報》於 7 月創刊，中外圖書局發行，其宗旨為「傳播新學知識於清國國民」，以「促東洋之進步」，設有論說、教育、地理歷史、理學、法制經濟、殖產興業、傳記、藝苑、匯報等欄目，刊登日人所撰的文章，發表文學研究心得和傳記，介紹歐美和日本學界的情況等。按照使用詞匯如「清國國民」、「東洋」、「殖產興業」等看來，刊登的又是日人所撰的文章，《日新學報》可能不是留日學生所辦，而是日本人編印的刊物。至於《四新學報》則缺乏較詳細的記載，是《日新學報》名稱之誤的可能性是頗大的。

《新譯界》（月刊），1906 年 11 月 16 日創刊，范熙壬任總理，谷鍾秀、劉廉澡、席聘臣、范紹壬等任編輯發行人，湯化龍、景定成、周鍾岳等任譯述。聲稱以「研究實學，推廣公益」為宗旨，讚揚清政府「銳意更新」的新政措施，內容主要是譯自國外書刊的論文和時事評論，注重介紹英國、日本等國家的君主立憲思想、國家學說和政法制度。欄目有政法界（政治、經濟、法律）、文學界（哲學、宗教、歷史、地理）、理學界（天文、地質、人種、博物、理化、數學）、實業界（家業、工業、商業）、教育界（教育行政、教育學、教育史、女學）、軍事界（陸軍、海軍）、外交界（交涉、條約）、時事界（中國時事、外國時事）等，此外還有圖畫、社說等。第 5 期起，每期刊特別論著及時事雜錄，譯長篇學說和最新書籍，譯作和著作都用文言文。代表性的文章，有〈小學校教員之法律關係〉、〈中國教育制度變遷概論〉、〈戰術鈎玄〉、〈國際競爭準備之必要〉、〈論國際法與國內法之關係〉、〈國家學原理〉、〈論法律之效力〉等。1907 年 12 月，出版至第 7 期停刊。

1907 年 7 月在東京創刊的《遠東聞見錄》，初為旬刊，第 3 號起改為半月刊，是當時陸軍部留日學生所組織，總經理人李士銳，編輯人雷昭性、段瑞蘭。欄目有交通界、經濟界、軍事、實業界、論說、世界要聞、圖畫、外交界、小說界、商務等，主要匯輯譯自日本各報發表的文章，讓國內讀者瞭解中國即將被列強瓜分的危機，以激發民眾的愛國熱忱，同時也刊登世界時局述評及少量文藝作品，載有〈小說：空中戰爭未來記〉、〈英國殖民地會議〉、〈南滿洲鐵道之利源〉、〈萬國和平會議匯報〉等，正如李士銳在〈發刊詞〉中所說：「我當道諸公與一般國民能因此而洞悉者，則所以拒狡謀，而圖自立者，未嘗不可取資於是也。然聞此報之成也，其關係於吾國前途，不得謂小補矣。」惜於創辦同年停刊。

《學海》（月刊），1908 年 2 月 29 日創刊，是京師大學堂留日學生主辦的綜合性學術刊物，編撰人員有沈家彝、貝壽同等四十餘人。該刊得到清政府大臣的資助，出使大臣李家駒等曾為該刊作序。「以講求實學，輸入文明供政界之研究，增國民之知識」為宗旨，集中向國內介紹歐美各國的哲學與社會科學、自然科學理論知識。內容分甲乙兩編：甲編以文、法、政、商方面為主；乙編以理、工、農、醫方面為主。同年 6 月，甲編共出版了 5 期，乙編共出版了 4 期。1908 年 6 月停刊。

■ 法政類刊物

留日學界出版的法政類刊物較具份量，前述由《譯書匯編》改名而成的《政法學報》，是近代中國第一種法學刊物，繼起的有《法政雜誌》、《法政學交通雜誌》、《法政學報》和《法政新報》四種，刊行情況大致如下：

（1）《法政雜誌》（月刊），1906年3月14日創刊，社址在東京淺草里船町二十八番地，蔡承煥、林鵾翔發行，張一鵬、林鵾翔編輯。該刊主要介紹東西大家學說及本國名著，以「備當局者著手之方針」及「餉普通人民以法政之知識」為宗旨，期使中國「返弱為強，轉敗為勝」。設有論叢、譯匯、講演、法令一斑、法政瑣聞、時事錄要等欄目，刊登過〈支那貿易之現狀〉、〈法典論〉、〈日本礦業法〉、〈英國憲法正文〉、〈論禮與法〉、〈讀大清商律〉、〈法治國主義〉等文章。出版後主要向國內發行，北京、上海、南京、天津、保定等地均有代派處。同年8月14日出版至第1卷6期停刊，9月起與天津北洋官報總局出版的《北洋學報》合併，改名《北洋法政學報》（旬刊），出版至1910年11月。

（2）《法政學交通雜誌》（月刊），1907年1月14日創刊，孟昭常主編，孟林亦曾任主編及重要撰稿人。該刊以「研究法政、交換知識、提倡社會」為宗旨，所刊文章包括論文、譯作及調查報告，均以文言文撰寫。共出了6期，1907年5月停刊。法政學交通社是留日學生立憲派團體，該刊通過研究政治法律，主張君主立憲制，希望以法政推行君主立憲來挽救國家的危亡。徐公勉撰〈法政學交通社雜誌發刊詞〉說：「有法政以為國家根本上之規定，主治者、被治者、甲民族、乙民族于共同秩序中，君權、民權于以調和，公權、私權于以確定。滌除君主專制、貴族專制之陋，人人從事于自由競爭。起伏興衰，一各聽其適者生存之最後取決全國秩序。若綱在，綱有長駕遠馭之進行，無奔踶覆敗之危境。一度發展勢力于內部，即一度發展勢力于外界，而我國尚何危亡之足憂？」所刊載的文章，計有〈最新各國政體考〉、〈各國上議院規則〉、〈各國眾議院規則〉、〈論專制國君主與立憲國君主之權力何如〉等。

（3）《法政學報》（月刊），1907年2月27日創刊，沈其昌主編，是當年成立的法政學研究會的刊物。內容以法學論著為主，介紹各國法律、司法制度和機構，欄目有社說、憲法、商法、刑法、國際法、財政、雜纂、文苑等，至同年 7 月共出版了 5 期。在留日學生刊物中，《法政學報》屬擁護立憲一派。1908 年間，沈其昌又在東京成立法典研究會，以求改良法典。

（4）《法政新報》，1908 年創刊，社址在東京牛込市比谷加賀町一丁目四番地。該刊設有社說、憲法、行政、民法、商法、刑法、訴訟法、國際法等欄，詳情不得而知。

■ 教育類刊物

以教育為主旨的留日學生刊物，有《教育》和《教育新報》兩種：

（1）《教育》（月刊），創於 1906 年 11 月 30 日，留日學生團體愛智會主辦，主要撰稿人有藍公武、張東蓀、馮世德等，潘志僖、錢應清、王頌賢等也曾為該刊提供稿件。設有學說、科學、思潮、批評等欄目。該刊以「融合東西」、「洗垢窮理」、「揚新闡舊」、「匡正人心」為宗旨，鼓吹教育救國，反對政治革命，曾與革命派期刊展開過爭論。內容介紹西方教育思想和教育理論，以及西方國家教育發展的狀況，亦有討論教育改革問題，又強調社會教育的重要性，在促進教育方面起了積極作用。出版兩期後停刊。

（2）《教育新報》（月刊），創於 1908 年 5 月 30 日，留日湖北教育會編輯發行，張國溶、匡一等主持，以「輸入關於教育之新知識，謀內地教育之完全發達」為宗旨，介紹各國教育發展狀況及教育家的學說，有論說、演說、報告、附錄等欄目。刊載文章包括王巘煒〈教育進化論〉、朱德權〈教育行政與自治行政之關係〉、覃壽恭〈教育行政制度概論〉、陳英才〈理科教授法〉、董玉墀〈論強迫教育實行之方法〉、湯化龍〈視學小言〉、何膺恆〈論教育家所宜研究之學科〉、范熙王〈論立憲國民之教育〉、劉文嘉〈論小學當注重精神教育〉等。1909 年 4 月出版至第 3 期停刊。[32]

■ 醫藥類刊物

醫學方面的刊物，有《醫藥學報》和《衛生世界》兩種，前者創於千葉，後者創於金澤；此外還有一種在千葉創辦的《醫學新報》，可能亦為留日學生所辦：

（1）《醫藥學報》（雙月刊），1907 年 1 月 1 日在千葉縣創刊，由留日學生組織的中國醫藥學會出版發行，以「輸入新理，研究實學，謀求我國醫界改革，藥學進步」為宗旨，強調「鼓吹新學，改良舊習」，「非徒以同化見貴，必保固有之習慣及有徵之國學」。主要撰稿人有孫潤畬、何煥奎、沙世杰、陳佩完、徐希驥、陸任梁、李定、畢寅谷等。每期約一百三十頁，內容以介紹醫藥方面的新理論、新學說為主，並有醫學界時事評論，如〈醫學上之國家觀〉、〈論鴉片始末與中國之關係〉、〈論吾國急宜講求公共衛生之政〉等。1909 年 2 月第 13 期起改為月刊，1911 年 5 月出版至第 3 卷第 8 期停刊。

（2）《醫學新報》（月刊），1907 年 5 月在千葉創刊，中國醫藥學社發行。當時有一些中國學生在千葉習醫，該報相信亦為留日學生刊物，是否屬實，有待查證。

（3）《衛生世界》（月刊），1907 年 6 月 11 日在金澤市創刊，留日學生團體中國國民衛生會主辦，由金澤市鶴文堂印刷出版。內容以介紹通俗性的醫療衛生知識為主，包括通俗簡易療法、傳染病的預防法、家政衛生講話、衛生叢談及中外紀事等。這是少數在東京以外地區出版的留日學生刊物之一，總共出版了 5 期。

留日學生成立醫藥學團體的具體情況，實亦值得注意。創辦《醫藥學報》的是中國醫藥學會，與創辦《醫學新報》的中國醫藥學社同在千葉，兩者有無關連，有待查考；而在金澤創辦《衛生世界》的，是中國國民衛生會。東京方面，留日學生王煥文等於 1907 年成立東京留日中華藥學會，後改稱中國藥學會，有無出版活動不得而知。

■ 海陸軍學生刊物

第一種是《武學》（月刊），1908 年 5 月 30 日創刊，是留日學習陸軍的學生團體所辦，編輯發行人陸光熙、方日中、王248昌、姜梅嶺等，總經理為黃郛。該刊提倡振起民力和尚武精神，聲稱以「專研究最新武學，冀補內地軍事教育所不及為宗旨」，又強調「冀以改良軍政，振起民力，使我國軍政界民界悉改從前之舊觀，而以尚武之精神自勵」。內容多介紹外國的軍事發展狀況，並主張加強軍隊力量。至 1909 年共出版了 14 期。

第二種是《海軍》（季刊），1909 年 6 月 1 日在東京創刊，留日海軍同學會主辦，湖北留日海軍學生范騰霄主編，發行處在東京赤坂葵町三番地海陸軍留日學生監督處。以「討論振興海軍方式，普及國民海上知識」為宗旨，欄目有：圖片、論說、歷史、地理、學術、小說、雜件、文苑、海事新報、海軍日新錄、航業要聞、來稿等。書本式，白報紙雙面印刷，約二百七十頁，每冊售價 3 角。北京、天津、上海、漢口、南京、福建、黑龍江、新加坡、舊金山、橫濱、神戶等地都有代派處。[33]

《海軍》中刊載了一些論文，包括研究海權的內容、海權產生的歷史條件、影響各國海權盛衰的主要因素、海權與國家盛衰的關係等，指出「吾國民之不知有海上權力」，主張「當鼓我不撥不撓之精神，活躍海上，為不凡之民而後可」。又運用海權理論研究中國海軍建設問題，批評洋務運動時期中國海軍缺乏爭奪制海權意識，「數萬噸之艦隊，分佈沿海諸岸，待敵之來，不得已而與之一戰」。這些見解表明，中國人對於海權和海軍的觀念已有初步認識。[34]

范騰霄（1883 — 1952），字瀛槎，湖北利川人。1904 年春入武昌將弁學堂，後入武昌武備高等學堂，其間加入科學補習所，入日知會，開始反清活動。1906 年冬，官費留學日本商船學校學習駕駛；1910 年 11 月入橫須賀海軍炮術學校學習槍炮，同時進入海軍水雷學校，翌年 11 月畢業。留日期間，由宋教仁引薦，加入同盟會，通過劉靜庵向湖北郵送大量革命書刊。1911 年武昌起義後，范騰霄返回武漢，力主堅守武間，並策劃偷襲清軍，但未果。1912 年夏，任湖北陸軍將軍補充團副團長、講武堂監督等；同年冬，赴北京任參謀部上校科長。曾試圖解救被袁世凱軟禁的章炳麟（太炎），未能成功。1915 年拒絕向袁世凱勸進，請假離京。1918 年再赴日本，入海軍大學校，至 1921 年畢業回國，任職於海軍部。1924 年參與第二次直奉戰爭，任直系代理海軍艦隊司令。1925 年，任東北海軍學校教育長。1926 年任襄陽道尹，後任國民革命軍前敵指揮部高級參謀。1929 年後在海軍部供職多年，1946 年轉武漢水運學院任教。1949 年中華人民共和國成立後，任湖北省人委參事室參事，並當選為省人大代表。[35]

■ 各類專業刊物

其他專業性質的刊物，在 1906 年至 1910 年間亦相繼出現，音樂、農學、蠶業、商業各方面都有，具體情況如下：

（1）《音樂小雜誌》，1906 年 1 月 20 日在東京創刊，李叔同主編，發行所設於中國，是近代中國最早的音樂刊物。李叔同（1880 — 1942），幼名文濤，後改名廣平，留學日本時改名岸，號叔同，浙江平湖人，生於天津。1905 年赴日本，在東京美術學校學習西洋繪畫和音樂。次年參加同盟會，並在東京與人創辦春柳社，演出《茶花女》、《黑奴吁天錄》等話劇，開中國新劇先河，《音樂小雜誌》就是在這期間刊行。李叔同後於 1918 年出家為僧，號弘一。著有《弘一法師文鈔》。

（2）《農桑學雜誌》（月刊），1906 年 6 月在東京創刊，群益書社發行，是清末最早的農桑學刊物之一。其創辦宗旨，蓋因「祖國以農桑名於全球，後人不加研究，新法未解，古意蕩然，乃及於貧。農桑雜誌社憂之，爰集各大專門家，月出茲報，闡明舊理，輸入新法。」1907 年出至第 2 期停刊。

（3）《科學一斑》，1907 年 7 月 6 日創刊，由留日學生組織的科學研究會出版，欄目有教育、國文、歷史、地理、音樂、體操、博物、理化、算學等，共出四期，每期約七十頁。

（4）《中國蠶絲業會報》（雙月刊），1909 年 8 月 5 日創刊，留日學生主辦，其宗旨為「振興祖國絲業」。所載多國內各省蠶業情形與海外各國蠶絲製品銷行狀況。第 10 期起作了一些改進，出版至第 14 期停刊。

（5）《中國商業研究會月報》，1910 年 3 月 10 日創刊，留日學生組織的中國商業研究會編輯，中國商業研究會上海本部出版。聲稱「本報宗旨，不談政治，只願討論商業，略附詩文小說」。每冊八十餘頁，中英文合刊，設論說、學說、調查、統計、英文等欄。該刊後來改名《中國商業月報》，遷至上海繼續出版。1920 年 5 月停刊，共出版了 12 期。

此外，1907 年 2 月 13 日有一種題為《學報》的學術性月刊在東京創刊，編輯兼發行者為何天柱、梁德猷，1908 年 7 月出版至第 12 期。相信該刊亦為留日學生刊物，詳情有待查證。

■ 其他類型的留日學生刊物

1905 年中國同盟會在東京成立後，留日學生刊物的言論多傾向民主革命，不過也有一些傾向君主立憲的刊物，1907 年 4 月 13 日創刊的《牖報》（月刊）便是一例，但該刊是否在留日學生刊物之列，待考。1907 年 6 月 29 日創刊的《大同報》（月刊），是清宗室留日學生恆鈞及烏澤聲等主辦，參加撰稿的有穆都哩、佩華、隆福、榮陞等，內容以宣傳建立君主立憲政體和召開國會為主。該刊也向國內發行，出版七期後停刊。1908 年 3 月 27 日改為《大同日報》，報館設在北京琉璃廠土地祠內。

1907 年底在東京創刊的《大江月報》，也是一種留日學生刊物，編輯人及發行人為夏重民、黃增耇、盧信等，出版數期後停刊。該報的主要內容，有待進一步查考。

《關隴》（月刊），1908 年 2 月 2 日在東京創刊，其前身《秦隴報》為陝甘留日學生所編印的革命刊物，范振緒（禹勤）、譚煥章（耀唐）、郗朝俊、党積齡（松年）、崔雲松（壘生）、錢鴻鈞（陶雲）、馬凌甫等任編撰。該刊以「提倡愛國精神、濬瀹普通智識」為宗旨，欄目有圖畫、論著、譯述、實業、時評、專件、譯叢、紀事等。1908 年 4 月 15 日出版至第 3 期後，因經費困難而停刊。[36]

《國報》（月刊），1908 年 2 月 3 日在東京創刊，是陝西旅日留學生所辦，曹澍任主編，狄樓海、景耀月等為編輯，屬時事政治類刊物，以「指導國民獨立，提倡地方自治」為主旨，欄目有論著、圖畫、譯述等。

景耀月的〈國報大旨〉強調：「則欲救今日中國魚爛之亡者，在能養成不依賴政府之獨立國民，而獨立國民之養成法，則以不依違被治而能自治，而能自治之國民則以明達國學為本，參與國政為用。故今日正告我國民，俾其注重地方議會，循之其後，此本報所主張之主義也。」該刊內容大都論述自治之利，抨擊中央集權制的弊端，與當時國內立憲自治運動相呼應，革命傾向並不明顯。刊載狄樓海〈論自治制為立憲政之基礎〉、景定成〈政府萬能駁議〉等。只出版了 1 期或 2 期。[37]

《夏聲》（月刊），1908 年 2 月 26 日在東京創刊，陝甘留日學生所辦，楊銘源任發行人，趙世鈺任總編輯，主要撰稿人有俠魔、尊俠等，于右任、張季鸞亦曾發表詩文。該刊「以開通風氣，滌除敝俗，灌輸最新學說，發揮固有文明，以鼓舞國民精神」為宗旨。欄目有論著、時評、學藝、雜纂、時事匯錄、列國時局一覽、附錄等，第 7 期增加了用白話寫的通俗講話一欄。內容論述西北的經濟、軍事及人民覺悟對於中國沉浮的重要，痛陳西北民生疾苦，對陝甘地區的政治、經濟、文化等方面的消息有詳盡報導。在《夏聲》上刊登的文章，有懷〈日本軍制考〉、俠魔〈二十世紀之新思潮〉、疲生〈論國民之無常識〉、一葦〈忠告陝西小學教育家〉、壘空〈陝西近數十年來民生之疾苦〉、魯曼〈英法對德同盟之政策〉等。現存最後 1 期，是 1909 年 9 月 5 日出版的第 9 期。[38]

1908 年間，留日的中國穆斯林創辦伊斯蘭教刊物《醒回篇》（季刊），內容除有關伊斯蘭教外，亦涉及政治，旋即停刊。應予特別指出，這是伊斯蘭教的早期刊物之一。

1909 年 9 月 14 日創刊的《憲政新誌》（月刊），是右翼留日學生團結諮議局事務調查會主辦，張君勱主編，編輯及發行人為事務調查會編纂科長吳冠英，發行所為上海諮議局事務調查事務所。其宗旨為「考查政俗，研究得失，以俟實行立憲後，代表國民贊成政府」。宣傳君主立憲，內容主要論述中國應如何建諮議局和國會，介紹國外有關憲政的理論及外國人對中國立憲的意見等，亦有批評政府稅收政策的文章。每冊約六十頁，欄目有論著、時評、譯述、記載、調查、文苑等。共出版了12期。

清末留日學生刊物的統計

晚清時期的留日學生刊物之中，有兩種是值得特別注意的。一種是1905年2月在東京創刊的《東京留學界紀實》（雙月刊），清國留學生會館編輯及發行，主要報導留日學生的動態，內容龐雜，有關留學生與清朝官員的衝突頗多，言論傾向於民主革命。〈序言〉云：「本報從紀事體例不加褒貶，仁者見仁，知者見知，事必核實為本報之一長。」不分欄目，〈楊公使爭自費生不得學陸軍〉、〈盛哉留學生祝西太后〉、〈共愛會之實行〉、〈秋瑾林復之反對〉、〈留學生第一次運動會〉等文，僅見第一期。

另一種是清廷派駐東京的留學生監督處主辦的《官報》（月刊），1906年12月至1907年1月間（光緒三十二年十二月）創刊，聲稱「本報遵學部奏定新章，按期編纂發行，以輔行政之機關」。專載有關中國留學生的事宜，設有章奏、文牘、調查報告、經費報銷、學界紀事等欄。出版至1910年12月停刊，共有50期。《官報》不能算是學生刊物，但與留日學生有密切關係。

總的來說，晚清時期從1900年至1911年間，留日學生刊物多達七十餘種，平均每年創辦5種以上。1906年創辦的報刊有10種，1907年多達16種，是歷年之冠，1908年也有13種。這三年間創辦的留日學生刊物，竟然多至39種（表2）。至於由華僑、維新派人士、革命派人士及其他團體所辦的報刊，合計約有二三十種，可見此時期的留日學生刊物，數量是非常可觀的。自此之後，中國人開始有一些較切合時代和社會需要的報刊。在近代中國文化史上，留日學生刊物具有開創性的意義，回顧上一世紀留日學生的辦報活動和他們所走過的道路，在今日可以得到不少重要啟示。

紀年問題是反映留日學生政治取態的現象之一。由於身處日本，有些刊物兼印明治紀年，當時日本已改用陽曆，但留日學生刊物仍以陰曆紀年居多。初時多採光緒年號，其後受到排滿革命思想的影響，以干支紀年，甚至使用黃帝紀年或共和紀年。

留日學生刊物多為月刊，此外也有半月刊和旬刊，一般於陰曆初一、十五或十日、二十日出版，但脫期的情況相當普遍。刊行多不超過十期，只出版一兩期的也有，能持續十數期已很不錯，《雲南》在五年間出版了 23 期是僅見的一例。

■ 《中國青年學粹》及其他

1911 年 3 月 10 日，有一種《中國青年學粹》在東京創刊，是以中學生為對象的學生雜誌，以汲取西方科學、改革中國教育、弘揚中國文化為宗旨，向中學生介紹旅日學者的所見、所聞、所感、所思，力倡中西文化合璧。形式活潑，欄目有插圖、社說、著述、文藝、雜纂、英文（英漢對照）等。文言文，立論新穎，作風嚴謹而兼顧趣味性，代表性文章有〈青年修養論要〉、〈國民自信論〉、〈非仕宦主義〉、〈泰西近世發明家列傳〉、〈世界珍聞〉等。該刊以四川成都粹記書莊為總發行所，上海民立報館代售。據有關情況看來，應該不是旅日華僑編印的刊物，由留日學生創辦的可能性較大，而取態又顯得較為持重成熟，或者是旅居日本的學人所辦。

戈公振著《中國報學史》中，提到清末在東京創刊的四種雜誌，包括《研究會日報》、《研究會雜誌》、《中國商業》和《農商雜誌》，但沒有作出介紹。這些刊物可能都與留日學生有關，附誌於此。

表 2 晚清時期留日學生刊物一覽

年份	創辦刊物	種數
1900	《開智錄》、《譯書匯編》（1903 年改名《法政學報》）。	2
1901	《國民報》	1
1902	《遊學譯編》	1
1903	《湖北學生界》（後改名《漢聲》）、《浙江潮》、《直說》、《浙江月刊》、《江蘇》、《江西白話報》、《新白話報》。	7
1904	《白話》、《海外叢學錄》、《女子魂》、《日新學報》、《湖南學生》、《四新學報》。	6
1905	《二十世紀之支那》、《東京留學界紀實》、《第一晉話報》、《醒獅》、《鵑聲》（白話報）、《晨鐘》、《自治報》（次年改名《復報》）。	7
1906	《法政雜誌》、《川漢鐵路改進會報告書》、《農桑學雜誌》、《雲南》、《洞庭波》、《新譯界》、《教育》、《豫報》、《直言》、《鵑聲》（月刊）。	10
1907	《醫藥學報》、《法政學交通雜誌》、《漢幟》、《中國新女界雜誌》、《法政學報》、《大江七日報》、《牖報》、《衛生世界》、《遠東聞見錄》、《大同報》、《科學一斑》、《秦隴報》、《晉乘》、《粵西》、《四川》、《河南》、《二十世紀之中國女子》。	17
1908	《滇話報》、《關隴》、《國報》、《夏聲》、《學海》、《教育新報》、《武學》、《滇話》、《支那革命叢報》、《江西》、《日華新報》、《醒回篇》、《法政新報》。	13
1909	《女報》、《新女界》、《海軍》、《湘路警鐘》（後改名《湘路危言》）、《中國蠶絲業會報》、《憲政新誌》。	6
1910	《中國商業研究會月報》（後改名《中國商業月報》）、《鐵路界》。	2
1911	《留日女學會雜誌》	1

註釋

1 《開智錄》現存鉛印第 1 期及第 4 期至 6 期。

2 宋應離主編《中國期刊發展史》，頁 64 — 65。

3 王世剛主編《中國社團史》（合肥：安徽人民出版社，1994 年），頁 233。

4 北京圖書館、上海圖書館等處藏有《譯書匯編》第 1 年第 1 期至 9 期，第 2 年第 1 期至 12 期，共計 21 期，亦有《政法學報》1903 年（癸卯年）第 1 期至 8 期。《譯書匯編》另有台北台灣學生書局影印本，香港大學馮平山圖書館、香港中文大學藏有該版本第 1 期至 2 期、第 7 期至 8 期。

5 周蔥秀、涂明《中國近現代文化期刊史》（太原：山西教育出版社，1999 年），頁 10。

6 上海圖書館、華東師範大學圖書館等處藏有《國民報》。《國民報匯報》有台北中國國民黨中央委員會黨史史料編纂委員會影印本，香港大學馮平山圖書館、香港中文大學圖書館、香港浸會大學圖書館有藏。

7 《遊學譯編》的封面題字作「遊學譯編」，內文排字亦作「游學譯編」，今從封面。

8 北京圖書館、上海圖書館等處藏有《遊學譯編》。該刊第 1 期至 12 期，有台北中國國民黨中央委員會黨史史料編纂委員會重印本，香港大學馮平山圖書館、香港中文大學圖書館、香港浸會大學圖書館均有藏。

9 〈江蘇同鄉會公約〉及〈江蘇同鄉會創始記事〉，《江蘇》第 1 期。

10 戈公振著《中國報學史》謂《湖北學生界》第 4 期後易名《漢聲》，不確，應該是由第 6 期起。

11 周蔥秀、涂明《中國近現代文化期刊史》，頁 56。

12 《湖北學生界》及《漢聲》，北京圖書館、上海圖書館等處有藏。台北中國國民黨中央委員會黨史史料編纂委員會影印本，香港大學馮平山圖書館有藏。

13 魯迅以「自樹」、「索子」和「庚辰」等筆名，在《浙江潮》上發表了科學論文〈說鈤〔鐳〕和〈中國地質略論〉，譯作〈哀塵〉（法國囂俄〔即雨果〕著）、〈地底旅行〉（法國凡爾納著），編譯歷史小說〈斯巴達之魂〉。

14 《浙江潮》現存第 1 期至 10 期，香港大學馮平山圖書館、香港浸會大學圖書館有藏。北京師範大學圖書館、上海圖書館等處藏有該刊部分原件。台北中國國民黨中央委員會黨史史料編纂委員會影印本，香港中文大學圖書館有藏。

15 中國社會科學院歷史研究所藏有《浙江月刊》第 1 期至 10 期。

16 北京大學圖書館藏有《直說》第 1 期及第 2 期。

17 湖北圖書館、武漢市圖書館、上海圖書館藏有《湖北地方自治研究會雜誌》部分原件。

18 《東方雜誌》第 10 期（1904 年）謂《江西白話報》在九江出版，待考。又謂該刊為半月刊，主要欄目有論說、國文、歷史、地理、倫理、體操、教育、理化、算學、實業、小說、唱歌、日文、英文、新聞、時評等。（頁 241）

19 〈學生軍緣起〉，《湖北學生界》第 4 期（1903 年 5 月），頁 120 — 136。

20 中村哲夫〈拒俄義勇隊・軍國民教育會〉，《東洋學報》第 54 卷第 1 號（1971 年 6 月），頁 95 — 100。

21 上海圖書館、廣東省中山圖書館藏有《新白話報》部分原件。

22 甘肅師範大學圖書館藏有《白話》等 1 期至 3 期原刊，香港中文大學圖書館藏有該刊縮微膠卷。

23 周葱秀、涂明《中國近現代文化期刊史》，頁 22。

24 北京圖書館和北京大學圖書館藏有《滇話報》部分原件，香港浸會大學圖書館有該刊第 5 期電子檔。

25 王世剛主編《中國社團史》，頁 274。

26 成都的四川省圖書館藏有《鐵路界》第 1 號，香港浸會大學圖書館有該刊第 1 號電子檔。

27 一說《洞庭波》創刊後即擬易名為《中央雜誌》，名稱待查考。

28 陳彤旭《二十世紀青年報刊史》（北京：新華出版社，2014 年），頁 56。

29 上海圖書館藏有《支那革命叢報》部分原件。

30 《女報》現僅存一冊，中共中央馬恩列斯編譯局圖書館及吉林大學圖書館曾藏有原件。香港浸會大學圖書館藏有《女報》1909 年第 1 卷第 1 期至 5 期電子檔。

31 王世剛主編《中國社團史》，頁 291。

32 上海辭書出版社藏有《教育新報》第 1 號至 3 號，香港浸會大學藏有該刊的電子檔。

33 史和、姚福申、葉翠娣編《中國近代報刊名錄》；沈殿成主編《中國人留學日本百年史（1896 — 1996）》。華東師範大學圖書館藏有《海軍》部分原件。

34 姜鳴《龍旗飄揚的艦隊：中國近代海軍興衰史》（北京：生活・讀書・新知三聯書店，2014 年），頁 489。

35 周棉主編《中國留學生大辭典》，頁 257。

36 北京大學圖書館、復旦大學圖書館藏有《關隴》的部分原件。

37《競業旬報》第 26 期登有《國報》第 2 期廣告，但無法確定有否出版；或謂《國報》只出一期後即停刊，未知孰是。上海圖書館藏有《國報》第 1 號，香港浸會大學圖書館有《國報》第一號電子檔。

38 中國社會科學院近代史研究所圖書館、中國人民大學圖書館、復旦大學圖書館、原上海歷史文獻圖書館均有藏《夏聲》，香港浸會大學圖書館有該刊第 1 期至 9 期電子檔。

第三章

晚清時期維新人士在日本的辦報活動

辦報活動是近代中國一種新興的出版方式和傳播媒介，與政治運動的發展有密切關係。19 世紀末年，維新人士以辦報作為政治活動的主要手段，1896 年在上海創辦《時務報》（旬刊），1897 年在澳門創辦《知新報》（初為五日刊，後改為旬刊），同年又在長沙創辦《湘學新報》（後改稱《湘學報》，旬刊），宣揚維新變法思想。1898 年戊戌政變發生後，流亡海外的維新人士繼續以辦報方式進行言論鼓吹，或主保皇，或主立憲，日本成為他們重要的活動基地之一。1898 年底《清議報》在橫濱創刊，1902 年《新民叢報》繼起，風靡一時，其影響且超出一般的政論報刊，而及於思想界和文化界。

至於革命派方面，初期只注重武裝起義，忽略文字方面的宣傳，19 世紀、20 世紀之交始於香港創辦《中國日報》，隨後借助留日學生報刊之力，發表措辭激烈的言論，遂使反滿革命成為時代思潮。中國同盟會機關誌《民報》與維新派展開了一場革命與君憲的大論爭，也是以日本作為主要戰場。《新民叢報》和《民報》停刊前後，維新人士還於 1907 年創辦《中國新報》和《政論》，這兩種刊物後來都遷到上海出版，是維新派將辦報重點由海外轉向國內的重要舉措。

第一節　最早宣揚變法的刊物《東亞報》

1895 年中日甲午戰爭結束後，康有為、梁啟超等提倡變法，促成戊戌變法（又稱百日維新），在海外華人社區一時蔚為風氣。1898 年 6 月 29 日於神戶創刊的《東亞報》（旬刊），是維新派人士在日本創辦的第一種中文刊物，總理為簡敬可（石薌），撰述有韓曇首（雲台）、康同文（介甫）、韓文舉（樹園）及日人角谷大三郎、春日粛、橋本海關、大橋鐵太郎、澁江保、坪谷善四郎等。該刊聲稱以「救中國」、「興亞東」為宗旨，設有論說、宗教、政治、法律、商務、藝學、圖象、經世文選、新書譯錄、路透專電等欄目，光緒年號與孔子紀年並署，有光紙鉛印。內容以譯載西報西電為主，介紹西方政治、經濟、科學和文化，宣傳救亡圖存及維新變法，兼及國內外時事新聞。同年 10 月出版至第 11 期後，因戊戌政變發生而停刊。[1]

《東亞報》屬文摘類刊物，除番禺韓曇首撰〈東亞報敍〉外，登載過〈德軍創新機械〉、〈英借廣東九龍〉、〈美國憲法〉、〈荀子創辨說〉等文章，曾連載過韓文舉撰寫的〈大地宜奉孔教主紀年議〉，引進了許多新名詞，是研究清末維新派思想的重要資料。《東亞報》在海外與國內的維新報刊相呼應，藉此爭取僑居國外的華人支持，開近代中國政治運動以海外輿論壯大聲勢的先河，是值得注意的一個現象。

第二節　戊戌政變後出現的《清議報》

1898 年 9 月 21 日，戊戌政變發生；維新派報刊的出版熱潮，在全國範圍內陷入停頓狀態。同年 12 月 23 日，《清議報》（旬刊）在橫濱創刊，館址在橫濱居留地百 39 番館。每月 3 冊（陰曆每月初一、十一日及二十一日出版），每冊四十餘頁。用連史紙印刷，線裝書款式裝訂，發行約四千份，有 38 個發售點和代售點。經費由旅日華僑馮鏡如、馮紫珊、林北泉等負責籌集，發行編輯人署「英國人馮鏡如」，印刷人署「日本人鈴木鶴太郎」，實際上由流亡日本的梁啟超主編，成為戊戌政變後維新派人士在海外的主要言論機關。《清議報》用孔子二千四百四十九年紀年，代替光緒二十四年（1898）。聲稱具有「倡民權」、「衍哲理」、「明朝局」、「厲國恥」四大特色，所刊文章在政治和思想方面「擴大並發展了維新思想的影響，這在當時是具有一定的進步意義的」。[2]

《清議報》宣稱「專以主持清議，開發民智為主義」，創刊號自揭其辦報宗旨有四：（1）維持支那之清議，激發國民之正氣；（2）增長支那人之學識；（3）交通支那、日本兩國之聲氣，聯其情誼；（4）發明東亞學術，以保存亞粹。該刊設有論說、支那近事、萬國近事、名家著述、新書譯叢、文苑、外論匯譯、群報擷華等欄，內容繼續宣傳變法維新，鼓吹政治改革，宣傳實行君主立憲，反對慈禧太后，擁戴被囚禁的光緒帝，大倡保救光緒之說。

麥孟華曾主持報務，秦力山、鄭貫公曾參加編輯工作，1899年6月章太炎赴日本，寄寓《清議報》社內，曾為該刊撰稿。1901年12月21日出版第100期特大號，刊登梁啟超〈本館第一百冊祝辭並論報館之責任及本館之經歷〉及該刊編輯部輯錄的〈中國各報存佚表〉。但第二天報館失火，因保險單上沒有準確寫上經理人姓名，承保的外國保險公司拒付賠款，遂致停刊。[3]後來橫濱新民報社曾編印《清議報全編》26卷，內容有增刪，並按專題分類編輯，與原刊不同。

《清議報》上，刊登了梁啟超的《戊戌政變記》、《立憲法議》、《飲冰室自由書》等論著，還有譚嗣同遺著《仁學》的部分內容，以及楊深秀、王照、陳衍、唐才常、黃遵憲等人的作品，在當時和以後都受到注意。該報對中國小說的發展亦有重大貢獻，梁啟超在第1期發表了〈譯印政治小說序〉，針對傳統以來輕視小說的觀念，充分肯定了小說的社會作用及其地位。該報並刊載了日本兩部政治小說，其一是柴四郎的《佳人奇遇》，其二是矢野文雄的《經國美談》，從而引進了「政治小說」的概念。《清議報》在一定程度上使人改變了對小說的看法，認識到小說與政治的關係，使小說發揮改革社會的作用，從而產生較廣泛的影響。《清議報》的主張和理念，其後在梁啟超創辦的《新小說》月刊中得到繼承、深化和普及。[4]

第三節　風行全國的《新民叢報》

■　梁啟超創辦《新民叢報》的經過

1902 年 2 月 8 日，梁啟超在橫濱創辦另一個刊物，名為《新民叢報》（半月刊）。創辦經費由梁啟超、馮紫珊、黃為之、鄧蔭南、陳侶笙等共同籌集，編輯兼發行人署馮紫珊，實際上由梁啟超主編，撰稿人還有蔣智由、馬君武、韓文舉、徐佛蘇、麥孟華等。每期約一百二十頁，設有圖畫、論說、學說、時局、政治、史傳、地理、教育、宗教、學術、農工商、兵事、財政、法律、國聞短評、名家談叢、輿論一斑、問答、紹介新書、中國近事、海外匯報、餘錄、小說、文苑、雜俎等多個欄目，在介紹西方哲學、思想、歷史、社會、政治、經濟學說等方面，產生過很大的影響。梁啟超主要由於這個刊物的緣故，而被稱為「言論界之驕子」。[5]

梁啟超取《大學》中「新民」之義作為報刊名稱，強調該刊宗旨是要增進國民道德和增長國民知識，使達於「新民」的地步，國民維新之後才可以期望中國維新。[6] 他的《新民說》，系統地論述了古今中外的政治、經濟、軍事、法律、宗教、哲學、思想、學術、地理、歷史、時事、文藝等各種學說，並着重介紹外國的新思想、新知識，在 20 世紀初年起了啟迪國民的重大作用。《新民叢報》初時銷售 2 千份，不到半年即增至 5 千份，最高銷數達 1 萬 4 千份，頗受留日學生界和國內知識青年的歡迎。該刊初時言論頗為激烈，清政府曾將其列為禁書；1903 年後以宣傳君主立憲為主，反對革命的態度漸趨明顯。1905 年中國同盟會機關誌《民報》創刊後，兩報展開了一場關於革命與君憲的大論爭。《新民叢報》於 1907 年 11 月 20 日停刊，共出版了 96 期。[7]

■ 《新民叢報》上的文藝作品和學術著作

《新民叢報》設有小說、文苑兩欄（後來合併為文藝欄），刊登了一些小說、詩歌、戲劇和文學論著。梁啟超的《飲冰室詩話》，深入探討了「詩界革命」的理論和實踐問題，評論了當時的詩人及其詩作，對近代中國的「詩界革命」起了指導作用。文苑欄設有《詩界潮音集》，發表了梁啟超、狄平子、蔣觀雲、夏曾佑、黃遵憲等人的「新派詩」。此外，還有小說、戲劇等作品，例如梁啟超與披髮生合譯法國焦士威爾奴的小說《十五小豪傑》和其他一些法國小說，及晦庵主人的《劫灰夢傳奇》、梁啟超的《新羅馬傳奇》、玉瑟齋主人的《血海花傳奇》等。

梁啟超在《新民叢報》上發表的長文〈論中國學術思想變遷之大勢〉，對其後研究中國學術思想史起了指導性的作用，據錢玄同的〈劉申叔先生遺書敍〉所述，章太炎譽其「真能見社會之沿革，種性之蕃變者」。另可注意的一事，是梁啟超在該刊發表了〈二十世紀之巨靈托拉斯〉和〈中國社會主義〉兩篇文章，稱馬克思（譯作麥喀士）為「社會主義之鼻祖」，是中國人最早關於馬克思及其學說的具體介紹。換言之，《新民叢報》對中國學術思想研究和馬克思主義傳入中國都早著先鞭。[8]

■ 《新民叢報》的影響及其評價

1902 年至 1903 年間，《新民叢報》備受全國青年學子歡迎，成為當時最暢銷的刊物，國內且有翻印本流傳。近代中國的新知識群形成和迅速擴展，與《新民叢報》傳播新知和啟蒙思想是有密切關係的。梁啟超以其「筆鋒常帶感情」的文字，成為「言論界之驕子」，影響所及，包括當時趨於排滿革命的青年、後來成為共產主義者的人物以及享有盛名的文人學者。

論者一般認為，《新民叢報》與此前的《清議報》同為變法維新運動的餘流，是保皇派提倡君憲主張的代表性刊物，雖在傳播新知識、新學說方面有功，對革命思想的興起也有間接助力，但同時是革命派的一大阻礙，因此 1905 年創刊的中國同盟會機關報《民報》要向該報宣戰。

平心而論，《新民叢報》的言論和內容前後並不完全一致，可以分為四個階段，各有其特色和不同表現：（1）1902 年的「激進期」最為人所注意，其啟蒙功勞應該給予高度評價；（2）1903 年初至 1904 年中的「還原期」，與梁啟超關係較少，因已大受讀者歡迎，銷路達於高峰，梁啟超遊歷美國回到日本後，言論已見轉變；（3）1904 年中至 1905 年底的「定型期」，政論文章較少，學術文章則很可觀；（4）1906 年至 1907 年的「論戰期」，反覆申明其君憲主張，但形勢處於下風，以致其文化位置和歷史評價未能得到持平的對待。[9]

第四節 《新小說》及其他鼓吹立憲的刊物

■ 倡導「小說界革命」的《新小說》

1902 年 11 月 14 日，《新小說》（月刊）在橫濱創刊。編輯發行人署趙毓林，實際負責人為梁啟超，參加編輯工作的，有韓文舉、蔣智由、馬君武等。創辦初期，由橫濱新小說社發行；1905 年 2 月第 2 卷起，由上海廣智書局出版發行。1906 年 1 月停刊，共出版了 24 期。[10]《新小說》隸新民叢報社，其宗旨是以新小說「改良群治」，期能達到「新民」之目的，是晚清最早提倡新小說的刊物，其編排體例和文章內容，對以後的文學期刊影響很大，在中國小說期刊方面具開創性，起了示範和奠基作用。

《新小說》創刊號有梁啟超撰〈論小說與群治之關係〉，宣稱「欲改良群治，必自小說界革命始；欲新民，必自新小說始」。他強調小說的社會作用及其地位，是小說理論的一個綱領，明確地提出「小說界革命」的口號，以及「新小說」的概念。狄楚卿的〈論文學上小說的位置〉，則從藝術內部規律探討小說的性質和特點；金松岑的〈論寫情小說與新社會之關係〉，是一篇評述翻譯小說的專論。

自梁啟超提出「小說界革命」後，「新小說」論者一方面對舊小說「誨淫誨盜」展開批評，另一方面則對新小說「覺世新民」大加讚賞，促進了中國小說從古典形態向現代形態的過渡。梁啟超本人也在《新小說》上發表〈新中國未來記〉等政治小說，明顯可見，「小說界革命」是維新派人士為配合其改良群治的政治運動而提出的，但「新小說」很快便打破了政治上黨派的局限，在文學界以至社會上均廣受歡迎，於中國小說史上揭開了劃時代的一頁。論者指出，梁啟超創辦的《新小說》和他倡導的「小說界革命」,「成為 20 世紀中國小說的真正起點」。[11]

《新小說》設有論說、歷史小說、政治小說、科學小說、哲理小說、冒險小說、偵探小說等欄，內容以小說為主，兼及文藝理論、劇本、詩、歌謠、筆記等作品。除梁啟超的〈新中國未來記〉外，還有羽衣女士的〈東歐女豪傑〉，吳趼人的〈二十年目睹之怪現狀〉、〈痛史〉、〈電術奇談〉等小說，及陳獨秀以「三愛」筆名所寫的〈論戲曲〉等論說，均在該刊發表。第 7 期起，該刊開闢了一個名為「小說叢話」的新欄目，不拘形式，專門議論古今小說，其中不乏前所未有的精彩見解。

■ 楊度主編的《中國新報》

1907 年 1 月 20 日在東京創刊的《中國新報》(月刊)，是立憲派刊物，楊度主編，撰稿人還有薛大可、谷鍾秀、胡茂如、方袁等。該刊內容以政論為主，竭力為預備立憲做鼓吹，主張改良政治和召開國會，建立責任政府。胡茂如撰〈中國今世最宜之政體論〉，提倡君主立憲；楊度撰〈金鐵主義〉在第 1 期至 6 期連載，宣傳經濟的軍國主義。第 7 期起遷至上海，1908 年 1 月出版至第 9 期。

《中國新報》提出以「金鐵主義」對應外來侵略，號召開設國會，倡導建立政黨及擁有強大軍事力量的國家。楊度〈中國新報敍〉認為「蓋極東西古今之人類社會，無不經蠻夷社會、宗法社會、軍國社會之三大階級而以次進化者。」又指出「今世西洋各強國國家之程度，皆已入於完全之軍國社會；而以中國之國家程度言之，則其自封建制度破壞後，由宗法社會進入於軍國社會者，固已二千餘年，惟尚不能如各國之有完全軍國制度耳」。因而楊度強調：

故吾人所欲建設之完全國家，乃為經濟戰爭國，故吾人之主義乃世界的國家主義，即經濟的軍國主義。以此主義，可以立國於世界而無不適故也。然欲成一經濟的軍國，則不可不採世界各軍國之制度，而變吾專制國家為立憲國家，變吾放任政府為責任政府。

他又說：

故吾人以為國民未有自負責任之心，以改造責任政府耳，不然，何難之有。夫以責任之人民，改造責任之政府，是之謂政治改革。居今日而謀救中國，實以此為至易至良之唯一方法。而吾人之所篤信，欲有以此貢獻於我國民者，此《中國新報》之所以作也。吾人惟以二三之同志，無黨無勢而與政府宣戰，雖以若何無能力之政府，亦豈無方法以禦之。而國家之事，人人有責，吾人亦以此為盡吾少數人之責任，以翼國民之或聽之，而有起而共謀吾國者。嗟我同胞，其盍聽諸。

楊度（1874—1931），原名承瓚，字晢子，號虎公、虎頭陀、虎禪師，湖南湘潭人。早歲肄業於衡山東洲書院，1894 年中舉；1902 年赴日本，入東京弘文速成師範學校，課餘主編《遊學譯編》（月刊），同年 11 月返國。翌年以四川總督錫良薦試經濟特科，初試名列第一等第二名，後被指為康梁餘孽，遭拿辦，逃匿上海，重渡日本。1905 年任留日中國學生總會館幹事長，同年 10 月，五大臣出洋考察憲政，途經日本，隨員熊希齡特委他譯述各國憲法及政制。

1907 年，楊度創《中國新報》，組織政俗調查會，創言立憲；同年歸國，翌年以候補四品京堂在憲政編查館行走，又任憲政公會北京本部常務委員長，後請假居鄉。1911 年任清廷內閣統計局局長、學部副大臣，旋奉旨開缺，與汪兆銘組織國事共濟會，未幾解散。南北議和時任參贊，隨唐紹儀與民軍議和於上海。1912 年組憲法研究會，翌年任參議院參贊。

■ 《牖報》和《東洋新報》

1907 年 4 月 13 日，《牖報》（月刊）在東京創刊，是立憲派刊物，編輯兼發行者為李慶芳，撰稿人有澤群、南坳生、少瘦、范泉生等。該刊的廣告聲稱「注重國民主義，提倡立憲，融和滿漢 …… 與他報之徒事責望政府者迥別。」又倡議混合蒙、回、苗、藏諸族，要求實行代議政體，建立政黨內閣，政治主張傾向於君主立憲。刊載的文章，有〈政黨性質論〉、〈對歐美關稅戰鬥〉、〈19 世紀歐洲政黨之抗爭及政治變革〉、〈西班牙晚近之政況〉等。1908 年 8 月，出版至第 9 期後停刊。

1907 年 10 月 1 日在東京創辦的《東洋新報》，也是君主立憲派刊物。

■ 政聞社機關報《政論》

1907 年 10 月 7 日，《政論》（月刊）在東京創刊，以「造成正當輿論，改良中國之政治」為宗旨，提倡改革思想，反對暴力革命。梁啟超、蔣智由等主編，主要撰稿人還有黃可權、麥孟華、熊崇煦、張嘉森、吳冠英等。每期約一百八十頁，設有論著、譯述、批評、記載、條錄、應問、社報等欄。梁啟超在該刊發表的文章，有〈政聞社宣言書〉、〈政治與人民〉、〈政治上之監督機關〉、〈世界大勢及中國前途〉等。

《政論》是清末立憲派重要團體政聞社的機關報，為宣傳和推動中國國內的立憲運動而辦，其宗旨有四項：（1）實行國會制度、建設責任政府；（2）釐訂法律，鞏固司法權之獨立；（3）確立地方自治，正中央地方之權限；（4）慎重外交，保持對等權利。第3期起遷到上海出版，共出版了九期。1908年8月13日，清政府以「糾結黨羽、化名研究時務、陰謀煽亂、擾害治安」為名，查禁了政聞社，《政論》停刊。

停辦《新民叢報》而另創《政論》，是維新派將辦報重點由海外向國內轉移的重要步驟。《政論》停刊後，梁啟超於1910年2月20日在上海創辦《國風報》（旬刊），每期內容由他在日本大體編定，然後寄回上海印刷出版，1911年7月16日出版至第52期後停刊，晚清時期維新派的辦報活動也就宣告結束了。

註釋

1 北京中央編譯局圖書館存見《東亞報》第1期至9期，香港浸會大學圖書館有1898年第1期至7期電子檔。

2 周蔥秀、涂明《中國近現代文化期刊史》，頁12。

3 上海圖書館、北京師範大學圖書館、清華大學圖書館等處藏有《清議報》第1冊至100冊；台北成文出版社影印本，香港大學馮平山圖書館、香港中文大學圖書館、香港浸會大學圖書館有藏；北京中國縮微出版物進出口公司縮微膠卷，香港中央圖書館有藏。

4 周佳榮〈從「時務」到「新民」：梁啟超早期的言論和思想〉，氏著《新民與復興——近代中國思想論》，頁104－108。

5 李劍農《中國近百年政治史》上冊（台北：台灣商務印書館重印本），頁217。

6 《新民叢報》創刊號有告白闡述其宗旨：「本報取《大學》新民之義，以為欲維新吾國，當先維新吾民，中國所以不振，由於國民公德缺乏，智慧不開，故本報專對此病而藥治之。務採合中西道德，以為德育之方針，廣羅政學理論，以為德育之本源。」

7 北京圖書館、上海圖書館等處藏有《新民叢報》；台北藝文印書館影印本，香港大學馮平山圖書館、香港中文大學圖書館、香港浸會大學圖書館有藏。

8 周佳榮〈梁啟超與近代中國學術文化的更新〉，氏著《新民與復興——近代中國思想論》，頁151—160。

9 周佳榮《言論界之驕子：梁啟超與新民叢報》（香港：中華書局，2005年），頁56—60。

10 上海圖書館、北京大學圖書館、香港大學馮平山圖書館、香港中文大學圖書館等處均藏有《新小說》。

11 陳平原〈清末民初小說理論〉，氏著《小說史：理論與實踐》（北京：北京大學出版社，1993年）。

第四章

晚清時期革命人士在日本的辦報活動

革命報刊在日本出現較遲，旗幟鮮明的，首推 1903 年創刊於東京的《芻報》，編務由朱霄青主持，但僅出兩期即被查封。其次是 1905 年 6 月，留日學生宋教仁、田桐、程家檉等創辦的《二十世紀之支那》（月刊），原擬作為中國革命同盟會的機關報，但因該刊第 2 期被東京警視廳沒收並勒令停刊而不果。

《民報》在革命活動日趨頻密的情況下誕生，成為代表性的革命刊物；1906 年和 1907 年間，分別有日人和國人創辦的革命刊物出現。此外，宣傳無政府主義刊物和革命派人士所辦的國粹主義刊物，如《天義報》和《衡報》，也在一定程度上影響了清政府的統治地位。

第一節　同盟會機關報《民報》

■ 《民報》刊行的經過

1905 年 8 月 20 日，中國革命同盟會在東京舉行成立大會，通過章程草案，並推舉孫中山為總理。同年 11 月 26 日，同盟會創辦機關報《民報》（月刊，但經常脫期），以「民報六大主義」為中心內容：（1）顛覆現今之惡劣政府；（2）土地國有；（3）維持世界真正和平；（4）建設共和政府；（5）主張中日國民的聯合；（6）要求各國贊成中國之革新事業。「六大主義」可以說是孫中山三民主義（民族、民權、民生）與同盟會誓詞的具體化，《民報》致力宣傳同盟會的革命綱領，即「驅除韃虜，恢復中華，創立民國，平均地權」，並聲稱以「主張我國種族革命、政治革命和社會革命為目的」。

《民報》的發行工作由宋教仁等負責，在國內廣泛發行，並輾轉運到南洋等地，對中國留學生和海外華僑有很大影響。該刊並與梁啟超所辦的《新民叢報》展開筆戰，很受讀者歡迎。創刊號重印七次，第 18 期後發行達一萬七千餘份。先後擔任該報發行人的有張繼、章太炎（炳麟）、陶成章、汪精衛等，參加編輯撰稿工作的有胡漢民、陳天華、朱執信、汪精衛、汪東、宋教仁、廖仲愷、章太炎、劉光漢、湯增璧、黃侃等。1908 年 10 月出版至第 24 期，被日本政府查封。停刊一年多後，汪精衛在東京秘密出版了兩期，至 1910 年 2 月終刊，共出版了 26 期。[1]

朱執信以「蟄伸」的筆名在《民報》第 2 號發表〈德意志革命家小傳〉，介紹了馬克思的生平及《共產黨宣言》，而且較全面地介紹了《資本論》，對馬克思主義傳入中國起了先驅作用。該刊闢有小說欄目，所載作品，有陳天華的〈獅子吼〉、漢血和愁予的〈崖山哀〉、浴日生的〈海國英雄記〉，以及蘇曼殊所譯的印度小說《婆羅海濱遁迹記》、七曲山民所譯的俄國小說《虎口餘生記》等。或反映現實，鼓吹民族民主革命；或表現歷史，追憶亡國之痛。這些文藝作品與政論文章相配合，在革命潮流中發揮了宣傳鼓動的作用。

1906 年 12 月 2 日，《民報》在東京神田錦輝館召開 1 週年紀念會，由黃興主持，章太炎讀祝詞，孫中山發表題為「三民主義與中國前途」的演說，闡述三民主義和五權憲法思想。在會上發表演說的，還有田桐等人。會間並為《民報》募集經費，共得七百餘元。《民報》的地位得到進一步鞏固，成為分佈各地的革命派的一個核心刊物，發展了指導性的作用，對當時的其他革命報刊有深刻影響。[2]

■ 《民報》與《新民叢報》的論爭

《民報》自創刊時開始，即針對《新民叢報》的一些論點進行批評，掊擊君主立憲主張，鼓吹排滿革命。第 1 號上有精衛（汪兆銘）〈民族的國民〉、蟄伸（朱執信）〈論滿州雖欲立憲而不能〉、思黃（陳天華）〈論中國宜改民主政體〉等文，充分表達了革命派的立場。《新民叢報》則連載梁啟超的〈開明專制論〉和〈申論種族革命與政治革命之得失〉，其後並合成題為《中國存亡一大問題》的單行本。《民報》隨後出版了一個號外，揭載〈民報與新民叢報辨〔辯〕駁之綱領〉，共有 12 條，列述論爭的重點及兩派主張相異之處。

1905 年至 1907 年這場大規模而全面性的論爭，在近代中國思想史上是空前的，兩派都對清政府的腐敗表達了不滿，關鍵在於如何改變現狀：《新民叢報》主張用溫和方法，企圖把「政治革命」與「種族革命」劃分開來，認為革命對內只會造成破壞，對外會招致列強瓜分；《民報》強調滿清是個異族專制政權，要求立憲實在軟弱無力，是不會成功的，認為革命有堂正的目標就不會受到列強干預，革命進行之際可以維持一定的秩序，見解實有過於理想的成份。不妨認為，《新民叢報》對國內情況的判斷，《民報》對國際形勢的認識，是各有不足的；但革命與否，主要屬於一國內部的問題，因此《新民叢報》注定在爭取民心歸向方面落敗，《民報》的言論則預先流露了後來辛亥革命的弱點。[3]

兩派論爭期間，《民報》代替了《新民叢報》成為最受歡迎的刊物，革命派與君憲派的界限自此更判然而分，各行其是了。影響及於留日學生的政治傾向，並由言論付諸實行；君憲派則因清政府推行立憲運動，把重點轉移到國內。

■ 《民報》停刊和續刊

1908 年 10 月 19 日，日本政府以《民報》發表的〈本社簡章〉及近期刊登的〈革命之心理〉等文「激揚暗殺，破壞治安」，將《民報》新出版的第24期全部扣押，並禁止今後刊登類似文字，《民報》因此被迫停刊。留日革命學生對此表示強烈反對，楊斯洛、王天行等14人聯名向日本政府內務省遞交抗議書。10月21日，《民報》主筆章太炎封還日本警視總監龜井英三郎轉達內務大臣平田東助關於扣禁《民報》的命令，並致書該大臣表示抗議。10月23日及26日，章太炎又兩度致書抗議；並印發〈報告《民報》二十四號停止情形〉，對日方施加壓力。黃興、宋教仁對章太炎的激烈做法不大滿意，但他們的意見不為章氏所採納。《民報》停刊一事，至此遂無可轉圜。

11月13日，《民報》在東京的社址被反對份子「放火」未遂。同日，有部分留日學生在早稻田大學清國留學生部入口處散發油印傳單，就《民報》被禁事向日本當局進行猛烈攻擊。黃興、宋教仁等不贊成這一做法，曾對日本記者解釋，指出這「並非全體革命黨員之意思」，希望日本國民勿產生誤解。11月25日，東京地方法院開庭就《民報》事件對該刊編輯人兼發行人章炳麟進行公開審訊。宋教仁以「清語教授」的名義，聲稱「與章炳麟並無任何關係」，經辯護律師花井皀藏申請，出庭擔任被告翻譯。次日再開庭。

11月25日及30日，東京《民報》社被變節份子汪公權兩次潛入投毒。社員湯增璧誤飲帶有「猛性毒劑」的茶水，送入鄰近醫院搶救，得免於難，時稱「毒茶案」。日本警署在留日學生中進行偵察，拘訊十數人，歷時半個月，但迄無要領。汪公權以投毒成功，傳聞得到清朝駐日使館5千元獎勵，返抵上海後，被光復會會員王金髮在上海四馬路擊殺。

12月12日，東京地方法院就《民報》違反《新聞紙案例》事件宣判：所刊〈革命之心理〉一文及〈本社簡章〉，均違反《新聞紙案例》，各判罰50元；編輯及發行人、發行所未作呈報，判罰15元；以上三項，共判罰 115 元。原內務大臣發佈封存《民報》第 24 期及禁止刊載與〈本社簡章〉、〈革命之心理〉主旨相同的文章，命令仍然有效。《民報》方面估計即使上訴，「亦無勝訴之希望」;即使復刊，其主義方針亦不能發表；加以內部意見分歧，難以彌合，於是決定暫時休刊，不過事情未並完全了結。

1910 年 1 月 1 日，由汪精衛主編的《民報》第 25 期出版，社址標明為法國巴黎濮侶街 4 號，實則仍在日本印刷發行。後來又出版第 26 期，致被章太炎稱為「偽《民報》」。

第二節　其他宣傳革命的刊物

1906 年 9 月 5 日，日本大陸浪人宮崎寅藏等在東京創《革命評論》（月刊），是日本志士為聲援中國民主革命而辦的革命刊物。翌年 3 月 25 日出版的第 10 號上，有章太炎的〈鄒容傳〉及柳亞子的〈有懷太炎感丹〉。該刊旋因內部分裂而停辦。1906 年至 1907 年間，由中國人創辦的革命報刊有《鐵券》、《革命軍報》和《大江七日報》3 種。

■　《鐵券》和《革命軍報》

1906 年，同盟會會員在東京創辦一種題為《鐵券》的刊物，以恩漢子名義發行，言論甚為激烈。其序言說：「陳〔天華〕鄒〔容〕二烈士，獨登昆侖頂，大招黃帝魂，一著《猛回頭》，一唱《革命軍》，發哀號悲痛之聲，喚醒漢遺⋯⋯ 回頭雖猛，革命未軍，滿虜滅漢新策又現，立憲問題是矣。」

1906 年 12 月 29 日，《革命軍》（亦作《革命軍報》）在東京創刊，主編署「祝革命軍大捷之一分子」，刊有大量報導萍、瀏、醴起義的消息，以及在起義中發佈的〈中華民國軍政府檄文〉。僅出版了 1 期。

■ 《大江七日報》

1907 年 3 月 9 日，《大江七日報》（週刊）在東京創刊，夏重民、黃增等主編，參加撰稿的有肖子、鋤非、血性等。以光復漢族、推翻清朝統治為宗旨，號召人們武裝起義，並批評康、梁的維新和立憲運動，文字潑辣、犀利。設有論說、留學界紀事、時事匯譯、國內要聞、虜廷記事、海外要聞、雜文、文苑、謳歌、瑣談片片等欄；花邊空白處，印上口號及愛國詩詞。章太炎為該刊撰寫了僅有 67 字的〈發刊詞〉，全文如下：「貫中國之巨川曰大江。漢族自西來，先至蜀石，紐有禹生之迹；下被揚越，使東海之色黃；中合漢北，邸大別而與上黨之國通。嗚呼！民懷其祖，猶水之始於濫觴也，作大江雜誌。中華開國紀元四千六百零五年丁未正月十有九日章炳麟。」刊有俠武著〈排美必先排滿〉等文章，出版數期後停刊。

第三節　宣傳無政府主義的刊物

晚清時期在日本出版的政論性報刊，除了維新派和革命派所辦的報刊外，還有一類宣傳無政府主義的刊物。在清政府的封建專制統治之下，無政府主義者所宣傳的主張，是具有反對滿清政府意義的。

■ 何震主編的《天義報》

1907 年 6 月 10 日，何震主編的《天義報》（半月刊）在東京創刊，發起人為陸恢權、何震、周大鴻、張旭、徐亞尊等，撰稿人有劉師培、汪公權、蘇曼殊等。這是中國最早的無政府主義團體社會主義講習會的機關報，初創時在何震的寓所編輯；第 11 卷起，改在上海印刷發行。該刊聲稱其宗旨「在於破壞固有之社會、顛覆現今一切之政府，抵抗一切之強權，以實行人類完全之平等」，於提倡女界革命外，兼提倡種族、政治、經濟諸革命。重申其宗旨為「破除國界種界，實行世界主義，抵抗世界一切之強權，顛覆一切現近之人治，實行共產制度，實行男女絕對之平等」。1908 年 3 月 15 日停刊，共出版了 19 卷。

《天義報》上所宣傳的無政府主義思想，很明顯是外來思潮影響下的產物，例如該刊載有〈破壞社會論〉、〈無政府主義之平等觀〉等文，就廣泛地介紹了蒲魯東、巴枯寧、克魯泡特金等無政府主義者的學說。該刊又是最早介紹馬克思、恩格斯《共產黨宣言》的一個刊物，譯載了《共產黨宣言》1888 年的英文版序言及第一章的部分內容，這是目前所見恩格斯著作最早的中文全譯本。柳亞子曾經寫詩讚揚劉師培、何震夫婦是「索菲亞」、「普魯東」。此外，還刊登中國農民狀況的調查文章。

按：該報封面僅題「天義」兩字，因此亦稱《天義》；該報對於婦女解放等婦女問題的研究起到重要影響，因此有些學者以早期婦女刊物視之，所載〈女子復仇論〉、〈婦人解放問題〉等，在一定程度上促進了近代中國的婦女革命。

■ 劉師培夫婦創辦的《衡報》

1908 年 4 月 28 日，另一種無政府主義刊物《衡報》（旬刊）秘密在東京創刊，這是社會主義講習會的出版物，創辦人是劉師培、何震夫婦。當時日本政府正加緊鎮壓國內的無政府主義者，該刊為掩人耳目，以「澳門平民社」的名義編輯發行。

其宗旨是「顛覆人治，實行共產，提倡非軍備主義及總同盟罷工；記錄民生疾苦，聯絡世界勞動團體及直接行動之民黨。」內容鼓吹無政府革命，號召農民抗稅和工人罷工。該刊發表過〈論共產制易行於中國〉等文，所謂「共產制」是指「無政府共產主義」。1908 年 10 月出版至第 11 期，日本政府允許登記，不料與《民報》同時被禁。

但應指出，劉師培夫婦並非堅定的排滿革命者，他們原是同盟會會員，劉師培想爭取同盟會幹事之職，提議改組總部，遭拒絕後便回國，入兩江總督端方幕，投靠了清政府。

第四節　革命派人士的國粹主義刊物

■ 章太炎主編的《學林》

章太炎主編的《學林》（季刊），1909 年至 1910 年間在東京創刊，學林處編，以宣傳和保存國粹為宗旨。設有名言部、制度部、學術流別部、玄學部、文史部等 12 個欄目，亦有關於醫學、算術、地形、風俗的文章，共出兩冊。章太炎在該刊發表了多篇文章，第 1 期有〈學林緣起〉、〈封建考〉，第 2 期有〈秦政記〉、〈秦獻記〉、〈文始〉續等。[4] 以章太炎為代表的光復會與孫中山等人的同盟會主流派意向分歧，已是明顯不過的事實了。

不妨認為，晚清時期的排滿革命和保存國粹，宗旨雖然不同，實乃一事之兩面，在反對滿人專制統治的同時，高舉保存漢族優良文化的旗幟。「光復舊物」，為的是「排滿反清」，這與辛亥革命後，清朝已推翻，提倡國學藉以與五四新文化抗衡，情況是頗不一樣的。

■ 光復會機關報《教育今語雜誌》

1910 年 3 月 10 日，章太炎、陶成章在東京創辦《教育今語雜誌》（月刊），雖然是革命團體光復會的通訊機關，帶有種族革命的意味，但主題是大力提倡教育救國，已非旗幟鮮明的革命刊物了。該刊的宗旨為「保存國故，振興學藝，提倡平民普及教育」，以及「明正道，辟邪詞」。設有社說、中國文字學、群經學、諸子學、中國歷史學、中國地理學、中國教育學、算學、英文、答問、附錄等欄，所刊文章皆「演以淺顯語言」。換言之，就是用白話體裁研究古學，並宣傳種族革命思想，因而命名為《教育今語雜誌》。

《教育今語雜誌》內容廣泛，目的是灌輸國學知識給一般讀者，普及教育於平民，因此用白話文。作者均用筆名，署「太炎」各篇實際上是錢玄同所作。同年 8 月停刊，共出版了 5 冊共 6 期。[5]

註釋

1 《民報》有北京科學出版社影印本。小野村秀美編《民報索引》兩卷（京都：京都大學人文科學研究所，1970 年）方便參考。

2 陳孟堅《民報與辛亥革命》上下冊（台北：正中書局，1986 年），是詳細研究《民報》的專著。

3 周佳榮〈《民報》與《新民叢報》論爭的再評價〉，氏著《新民與復興：近代中國思想論》，頁 183 — 203。

4 香港浸會大學有《學林》1909 年第 1 期及第 2 期電子檔。

5 北京圖書館等處藏有《教育今語雜誌》，香港浸會大學圖書館有該刊 1910 年第 1 期至 4 期電子檔。

第五章

民國時期留日學生和青年團體的刊物

1911 年辛亥革命爆發，各省紛紛宣佈獨立。1912 年 1 月 1 日，中華民國臨時政府成立；同年 2 月清帝退位，中國長達兩千多年的君主專制統治至此結束。晚清時期留日學生在反滿革命思潮激盪下，不少曾致力於革命言論的鼓吹，甚至參與革命活動，其影響及於為數眾多的留日學生刊物。民國成立後，雖有共和政體之名，但政權在軍閥把持下，政局和社會都很混亂，國家發展未能符合人民的期望，國民黨和共產黨都藉出版報刊進行言論宣傳，影響所及，留日學生刊物亦帶有不同政治背景的性格。不過，與晚清時期相比，專業性質的刊物更見成熟，同鄉會刊物漸為個別大學的同學會刊物所代替。

民國時期的留日學生刊物絕大多數在東京出版，由於華僑社會已漸壯大，他們的第二代亦開始成長，各種華僑團體多有自己的刊物，相對來說，留日學生刊物所佔比例並不算多。加上晚清以來留日學生群體中，有不少學成的青年仍居留日本，出現了一些留日青年團體，他們所出版的刊物亦以留日學生為主要對象，甚至有留日學生投稿或參與出版，本章亦會一併述及。還有值得注意的地方，就是這些刊物在中國內地雖有一定影響力，但因國內出版的報刊已佔有主流地位，留日學生刊物的重要性明顯不及晚清時期了。但應指出，留日學生刊物在評述時事局勢和介紹新知新事方面，仍是值得重視的，辦報亦是學生接受磨練和養成能力的一種方式。

第一節　留日學生刊物的繼興

■　民國初年的幾種留日學生刊物

民國時期第一種留日學生刊物，應是 1912 年 11 月創刊的《軍聲》（月刊）。張為珊任經理，蔣志清（蔣介石的學名）、杜炳章編，「以討論國防計劃，規劃軍政統一，調查各國軍情，補助軍事教育，鼓吹尚武精神，輸入軍界知識，研究各種兵學為宗旨」，欄目有圖畫、論說、學術、調查、記事、特別記事、特別記錄、雜俎、文苑、小說等。內容以軍事為主，介紹法、日、英等國家的軍事教育和軍費、武器狀況，刊登日本軍事演習的目擊記及日本兵器數量表，並有國內外及蒙藏大事記，及連載小說〈情僧奇緣〉。對當時的巴爾幹戰局及東歐危機等，亦有加以評論。蔣介石有多篇文章在該刊發表，〈軍政統一問題〉主張集權中央。同年 12 月出版第 2 期。

1915 年 6 月創刊的《郢中學報》，是湖北郢中（湖北江陵一帶）留日學生所辦的綜合性刊物，大 32 開本，陸宗輿為該刊題詞。以民生實用為宗旨，內容主要論述教育、經濟、醫、農、工、商等實業，將西方先進技術介紹給鄉親父老，來推動富國強兵的改革。欄目有論說、學藝、時事、調查等，刊登有關世界經濟、中國財政及農業經濟方面的論述和調查報告，發表介紹紡織工業技術、畜牧業的知識，以及討論地方自治、道德修養、婦女教育等問題的文章。文風篤實，重視學術，圖文並茂，令人耳目一新。同年 9 月，李大釗主編的《神州學叢》（季刊）創刊，是留日學生團體神州學會的機關誌，反對袁世凱盜竊國政和帝制自為。旋即停刊。

1916 年 5 月 15 日，中華民國留日學生總會創辦名為《民彝》的機關刊物，李大釗主編，刊載時人探討民國政治、經濟問題的學術文章和評論意見；反對袁世凱獨裁，並刊登紀念烈士的詩文。因受日本當局干預，第 2 期起由上海泰東圖書館發行，次年 2 月出版第 3 期，便宣告結束了。《民彙》的欄目，有撰著、評論、通訊、論壇、譯述、調查、雜俎、餘錄、會務等；李大釗曾在該刊發表〈民彙與政治〉等文章，反對籌安會和袁世凱復辟帝制。

1916 年 6 月 15 日，《民鐸》（季刊）創刊，出版者學術研究會是留日學生組織，主要撰稿人有李石岑、嚴既澄、朱謙之等。1918 年 12 月第 5 期起，遷至上海出版，至 1931 年 1 月停刊，共出版 10 卷、52 期。該刊以「促進民智，培養民德，發揚民力」為宗旨，「網羅各門著述，純從根本上討論是非得失」。欄目有論說、譯述、記載、調查、藝文、雜纂等，大量介紹和宣傳尼采、羅素、杜威、柏格森等人的哲學思想，內容涉及政法、財經、文學、歷史、哲學、地理、軍事、醫學和農、工、商、林各業等多個方面。初創時期，對內抨擊軍閥專政，對外揭露列強侵略；改在上海出版後，着重「闡揚平民精神，介紹現代思潮」。1919 年至 1928 年間由李石岑主編，第 6 卷 2 號起，將重點轉向國學研究；1928 年後，重點介紹了馬克思、恩格斯辯證唯物論的文章。《民鐸》刊行十餘年，是研究五四前後中國思想史的重要參考資料。

1917 年 4 月，《學藝》（季刊）在東京創刊，旅日學生團體丙辰學社主辦，是綜合性學術刊物，主要刊載有關政治、經濟、軍事、教育、哲學、科技等方面的論著。第 2 卷第 4 期起改為月刊，抗日戰爭期間一度停刊。1947 年 1 月在上海復刊，卷期續前，至 1949 年已出完第 19 卷，其後仍繼續出版。

丙辰學社由留日學生陳啟修、王兆榮等發起，1916 年在東京成立，其宗旨為研究真理、昌明學藝、交換知識、促進文化發展，先後於國內各省及日、英、美、德、法等國設立事務所。1923 年改名中華學藝社，總事務所設於上海，社員一度達四百七十餘人，主要從事創辦學校、出版書刊、組織學術參觀等活動。[1]

■ 具有地方色彩的留日學生刊物

1916 年 10 月 10 日創辦的《陝西留日學錄》，是陝西留日同鄉會會刊，其宗旨是「灌輸知識，啟發事業，敦進鄉治，匡扶民志」，有評論、學術、記載、雜纂等欄。記載欄既刊外面的調查材料，供內地同人研究；亦刊內地政治、社會、教育、實業、地理、人文等方面的調查，以便於研究治理和改良的方法。僅見一期。

1917 年 3 月創刊的《山東實業學會會誌》（季刊），是山東旅日學生組織所辦的刊物，于聯五主編，主張振興民族經濟，研究並介紹有關發展農、工、商各業經濟的理論和技術，以及報導山東經濟的發展狀況。欄目有通論、農業、工業、商業、譯叢、調查、雜俎等，停刊日期不得而知。

雲南留日學生張天放、寸樹聲發起組織的曙滇雜誌社，得到旅日、旅緬僑胞及省內外同鄉資助，於 1923 年 5 月創辦《曙滇》（月刊），以謀求雲南社會經濟的改造為宗旨。該刊寄上海印發，負責人先後為復旦大學雲南籍學生張耀參及留日回滬開設東方醫院的雲南人張德輝。1925 年停刊。

1925 年 3 月在東京創刊的《留日山西同鄉會年刊》，以研究學術、交換知識為宗旨，主要內容涉及政治、經濟、法律、哲學、教育、心理、科學知識，還有文學評論和詩歌等，並介紹留日山西同鄉會的情況。僅見 1 期。

1934 年 3 月在東京創刊的《河北留東年刊》，由河北駐日留學生經理處出版發行。旨在鼓舞讀書興趣，交流研討，並向中國國內提供建議；16 開本，有論著、譯述、遊記、附錄等欄目，內容以經濟、教育、醫學為主。

值得一提的是，1935 年 1 月，東京中華青年會內山西留日同鄉會主辦的《文化》創刊，初為 16 開本，1935 年 11 月 1 日出版的第 2 期改為 24 開本。該刊的主題是評論國際經濟和政治，文章主要譯自日文、俄文、英文著作，亦有關於國內政治局勢與經濟的分析，以及少量文學作品及文化評論文章。可見即使是同鄉會出版的刊物，其地方色彩已經淡化了。

民國時期最後一種具地方色彩的留日學生刊物，應是 1937 年 7 月創刊的《中華民國四川留日同學會會刊》，編輯者為該同學會的執行委員會總務文書邱采芹。創刊號為「四川建設專號」，這時中日戰爭正式開始。其〈發刊詞〉說：「我們本著川民構成員旅外求知者的責任，…… 提出幾許關於本省各種建設資料給當局做參照 …… 當作我們海外同學們獻給故鄉的一點贈品。」刊載文章八篇，論述了四川在政治、經濟、教育、農業、交通及社會事業等方面的建設理論和實踐方法，表達了留學生的愛國情懷。此外，又報導了四川災情和國內外賑災的情況；對於四川留日同學會，該刊也有詳細介紹。

第二節　留日同學會出版的刊物

1916 年創刊的《留日大高同學會會報》，留日大高同學會幹事編，而由該會俱樂部出版。創辦目的是為中國留學日本的學生建立通訊錄，以便交流信息，並留作紀念，欄目有寫真、報告、同學錄、附錄等。同年 6 月出版第 2 號。此後出版的，多是同類學校或各別院校留日同學會的刊物，1920 年代有 6 種，1930 年代有 5 種。

■ 1920 年代創辦的留日同學會出版物

（1）《留日高等工業學校同窗會志》（年刊），1920 年 4 月創刊，是東京留日工業學校同窗會會刊，1921 年 5 月出版第 2 期後停刊。

（2）《實業雜誌》（年刊），1920 年 4 月在北海道創刊，中華民國留日北海道帝國大學同窗會編輯發行。旨在喚醒國民，鼓吹實業救國，強調「欲興教育，則實業教育尤為當務之急，苟無實業教育以啟迪之，則實業之興無由普及，國勢發達難期鞏固」。該刊主要發表農林牧副漁業方面的論述和譯著，介紹國外先進經驗，並對改善國內實業狀況，提出了意見。1922 年 3 月出版至第 3 期停刊。

（3）《機械》，約於 1920 年在東京創刊，是留日東京高工機械科同窗會所辦。刊期不詳，32 開，主要登載與機械製造有關的學術文章、設計圖和計算過程，以及關於日本工業的調查報告等。共出版了 3 期。

（4）《教育》（季刊），1921 年 1 月 15 日在東京創刊，是留日學生組織東京高等師範學校教育社所辦，設有論說、研究、介紹、調查、雜錄等欄目，主要刊載關於中國教育問題、教育理論的研究論文及調查報告，撰稿人有楊正宇、李宗武、王惕、陳公博、王駿聲、林本、程時奎等。1922 年 3 月出版至第 3 期，第 2 期及第 3 期在上海中華書局印刷。

（5）《東工同窗》（年刊），1924 年在東京創刊，中華留日東京工業大學學生同窗會發行，負責人兼編輯為谷宗憲。這是該校中國留學生的習作園地，內容主要為工業設計的介紹，論文報告一欄，專載同學的研究成果。十六開本，有照片和圖表。至 1937 年 1 月共出版了 14 期。

6）《中華民國留日東京工大學生同窗會學藝部月刊》，1929 年在東京創刊。編輯為龍慶忠，發行人為余家璆。主要刊載科技方面的短篇文章，論述中國當時的工業狀況及日本機械工業的發展趨勢；此外還有該會的工作報告和函件，及該校校聞的報導等。1931 年 2 月出版至第 12 期。

■ 1930 年代創辦的留日同學會出版物

（1）《學術界》（季刊），1930 年在東京創刊，中華留日明治大學校友會編輯出版。主要刊登學術論文，有論著、講演、譯林、資料、雜報等欄目；其內容為研究政治學、經濟學的基本理論，及探討國際關係、社會、文藝等方面的學術思想。1933 年 1 月停刊，1935 年復刊，卷期另起，至 1937 年 4 月終刊。

（2）《中華民國留日東京工業大學學生同窗會季刊》，1931 年 7 月在東京創刊，中華民國留日東京工業大學學生同窗會編輯和發行。因受九一八事變影響，停刊一年，1932 年 8 月復刊，改名為《中華民國留日東京工業大學學生同窗會會刊》。主要發表該會學生的學術論文和科研成果，包括物理學、化學、力學及工、農業技術方面的著述，介紹世界最新科技消息，用以報效「我們產業落後的中國」；此外，也刊登報導該會會務的雜文等。

（3）《現代農業》，1936 年 2 月 10 日在東京創刊，東京農業大學中華留日同學會主辦，設有研究、介紹、論述、講話等欄目，以研究中國農村生產關係、生產手段及探討農業技術、生產方法為主要任務，內容包括農村狀況調查分析、植物栽培方法、病蟲害防治、家禽飼養、園藝、日本農業技術及發展情況的介紹等。該刊是不定期學術刊物，同年12月10日出版第2期。

（4）《理科論叢》（季刊），1936年7月在仙台創刊，中華留日帝國大學理科同學會編輯和發行。內容以研究自然科學為主，包括數學、物理、化學、地理、生物、工程等，注重各科最新理論的綜合報告或系統介紹，所載論著和譯述配有大量圖表和公式。同年11月出版第2期。

（5）《學聯半月刊》，1937年2月1日在東京創刊，中華留日學生聯合會會刊，發行人林楚君，編輯為段連榮等。設有短評、時事政治、學生團體、學生生活等欄目，內容以反映中國留日學生的思想和生活為主，重點報導該會組織公演著名話劇《復活》的消息，亦有報導國際時事新聞、中國國內各大學新聞等。同年5月15日，中華留日學生聯合會改出《留東學生》。

（6）《留東學生》，1937年5月15日在東京創刊，是中華留日學生聯合會編印的綜合性刊物，編輯為王重英，發行人為林策。16開鉛印，欄目有論壇、譯叢、學術、文藝、消息等。發表評論文章，分析中華民族即將面臨的戰爭危險，呼籲全體留日學生團結一致，為拯救國家命運而效力。譯文重點評述日本的政治現狀及對外政策，有學術論文評價德國古典哲學的進步性，此外，還刊登留日學生的短篇文學作品。創辦時已在抗日戰爭爆發前夕，僅見1期。

第三節 專業、時事和青年團體刊物

■ 留日學生專業刊物

民國時期留日學生同鄉會和同窗會出版的刊物，已有較明顯的專業傾向，此外還有一些專業性質的刊物，在國內和業界佔一席位。主要有以下幾種：

（1）《留日學生學報》（雙月刊），1923 年 2 月在東京創刊，中華民國留日學生總會主辦，同年 4 月出版第 2 期後停刊。該學報的內容，包括對蘇俄革命和新經濟政策的評論，有關於日本自治問題、文學、教育和相對論等方面的著譯文章，以及文學評論、詩作等。

（2）《自然學會會刊》，1932 年 12 月創於東京，由中國留日學生學術團體自然學會編輯和發行，該會會員關中哲、甘塵囚任編輯，余頌堯負責發行。以「研究學術，推進文化」為宗旨，發表有關數學、物理學、生物學、工程學、社會學、哲學、文學等自然科學和社會科學的文章，強調科學本身的內容和本質，及各科學群的關聯性，思想較為活躍。1933 年 1 月出版第 2 卷第 2 號。

（3）《留東學報》（月刊），1935 年 7 月 1 日在東京創刊，是留日學生所辦的綜合性學術刊物，旨在反映留日學生的學術研究成果。內容除了關於國內經濟、政治、文化、教育等方面的論述外，還選錄外國人對於中國的觀察和批評，介紹外國的出版業，並有各國調查統計、日語講座、文藝、讀者園地等。時有脫期。1937 年 5 月出版至第 3 卷 5 號。陳固廷撰〈創刊詞〉，頗能說出當時部分留日學生的心聲。他首先強調留日學生過去在祖國的革命史上，佔有光榮偉大的一頁，《留東學報》就想繼承諸留東先輩的光榮偉大事蹟，完成下列三個目的：

（1）希望留東同學們，將所有的界限打開，將一切的精神集中；藉這個刊物，互相勸勉，互相砥礪，以期個個同學，都能一心一意努力研究學問。準備將來擔負建設新中國的任務。

（2）希望留東同學們，藉這個刊物，公開討論關於建設中國的實際問題。充分發揮自己研究學術的意見和心得。

（3）希望留東的同學們，藉這個刊物，盡量介紹日本政治、經濟、社會、文化的現況，尤其是他們對於我國政治、經濟、社會及文化各方面的觀察與批評，我們要特別注意，以資我國的借鏡。

他希望同學們能藉此互相聯絡，在研究學術的共同需要上切實合作。「我們祇有踏着留東先輩光榮偉大的舊跡，繼承他們為祖國努力的大志，加以發揚與光大。」「我們不計近功，不唱高調，但願以自己坦白純潔的熱誠，犧牲和苦幹的毅力，公正和客觀的態度，來謀留東同學在研究學術上的便利，來為留東同學很忠實的服務。」

（4）《小譯叢》（月刊），1936 年 5 月 10 日在東京創刊，東京中華留日學生會主辦，是綜合性譯文刊物。發行人鄭太，編輯陳小基、王亞洪；第 2 期至 3 期，編輯改為于行。16 開本，設有小國際、小研究、小藝園等欄目，內容側重國際政治和文學方面，還有書評和讀書心得等。

■ 留日學生時事刊物

1920 年代末至 1930 年代，留日學生亦創辦了一些時事性質的刊物。1929 年 1 月，留日學生社團在東京創辦綜合性刊物《雷聲》（月刊），內容主要評論時局，亦介紹學術研究。旨在樹正氣，以公正的言論引導留東界學生。內容主要評論國內外時局，抨擊「辱國喪權之國民黨政府」，如〈鄙哉，胡漢民之言行〉、〈五・七之新國恥〉、〈軍閥混戰時代之再來〉等；此外，亦有介紹著名學者及其學術研究的文章，如〈梁任公先生〉、〈經濟學家李嘉圖小傳及其學說〉、〈陰陽學之研究〉等。此外，該刊還登載雜感、小說、詩歌和通信等。同年 5 月出版的第 5 期有〈東京留學生之解剖〉一文，是研究當時中國留日學生狀況的珍貴資料。

1935 年 6 月，《留東新聞》（週刊）在東京創刊，中華青年會留東新聞社出版，傅襄謨主編。該刊是留日學生張健冬、王瑞符、簡泰梁等所辦，屬綜合性刊物，8 開紙，每期 2 張 4 版。主要登載留日學生的著作，內容有國內外新聞、文化理論探討、招生廣告、世界知識、文藝作品、讀者信箱等，並介紹中國留日學生的生活、學習和工作情況。1937 年 1 月 12 日該刊出版至第 49 期，被日本當局禁止發行，記者呂奎文被捕，罪名是販賣反日書籍，拘捕十日後，被驅逐回國。1 月 14 日，該社又被日警搜查，拘捕 8 人查詢。

1937 年 3 月 1 日，旅日華僑及青年學生所辦的《留東週報》在東京創刊，余仲瑤編輯及發行，是時事政治刊物。主要發表國際、國內時事評論，介紹日本文化、經濟、政治，並報導旅日華僑和留日學生的消息。同年 5 月出版至第 11 期。

■　台灣留日學生出版的刊物

中日甲午戰爭後，雙方於 1895 年簽訂《馬關條約》，清廷將台灣割讓給日本，台灣遂成日本殖民地，直至 1945 年日本戰敗投降為止，中國才恢復行使主權。台灣的日據時期長達半個世紀，其間有不少台灣學生留學日本，並且出版了一些刊物。

1920 年 7 月 16 日，台灣留日學生組織的文學社團新民會在東京創辦《台灣青年》，蔡培火任編輯、外交及發行人，林呈祿任司庫，彭華英管庶務。該刊在台灣集稿，於東京排印後，運銷台灣，並發行於中國大陸和海外僑胞。其宗旨為「介紹內外文明，評論台灣政治應改革之事」，反對殖民文化侵略，追求民族文化革新，呼喚台胞自新自強，以求得到解放。該刊雖然在東京出版，不過信息來源和讀者主要都在台灣。1922年4月1日出版的第3卷1期起，改名為《台灣》，擴充內容和讀者範圍，分出漢文版和日文版。這是由於台灣籍人士成立了台灣文化協會，而將《台灣青年》改組，編輯部成員基本上還是原來的，對象則是較大範圍的讀者。不僅是台灣新文化運動的刊物，而且成為台灣新文學的搖籃，誕生了許多新文學作家，有關新文學的爭論也在該刊展開。[2]

1923年4月15日，《台灣》改組為《台灣民報》（半月刊），該刊用通俗白話介紹世界情況和批評時事，亦刊載有關中國大陸時政問題的文章；倡導新文學，介紹中國大陸的新文學理論和成果，刊登胡適、魯迅、郭沫若、冰心、徐志摩等人的作品。同年11月出版的第9期起，改為旬刊；1925年7月12日起，改為週刊。銷量超過1萬份，1926年8月1日遷至台灣發行第1號（總第167號）。

■ 留日青年團體的刊物

（1）《時代》，1928年3月創刊，中華青年會主辦，松社編輯部編輯和發行。創刊號載有〈發刊詞〉、〈松社社章摘要〉及論文6篇，包括〈輿論〉、〈中等智識階級應有的覺悟〉、〈盛京時報胡說〉、〈顧問——奸細〉、〈東方會議產生之奇怪辭句〉和〈後藤新平之訪俄〉，以日本人入侵中國東北三省為議題，揭露日本的野心，號召東北的同胞要認清形勢，肩負起拯救民族危亡的重任。

（2）《檢討》（半月刊），1929 年 5 月在東京創刊，中華留日青年會主辦；第 7 期起改為月刊，至 1930 年 1 月共出 12 期。該刊是中國國民黨黨員所辦，聲稱「一方面對主義極力闡揚，一方面對國內反動事實極力揭發」，主要發表政論性文章和政治雜文，以擁護汪精衛、反對蔣介石的立場，評論國內政局，抨擊新軍閥勢力，又對蔣介石的南京政府提出批評。

（3）《海外公論》（月刊），1931 年 12 月在東京創刊，中華留日基督教青年會主辦並編輯。是政治刊物，以日本侵華和九一八事變為主題，第 1 期是「東北問題專號」，從不同側面反映和分析日本的侵華態勢。

（4）《大鐘》，1934 年創刊，是東京中華青年會大埔留日同學會會刊，初由該同學會編輯及出版發行，1935 年 7 月改為大鐘社。不定期刊，以介紹世界文化、研究學術、改造家鄉為宗旨，內容包括時事政治評論、詩文、小說等，有大量譯文。第 2 期為「日本介紹專號」，其他各期亦多介紹日本政治、經濟、教育、醫學的文章。

（5）《新經濟》，1936 年 7 月 1 日在東京創刊，中華留日青年會新經濟學會編輯出版。旨在研究新經濟理論和現實經濟問題，所刊文章多為論著和譯作，包括有關中國、日本、蘇聯和世界經濟的文章，並不限於政治傾向。

（6）《文海》，1936 年 8 月 15 日在東京創刊，中華留日青年會文海文藝社主辦。郭沫若為該刊命名並投稿，予以支持。以宣傳高爾基所倡導的「海燕」精神為宗旨，號召青年們「掀起一個巨大的潮浪」，洗擦受難祖國的滿身創傷，「來迎接這暴風的時光」。內容有中外文學評論和各種題材的文學作品，亦有介紹世界著名作家和名著的文章。

第四節　留日學生刊物的統計

總計1912年至1937年間，留日學生及青年社團創辦的報刊，據搜集所得，共有41種（表3）。平均每年1種以上，多的時候，每年有三四種新刊，1936年達5種。由於資料散佚，相信實際上不只這個數目。民國時期中國人在日本創辦的刊物，已知超過60種，以留日學生刊物居多，連同留日青年社團的刊物在內就佔了三分之二。

近代中國人留學日本始於1896年，當時僅有13人；至1905年數目激增，達8千人。1905年至1939年間，留日畢業學生接近1萬2千人，是當時中國最龐大的新知識群，他們熱衷於報刊出版活動，傳播知識和表達意見，對近代中國的發展有很大貢獻。有關方面的詳情，由於文獻資料繁多而又散佈於海內外各處，向來缺乏系統整理，仍待今後深入探討。

與晚清時期的留日學生報刊相比，民國時期的留日學生報刊數目減半，平均每年只有一種刊物創辦，影響力也無法與晚清時期相提並論。但應指出，民國時期創辦的這些報刊似乎較符合學生刊物的性質，在學術性、知識性方面，也明顯地更有可觀。由於不受學界重視，這些刊物的創辦始末，我們所知仍少，其作用和意義也就難以論定了。

表 3　民國時期留日學生及青年社團出版物一覽

年份	創辦刊物	種數
1912	《軍聲》	1
1915	《郢中學報》、《神州學叢》。	2
1916	《民彝》、《民鐸》、《陝西留日學錄》、《留日大高同學會會報》。	4
1917	《山東實業學會會誌》、《學藝》。	2
1918	《實業雜誌》、《台灣青年》(後改名《台灣》)、《教育》。	3
1920	《留日高等工業學校同窗會志》、《實業雜誌》、《機械》(約於本年)。	3
1921	《教育》	1
1923	《留日學生學報》、《台灣民報》、《曙滇》。	3
1924	《東工同窗》	1
1925	《留日山西同鄉會年刊》	1
1928	《時代》	1
1929	《雷聲》、《檢討》、《中華民國留日東京工大學生同窗會學藝部月刊》。	3
1930	《學術界》	1
1931	《海外公論》	1
1932	《自然學會會刊》	1
1934	《河北留東年刊》、《大鐘》。	2
1935	《文化》、《留東新聞》、《留東學報》。	3
1936	《現代農業》、《小譯叢》、《新經濟》、《理科論叢》、《文海》。	5
1937	《學聯半月刊》(後改名《留東學生》)、《留東週報》、《中華民國四川留日同學會會刊》。	3

註釋

1 王世剛主編《中國社團史》，頁 333。

2 陳彤旭《二十世紀青年報刊史》，頁 55 — 56。

第六章

民國時期在日本出版的政論和文化雜誌

民國時期在日本創辦的中文報刊，已知的有 60 種以上，留日學生刊物佔了三分之二，此外大多屬於政論雜誌。或反對袁世凱專制獨裁，或維護共和政體，主要是由國民黨人士所辦，亦有其他政黨人士創辦的刊物。前者有國民黨駐日各支部的機關刊物《國民雜誌》、中華革命黨機關刊物《民國》和中國國民黨東京支部主辦的《國民評論》，後者有進步黨留日東京支部的機關刊物《讜報》等。

較為人所知的一種，是章士釗主編的《甲寅雜誌》；至於旗幟鮮明的《北伐》，則是支持廣州國民政府北伐的刊物。此外還有《海外黨聲》，由國內轉移到日本出版。這些刊物有的是在民國初年出版，有的是在北伐戰爭前後；中日兩國關係在 1930 年代日趨緊張和惡化，先在 1931 年發生九一八事變，繼而 1937 年發生七七事變後，抗日戰爭爆發，中國人展開了長達八年的抗戰，在日本辦報的活動，除了零星的留日學生刊物外，已陷於停頓狀態了。

抗日戰爭期間，日本新聞社出版中文的《華文大阪每日》，中國人辦的則有《遠東》（後改組為《新亞》）。應當注意，有少數中文報刊是由日本人經營的，藉以宣揚日本的對華政策，與一般中文報刊的宗旨不同。

第一節　政論雜誌和政黨刊物

■《國民雜誌》與《國民》的關係

1913 年 4 月 15 日，國民黨駐日各支部在東京創辦機關刊物《國民雜誌》（月刊），發行人為居正，社長為夏之時，副社長為吳作模，總編胡漢民；一說總編輯初為鄧澤，第 4 期起為桂念祖。該刊的宗旨，是「發揚黨綱，闡明平民政治原理」，急圖民智、民德、民力之進步。內容主張「共和國以國民為主體」，反對袁世凱專制獨裁，維護民主共和，鼓吹「二次革命」。欄目有專論、譯論、時事春秋、黨員錄等。在國內京、津、滬、寧等地，均設有代派處。同年 9 月，出版至第 5 期停刊。[1]

〈祝國民雜誌出版〉強調「孫中山先生等持其卓見，不惜四方奔走，為我民生開樂利之先，故為實業、為鐵路、為農林，無非認定方針，分道揚鑣以盡其倡率之責，此諸君子之心，今日昭焉共見矣。旅日同黨有見於此，以為有起而行者，即貴有坐而言，況海內外同胞，其知此宗旨者固多，而不知此宗旨者亦不少，不可不創為雜誌，以惠同人，俾知吾黨進行之序，雖僻處東瀛，見聞或隘，然一隅之見，似亦於諸君子寔力為民之本意，不無少補也。」

《國民雜誌》與上海的《國民》月刊是姊妹刊物。《國民》創於 1913 年 5 月，是國民黨上海交通部的機關刊物。孫中山為該刊題寫刊名，並與黃興撰寫〈《國民》月刊出世辭〉，勉勵國民黨黨員「以進步思想，樂觀精神，準公理，據政綱，以達鞏固中華民國，圖謀民生幸福之目的」。內容分為言論、專載、紀事、叢錄四個門類，以政論和時事為主，刊有〈議會政治論〉、〈約法與憲法〉、〈民主國之主權在民說〉等文，也有文學方面的作品，詩文作者包括柳亞子、邵元沖、姚鵷雛、前人、黃興、默君、譚人鳳、寧調元、鄧家彥、葉楚傖等，小說有秋心的〈斷梗零香記〉、汪洋的〈薄命花〉、璧君的〈赤幔記〉、求的〈世界新影〉等。《國民》僅出兩期即停刊。[2] 東京的《國民雜誌》可以視為《國民》在海外的延續。

■ 進步黨機關誌《讜報》

1913年4月，《讜報》（月刊）在東京創刊，32開，主要欄目有論說、專論、譯述、文錄、記載等。該刊原為共和黨旅日支部的機關刊物，1913年5月，共和黨與民主黨合併為進步黨，該刊自第3期起改為進步黨留日東京支部的機關刊物。編輯有王寶經、王邦銓、王燦、方宗鰲、朱德全等23人，黎元洪、梁啟超、陳昭常、孫武、汪大燮、熊希齡、張謇為名譽成員。其宗旨為「發揮本黨黨綱，敦促國家改變進步，牖啟國民政治知識」。

《讜報》的內容，公然宣稱「眼中無孫〔中山〕黃〔興〕，對袁〔世凱〕有所愛」，認為「過伸民權而抑國權，則國家機關必至停滯，政治之運用不能助長於社會，其國必不競」。設有論說、評述、叢錄、藝林、記載、附錄等門，藝林後來改為文藝，包括散文、詩、詞和小說，作者當中也有一些著名文人，如樊增祥、易順鼎、文廷式等。1914年8月出版至第14期停刊。[3]

■ 中華革命黨機關報《民國》

1914年5月10日在東京創刊的《民國》，是中華革命黨機關刊物，由孫中山在日本領導部分國民黨黨員創辦。總編輯為胡漢民（署名去非），名義上的發行人為居正（署名東辟），參加編輯撰稿的，還有朱執信（署名前進）、邵元沖、田桐、周瘦鵑、蘇曼殊、戴季陶、廖仲愷、汪精衛等，所載文章皆用筆名。屬不定期刊物，大32開，每期有兩百餘頁。1914年7月中華革命黨成立後，即成為該黨的正式機關刊物。其中心內容是擁護孫中山，主張維護辛亥革命成果；反對袁世凱，揭露其獨裁專制、媚外賣國的行徑。

胡漢民在該刊的〈發刊詞〉中，強調要以武力制裁「弁髦憲政，蹂躪人權，襲民主之名，行帝者之實」的袁世凱。除政論外，還闢有譯述和文藝兩欄，發表較多的是詩詞，也有一些小說和隨筆，如三郎（蘇曼殊）的〈天涯紅淚記〉和〈燕子龕隨筆〉、鄧孟碩的〈黑獄生涯〉、玄中的〈毗利耶室隨筆〉，作者都是中華革命黨的骨幹成員。1916 年孫中山離日返國後，該刊隨即停辦，所見最後一期為第 6 期，於同年 12 月出版。[4]

■　章士釗主編的《甲寅雜誌》

1914 年 5 月 10 日在東京創刊的《甲寅雜誌》（月刊），是「二次革命」後反對袁世凱的主要刊物之一。發起人為胡漢民，主編是章士釗，陳獨秀曾協助擔任編輯工作，撰稿人還有李大釗、高一涵、周　生、張東蓀、胡適、楊端六等。該刊聲稱「以條陳時弊、樸實說理為主旨」，反對專制，主張革新，宣傳民主政治，反對使用暴力，因此在抨擊時政的同時，亦批評革命急進派。該刊雖持反袁立場，但主張緩進，態度平和，言論不如海外其他反袁報刊激烈。此外，還重視社會經濟問題和人口問題的研究。該刊又發表過李大釗的批孔文章〈孔子與憲法〉、〈自然的倫理觀與孔子〉等，把孔子學說當作「歷代帝王專制之護符」、「專制政治之靈魂」而大加批判。

《甲寅雜誌》的欄目，有時評、政論、通信、論壇、文藝等。原為月刊，但經常脫期。1915 年 5 月出版第 5 期後，移到上海印刷出版，編輯部則仍設在東京，同年 10 月出版至第 10 期停刊。其後，該刊曾於 1917 年和 1925 年兩度復刊，先改為月刊，後改為週刊。論者指出，《甲寅雜誌》以刊載政論為主，「在當時具有革命傾向，同時，它代表了民國初年政論文發展的一個方面，當然，它也具有某種保守性。其保守性一面，後來發展到與新文化運動對抗」。[5]

■ 中國國民黨系刊物

（1）《三五》，中國國民黨日本東京支部編輯、上海民國日報館發行，1923 年 4 月在東京創刊，16 開本，刊期不詳。[6] 內容主要是國民黨關於中國各種問題的看法和評論，探討社會問題與中國命運，闡述國民黨的主要任務方針，還有一些文藝作品和關於日本的介紹等。

（2）《國民評論》（半月刊），1925 年 6 月 1 日在東京創刊，是中國國民黨東京支部主辦和編輯的時政刊物，其宗旨主要為喚起國民的政治覺醒，號召留日知識份子和華僑工商界人士積極參加國民革命戰線的工作。24 開本，同年共出版了 3 期。[7]

（3）《北伐》，1926 年在東京創刊，由東京中華留日各界北伐後援會編輯和出版發行，24 開本，為不定期刊。該刊為時事政治刊物，在言論上支持廣州國民政府北伐，反對軍閥和帝國主義，內容除政治文章外，還有關於日本各界對中國北伐戰爭的反映，及蔣介石答日本《朝日新聞》記者等報導。該刊第 2 卷於 1927 年 1 月出版。[8]

（4）《海外黨聲》（月刊），1930 年在北平（今北京）創刊，原由北平中國國民黨海外各地代表聯會辦事處主辦，第 8 期起，改由日本東京直屬支部黨務整理委員會出版，同時改為半月刊。其後情形不詳。

第二節　綜合雜誌和各種文理科刊物

民國時期在日本出版的中文報刊，除了留日學生刊物和政論報刊兩大類之外，還有一些綜合雜誌和專門性質的報刊，包括宗教出版物、醫藥期刊、理工科刊物及文藝、學術、美術雜誌等等。

1910 年代，有兩種宗教性質的刊物在日本創刊：其一是《醒目》，1913 年創辦，留日宗教團體中華聖工會編輯，由上海廣學會和東京中華學會發行。大 32 開本，有英文目次及文章，「以發揚主道，醒世救國救民為主義」，內容包括宗教、哲學、倫理、道德、教育、政治、法律各方面，「凡有益於國家社會風俗人心者，靡不及之」，亦載有少量詩詞雜俎及科學知識。1914 年改名《醒氓》，出版至第 2 卷 1 期（1914 年 4 月）。其二是《教會警鐘》（季刊），1917 年在東京創刊，東京留日中華聖工會編，1922 年出版至第 23 期停刊。

醫藥期刊較多，計有《中華藥學雜誌》、《醫藥》、《東亞醫學》、《新醫藥觀》、《東亞醫報》等，從 1910 年代中至 1940 年代初均有出版，刊行時間亦較長。理工科刊物以《牛頓》為代表，該刊先後改名為《工業》和《中國工業》；遷至南京後，恢復用《工業》刊名。文藝刊物有《雜文》（後改名《質文》）和《詩歌》，學術刊物有導揚文化復古的《國學》和提倡催眠學術的《精神》，美術刊物有《新興美術》等。

■　綜合性刊物

1914 年 9 月在東京創刊的《人籟》（半月刊），是一種綜合性刊物。編輯人為賴一塵、何荒天等。內容涉及社會問題，反映勞動階層的生活，並有關於罷工、女權等方面的進步文章，但僅出版 1 期。

1917 年 4 月在東京創辦的《學藝》（月刊），丙辰學社編輯科編輯，以「昌明學術，灌輸文明」為宗旨，「即言政之文，亦本學理以為主，徵實情而立論。」君毅撰的〈發刊詞〉強調「群治之隆替，恆視其文化如何以為衡」，又指出「學術之不昌，文化遂無博大光明之象。」內容涉及政治、軍事、哲學、藝術、貿易、金融、財政、外交、法律等，是一份綜合性刊物。欄目包括撰著、譯叢、雜俎、詩詞、附錄、雜錄、朝華詞、通訊、論文、社報、介紹、文化動態等，主要撰稿人有陳啟修、鄭貞文、陳季雲、高維魏、馬君武、康白情、錢萼孫、李楊等。

《學藝》介紹了很多國外軍事、醫學、化學方面的先進科技和最新發明創造，刊載文章有蔡元培的〈以美育代宗教說〉，杜亞泉的〈有機化學命名之討論〉、〈中國醫學的研究法〉，郭沫若的〈湘累〉、〈藝術之象徵〉、〈我國思想史上之澎湃城〉，周佛海的〈空想的社會主義和科學的社會主義〉等。1956 年停刊。

1936 年 4 月 1 日，李東美主編的《時代文化》在東京創刊，創刊號有悼念魯迅專頁，設文學講座和社會常識講話兩欄，介紹蘇聯文化、政治，及刊登有關科學和藝術的翻譯文章。

■ 醫藥類刊物

（1）《中華藥學雜誌》（半年刊），1917 年 4 月在東京創刊，是東京留日中華藥學會會刊，先後由施明、王長春任主編（一說江聖陶主編）。旨在引進國外先進藥學成果，以促進中國藥學事業的發展。有論說、譯叢、調查、雜錄、會務等欄目，內容包括關於藥品成份及製造的研究成果，翻譯國外專家的著作、報告、參觀和實習心得，以及各種實驗報告等。1918 年 11 月出版至第 3 期停刊。

（2）《醫藥》，1920 年 10 月在千葉創刊，由千葉縣千葉町中國醫藥學社編輯發行，16 開豎排版鉛印。該刊的發刊詞中，明言其宗旨有三：第一，是聯絡中國醫界，組織論壇，研究中國醫學；第二，是介紹醫學新知識，宣傳國產新藥，普及預防流行病衛生常識；第三，是倡導中西醫結合。有論說、原著、實驗談、譯述、摘錄、通俗講話、雜談、社志等欄目，發表中國醫藥學社社員研究醫藥學的論文和譯著，刊登實驗報告、病例病案，介紹醫藥衛生常識、從醫心得，解答疑難問題，刊末載有該社社員名錄及變更情況。[9]

（3）《東亞醫學》，1922 年 1 月在東京創刊，黃天民主編，出版至第 5 期停刊。順帶一提，1928 年 6 月有一種名為《同仁醫學》的月刊在東京創刊，入澤達吉主編，日本東京同仁會發行。這個刊物是日本人主辦，並非中國人所創，中文、日文兼有。1939 年第 17 卷 7 期起，改名《同仁會醫學雜誌》，小野得一郎主編，1944 年出版至第 18 卷 11 期停刊。

（4）《新醫藥觀》（月刊），1929 年 2 月在大阪創刊，封面有民國紀年，封底有日本昭和年號。大 16 開本，屬非賣品。設有論著、臨床實驗、治療與藥物、醫林瑣談，並有武田新藥之短評匯志、武田牌新藥介紹與廣告等欄目。1943 年出版至第 14 卷第 6 期。[10]

（5）《東亞醫報》（月刊），1933 年 1 月在東京創刊，東亞醫學社主編，1941 年 3 月出版至第 9 卷 3 期停刊。

■ 理工科刊物

1932 年 11 月，中國牛頓社社刊《牛頓》（月刊）在東京創刊，朱光憲、王毅之、陳華洲、毛達庸編輯，胡兆輝、高慶春發行。該刊以研究理工學術、提倡中國工業為宗旨，內容包括工業技術發明、理工試驗報告、工業原料研究、製造方法研究、工業調查記錄、工廠經營管理方法、工業新聞、科學消息以及相關譯著，涉及的範疇頗為廣泛。

1934 年 1 月，《牛頓》改名為《工業》，這是為了更直接地反映該刊的內容，並以第 3 卷 1 號作為週年紀念特號，介紹現代工業的發展和趨勢，內容新穎豐富，頗具特色。但因與日本某刊重名而無法註冊。1935 年 1 月第 4 卷 1 號起，再改名為《中國工業》。1936 年遷至南京出版，第 6 卷 1 號起恢復用《工業》之名。前五卷不分欄目，第 6 卷起闢有時評、本事、通俗演義、小工業、工業新聞等欄目。1937 年 7 月出版至第 6 卷 6 號，因抗日戰爭爆發而停刊。

從《工業》到《中國工業》，該刊均以「振興中國工業」、「開發國有資源」為宗旨，主要刊載理工方面的論著和譯述。第 3 卷第 1 號為週年紀念特號，介紹現代工業的發展和趨勢，內容新穎豐富，頗具特色。第 1 卷至 5 卷均不分欄目，第 6 卷起闢有時評、本事、通俗講義、小工業、工業新聞等欄目。

■ 文學評論和詩歌刊物

1935 年 5 月 15 日，有一種名為《雜文》的文學雙月刊在東京創刊，杜宣、卓戈白發行編輯，主要刊載文學評論、文學創作和翻譯作品，並介紹文學家，撰稿人有魯迅、郭沫若、茅盾等。出版了三期，於 9 月 20 日被日本政府勒令停刊。同年出版第 1 卷 4 期，更名《質文》，邢桐華（勃生）任主編，並改為月刊。第 2 卷 1 期起，遷至上海編輯出版。1936 年 11 月出版第 2 卷 2 期後停刊，共出版了 8 期。文章針砭時弊，對當時的社會和文壇現象作了有力的批判。另一方面，該刊亦評介了世界進步的文藝作品和理論著作，藉以促進中國的新興文藝。撰稿人還有魏猛克、孟式均、陳辛人、任白戈、張香山、歐陽凡海、林渙平、林林、田漢、曹禺、陳北歐、豐子愷等。《雜文》是魯迅取名並題字的，《質文》一名則是郭沫若根據歌德的《質與文》而得來。

1935 年 5 月，雷石榆編輯的《詩歌》(月刊) 在東京創刊，東京詩歌社發行，中國內地由上海雜誌公司總發行。該刊以推動詩歌運動為己任，登載反映現實生活的詩歌創作及外國詩人的翻譯作品，並發表詩歌評論。第 1 卷 4 號 (1935 年 10 月出版) 闢有「聶耳紀念特輯」，由魏晉編輯，刊登郭沫若等人的悼念詩歌。

■ 綜合性學術刊物及其他

1914 年 7 月，國學扶危社編印及發行的《國學》在東京創刊，編輯包括呂學沅、丘陵、甄海雄、毛澄宇、文鎬等人。16 開本，是一種學術刊物，以「導揚國學」為宗旨，有圖畫、學篇、文衡、雜筆、詩辭、拾遺、紀錄、前載等欄目，內容分為研究論文和古文作品兩大類，表現了文化復古的傾向。僅見一期。[11]

1917 年 1 月，中國精神研究會主編的《精神》(季刊) 在神戶創刊，封面題名上有「催眠術專門研究」字樣，版權頁題刊名為《精神雜誌》。編輯鮑芳洲，由該會函授部發行。旨在「提倡催眠學術，灌輸科學知識」。刊登有關催眠術的研究、述及該會的函授講義，並載有關於催眠術研究試驗的照片。第 2 期於同年 6 月出版。

1929 年 2 月，中華駐日同澤俱樂部主辦的《同澤季刊》在東京創刊，其使命「是砥礪學行、裨益家邦」，目的是「研究考察一切救國救民的問題，批評指導一切應興應革的施設」。主要刊登各學科的文章，包括政治、財經、金融、教育、軍事，以及鐵道、船舶、農業、法律與警察等方面，此外還有遊記、詩歌等文學作品。1931 年 1 月出版的第 3 卷 1 期起，改為《同澤月刊》，欄目有時事評論、新年徵文、學術論著、海外采風錄等。第 3 卷 4 期為「三週年紀念號」，出版至第 3 卷 6 期。

1935 年 7 月 15 日，東京中華新興美術協會編輯發行一種名為《新興美術》的刊物，大 32 開本，僅有 10 頁。內容包括：（1）繪畫部分，載油畫作品 7 幅；（2）文字部分，發表美術方面的文章，介紹國外美術流派，及報導該會消息。[12]

1935 年 7 月 18 日，《日文研究》在東京創刊，內容以介紹日本文化、研究翻譯日文方法為主旨，刊有〈日本語音論〉、〈字典詞典介紹〉、〈日本難字難句用例解〉、〈日語華譯公式〉等，撰稿人包括魯迅、郭沫若、陳之瀾等。

1936 年 8 月 10 日，范德元、田夢嘉主編《言殿》（月刊）在東京創刊，但該刊的性質和內容不得而知，有待查考。

1937 年 1 月，有一種《譯叢月刊》在東京創刊，是翻譯類刊物。其目的是在複雜多變的國際形勢下，試圖正確地把握變化的核心問題，包括矛盾的根源、對抗的情況及政局的趨勢等以分析和研討，內容側重介紹日本政治、經濟狀況，使讀者能夠有更多認識，譯文有伊藤好道〈一九三七年日本國家預算之特質及其展望〉、高山洋吉〈世界石油爭奪之激化〉、鈴木東民〈歐洲外交之新局面〉等。出版期數及停刊時間，不得而知。

此外，還有一種名為《學林》的季刊，創刊日期不詳，約於第二次世界大戰前在東京出版，共兩期。設有名言部、制度部、學術流別部、玄學部、文史部、地形部、風俗部、故事部、方述部、通論部、雜錄、韻文部，內容主要是關於中國古代文學、各種學術流派、歷史和風俗習慣等。[13]

第三節　戰時和戰後初期出版的中文報刊

■ 戰時出版的中文刊物

（1）《華文大阪每日》（半月刊），1938 年 11 月在大阪創刊，大阪每日新聞社主辦並編輯，由該社及東京日日新聞社出版發行，《東京日日新聞》自 1943 年 1 月 1 日起改為《每日新聞》。《華文大阪每日》是 16 開本雜誌，內容宣傳親日反共言論，抨擊蔣政權，文章有對華輿論宣傳、日本國情介紹、中日名人家庭訪問記、世界新聞、小說雜文等。第 1 卷出版 4 期，第 2 卷至 11 卷，每卷出版 12 期，1944 年 1 月號為總第 125 期。[14] 必須指出，《華文大阪每日》是日本報社出版的中文刊物，有無中國人參與其事，有待查考。

（2）《遠東》，1938 年至 1941 年間在東京出版，華文刊物，是 1942 年創刊的《新亞》的前身。

（3）《新亞》（月刊），1942 年 1 月（一說 5 月）在東京創刊，東京新亞月刊報社發行，編輯兼發行人譚清虛，該刊的前身是 1938 年至 1941 年出版的華文刊物《遠東》。《新亞》「以研究遠東問題，提倡中日親善和促進中日文化事業」為宗旨，設有特藏、論壇、介紹、文壇等文藝欄目，內容擁護汪精衛偽政權的降日路線和政策，刊登汪精衛〈大東亞解放戰〉、孫育才〈新國民運動與中國社會建設問題〉等文章。出版至 1944 年 7 月。[15]

■ 戰後初期出版的中文報刊

1937 年 7 月 7 日，日本發動蘆溝橋事變；8 月 13 日，日軍進攻上海，中國軍民奮起抗敵，國共兩黨實行第二次合作，展開長達八年的抗日戰爭。1945 年 8 月 15 日，日本宣告戰敗投降，第二次世界大戰結束，盟軍進駐日本。自此以至 1952 年，日本處於被佔領時期。

戰後在日本出版的第一種中文報刊，是 1946 年 5 月東京中華民國華光社創辦的《華光》（月刊），發行人毛鍾毓，主辦人兼編輯門殿英。這是一種十六開本的綜合性刊物，內容以政治、經濟為主，探討新中國誕生的條件，研究中國工農業建設的道路。該刊既轉載蔣介石的《中國的命運》，又轉載毛澤東的《新民主主義論》。同年 6 月 1 日出版第 2 期。[16]

1947 年 5 月，《黃河》在大阪創刊，由華人賈鳳池創辦及編輯，大阪黃河社發行。這是一種 16 開本的不定期刊物，內容包括日本政治、經濟、文化的介紹，如〈日本教育的民主化與中國〉、〈日本新法的輪廓〉等，還有〈談談散文〉、〈地獄通信〉等文藝性質的作品。1948 年 5 月仍見出版。[17]

1948 年 1 月 1 日，《華文國際》（旬刊）在大阪創刊，由大阪中華國際新聞社主辦並發行，編輯兼發行人是房穎泰。第 1 卷第 2 期起，編輯改為張良驤；第 2 卷 3 期起，編輯為李文煦，張良驤為發行人。這是一種 16 開本的綜合性刊物，內容以中日文化交流和中外關係為主，刊登中日兩國在文化、經貿、外交方面的議論文章，回顧戰爭為中日兩國及世界人民帶來的災難和痛苦，並介紹日本華僑的生活和學習情形。1948 年 10 月 11 日，出版了第 2 卷 11 期。[18]

林清木撰〈華文國際的歷史使命〉，作為《華文國際》的〈代發刊詞〉，強調「一世紀，有一世紀的進化和貢獻，一個人，也有一個人的功績和使命。恰似機械上齒輪的齒，力量雖小，都有牽動全盤的功用。這種社會的結合關係，文明的演變進化，於是又重新喚起了我們對於人生的認識，促醒了我們對於歷史的責任感……我們的存在，自有我們存在的意義，在永續不絕的文明歷史上，自有我們的特殊使命。」該文進而指出：

中日的交往，已經二千年了，華僑的定居三島，也有好幾百年，在這久遠的歷史背景下，新生的《華文國際》，實在是渺少無力。可是，我們卻不能忘掉了，現在正是中華民族翻身，中日邦交清算的時期，既然際會在這大時代裏，我們就不能過小評價自己，而忽略了自己的使命。

依着歷史的指示，和適合現實的需要，我們可以指出今後《華文國際》的使命，共有兩點，一是提高僑胞的教養，一是增進中日間的親睦。

戰後幾年，「在祖國勝利的餘蔭下，加以僑胞的奮鬥努力，在日僑胞的政治經濟地位，確有不少的進展，可是遺憾得很，華僑的文化事業，依然貧弱得十分可憐，令人羞愧無地。我們要想補正這個缺點，今後就應該盡最大的努力，來宣揚祖國的文化，提高僑胞的教養，俾使達到現代國民的水準」。該文作者還從國際政局的高度視角，縷述大戰結束後的政治環境，他認為：

如果說 19 世紀是歐洲的世紀，那麼二十世紀就應該是亞洲的世紀了，經過兩次的大戰，世界的重心，已經移向東亞來了，今後的世界和平，完全繫於東亞的安定，東亞的安定，又有待於中日兩大民族的互相理解，互相信賴。六十年來的齟齬紛爭，八年多的苦鬥血戰，已經使得兩大民族間的感情，陷入淒慘的絕境，如果真想圖謀東亞的安定，促進世界的和平，重要的關鍵，就在調和中日間的民族感情，敦睦兩國的親交。

平心而論，林清木的見解是令人佩服的，只是他當時仍過於樂觀，未意識到戰後美國興起之快，以及介入東亞局勢之深。19 世紀無疑是歐洲的世紀，20 世紀卻是美國的世紀，至於亞洲的世紀，要遲至 21 世紀才姍姍到來。東亞的安定、世界的和平都視乎中日關係的改善及進展，然而要解開這個歷史的結，需要很長時間和中日雙方共同努力。該文作者真誠而切實地呼籲：「真正的理解，基於正確的認識，我們為了促使中日兩大民族達於完全理解，完全信賴的境地，今後，《華文國際》不但要努力喚起國人對於新生日本的研究熱，同時為了幫助日本國民認識中國，更應該將中國的真姿態，正確地介紹給日本。」這不但是一個刊物的使命，其實也是眾多在日本出版的中文刊物應該承擔的任務，所以這篇〈代發刊詞〉，可以作為戰後中日兩國民族都願意悉力以赴的共同宣言。

1948 年，《華僑報》（旬刊）在東京創刊，東京華僑總會出版，每期出版對開紙 1 張 4 版，有 1 版為中文，餘 3 版為日文。後來改為全日文的旬刊，每月 5 日、15 日、25 日發行，四開紙一張二版，發行量 5 千份。曾高達 7 千份，後回復 5 千份。主要讀者為該會會員及在日華僑，內容以介紹中國政治、經濟、文化的最新動態為主，亦有中日關係和在日華僑的各類消息。時而連載有關日本華僑歷史的專文，如〈戰後華僑、留學生運動史〉等。1953 年改為日文半月刊，由第 1 號起計。[19] 在 1990 年代，《華僑報》的總編輯為東京華僑總會副會長殷秋雄，該會理事梁啟成、江洋龍，參與採訪、撰稿、編輯、校對、發行等工作。該刊亦登載廣告，約佔版面的四分之一。

總的來說，中文報刊在戰後初期的日本恢復出現，情況已算不錯，東京和大阪各有兩種，其中《華僑報》且能持續出版多年。但從該刊初以日文為主，後來改為全日文的現象看來，說明了戰後日本華人對中文已漸隔膜，以至於疏離了。

註釋

1 王檜林、朱漢國主編《中國報刊辭典（1815 — 1949）》，頁 59。按：《國民雜誌》藏上海圖書館等處。

2 王檜林、朱漢國主編《中國報刊辭典（1815 — 1949）》，頁 60。按：《國民》藏上海圖書館等處。

3 《華僑華人百科全書．新聞出版卷》。按：香港浸會大學圖書館藏有《讜報》第 1 期至 7 期（1913 年），第 10 期、第 12 期至 14 期（1914 年）；香港大學馮平山圖書館藏有該刊第 1 期；北京大學圖書館藏有該刊第 5 期。

4 《民國》各期，北京大學圖書館等處有藏。

5 周蔥秀、涂明著《中國近現代文化期刊史》，頁 76。按：《甲寅雜誌》藏北京圖書館、香港大學馮平山圖書館等處，香港浸會大學圖書館藏有 1914 年 5 月第 1 卷 1 號至 1915 年 10 月第 1 卷 10 號微縮膠片。

6 上海圖書館等處藏有《三五》第 1 期。

7 上海圖書館、甘肅省圖書館（蘭州）等處藏有《國民評論》。

8 上海圖書館藏有《北伐》，香港浸會大學圖書館有第 2 卷電子檔。

9 北京大學圖書館藏有《醫藥》創刊號。

10 香港浸會大學圖書館有《新醫藥觀》部分卷期電子檔。

11 陝西省圖書館（西安）藏有《國學》。

12 北京大學圖書館藏有《新興美術》創刊號（第 1 卷 1 期）。

13 《華僑華人百科全書．新聞出版卷》。成都的四川省圖書館存見《學林》第 1 期至 2 期。

14 伍杰主編《中文期刊大詞典》；《華僑華人百科全書．新聞出版卷》。按：香港浸會大學圖書館藏有《華文大阪每日》第 1 卷至 9 卷（1938 — 1942 年）部分期數電子檔，香港大學馮平山圖書館藏有該刊第 7 卷第 11 期（1941 年 12 月 1 日）。日本國立國會圖書館藏有該刊第 2 卷第 3 期至 9 卷第 5 期（1939 年 2 月至 1942 年 9 月）的部分期數。

15 《華人華僑百科全書》。按：香港浸會大學圖書館藏有《新亞》部分期數電子檔。

16 北京大學圖書館藏有《華光》第 1 期及第 2 期。日本國立國會圖書館藏有《華光》第 1 卷 1

期至第 3 期（1946 年 5 月至 7 月）。

17 上海圖書館藏有《黃河》各期。

18 香港浸會大學圖書館有《華文國際》大部分期數的電子檔。日本國立國會圖書館藏有該刊第 2 卷第 1 號至 15 號（1948 年）。

19 日本國立國會圖書館藏有《華僑報》由 1151 號（1990 年 7 月 15 日）起各期，該刊現仍刊行。

第七章

中華人民共和國時期日本出版的中文報刊

戰後日本民生凋敝，百廢待舉，然而不久美國轉而扶植日本，文化活動逐漸復甦，1940 年代後期已有幾種中文報刊出現，主要對象是在日華僑和華人社會。1949 年 10 月 1 日，中華人民共和國成立，但中日兩國並未恢復邦交，日本維持與台灣當局的「外交」關係。1950 年代初，日本恢復獨立，新辦的中文報刊漸增，政治立場並不一致，當中以台灣方面創辦的報刊較多，也有華僑社團和學校出版的刊物。1960 年代的情況，大致上相若；1970 年代創辦的中文報刊，全部都是華僑團體的出版物。

1978 年中國實行改革開放以後，中日兩國人士往來漸趨頻繁，中文報刊有復興之勢，在 1990 年代創辦的報刊多達二十餘種。留日學生數以萬計，但出版刊物之風不再，即使是以留學生為對象的刊物，內容都是語文學習、生活指南之類。21 世紀開始以來，中日關係停滯不前、反覆不定，兩國政府時有爭端，在相當程度上影響了中文報刊事業。

第一節　1950 年代至 1970 年代創辦的中文報刊

■　1950 年代創辦的中文報刊

1952 年，日本結束了被佔領時代。這年 11 月 29 日，《中華週報》（亦作《中華新聞》）在東京創刊，是當時台灣當局駐日本機構所辦。16 開單本型，中日文合刊（後改為日文），經常引用美聯社、中央社的電訊，有關台灣情況的介紹較多。直至 1960 年代中期仍繼續發行，以後情況不詳。[1]

1954 年 3 月 1 日，《大地報》（週刊）在東京創辦。這是東京華僑總會編的中文報刊，總編輯為韓慶愈。週一出版。1964 年 11 月第 420 號起，由大地報社出版發行，每期四開二版。1969 年 1 月 1 日起，改為每週的星期三、星期六出版。著名僑領謝溪秋（1892 — 1959）曾為該報主要撰稿人。《大地報》的內容，主要是介紹祖國的革命和建設、華僑的團結愛國、中日友好活動、民族獨立解放等，在團結日本華僑、維護華僑利益和促進中日友好等方面，均起過積極作用。1970 年 1 月 12 日，出版至第 915 期停刊。[2]

1954 年 11 月 1 日，《自由新聞》（原稱《自由中國新聞》）在東京創刊，由台灣國民黨人宓汝卓創辦，日本人石井思郎協助。這是一種報紙型刊物，以日文為主，亦有中文；初為旬刊，1971 年 4 月改為五日刊。後因財力不足，繼由新台僑商汪少庭等多人集資接辦，汪少庭為發行人，王雲慶為社長，其後由張和祥、李建武等擔任。1973 年 2 月起，改為三日刊。每期出 4 開紙 1 張 2 版，第 1 版為台灣要聞，第 2 版為僑團動態，印 3 千份，免費贈閱。除在日本發行外，還發行至韓國。1995 年 11 月停刊。

1956 年 7 月，《新亞洲》（月刊）在東京創刊，發行人王力鵬。16 開本，內容側重商業宣傳。1965 年中仍繼續發行，其後情況不得而知。[3]

■ 1960 年代創辦的中文報刊

1960 年 9 月，《東方文摘》（*The Easten Digest*）在東京創刊，是一種雜誌型中文月刊，東方通訊社黃裕德發行。1960 年代中期，該刊仍繼續發行，其後情況，不得而知。[4] 1961 年 1 月 23 日，《自由中華》（月刊）在大阪創刊，中國國民黨駐大阪直屬支部主辦，是 4 開紙 1 張的油印刊物。[5] 其後該刊的出版情況不詳。

1963年2月25日，《揚華僑報》（週報）在橫濱創刊，在台北設有分社，創辦者是國民黨人，社長薛來宏（他亦是橫濱華商金融互助會會長），總編輯楊佐華。每星期三出4開紙1張4版，內容以報導台灣新聞和經濟新聞較多，有一版副刊，稿件主要剪自香港報紙。社論主張：「中國的問題，是中國國內的問題。」又說：「國內的問題是民族內部的問題，所以，中國問題，只有中國人自己才能解決，外力是不能干涉的。」該週報後來改為旬刊，較受華僑青年歡迎，出版至1969年，已有兩百五十多期；1973年4月，出版至第388期。[6]

1963年間，日本華人在東京創辦不定期刊《太平洋經濟評論》（簡稱《太平洋經濟》），發行人兼社長為李國卿，中、英、日文合刊。該刊聲稱旨在「倡導、鼓吹、促進太平洋地區合作組織的實現」，內容以理論經濟為主，其次是待開發國家經濟啟蒙、國際關係，日本各種產業及新製品的介紹等，並有輕鬆幽默的歷史小說、稗官野史、世界珍聞、各國風俗習慣、世界著名企業及人物介紹等。

1966年6月在橫濱創刊的《中興報》，是一種半月刊（後來改為月刊），社長劉興堯，發行人王慶仁，地址在橫濱市南區平樂70番地。每期四開紙一張二版，有時對開一張四版，內容有社論、國內外大事、短評、翻譯小說連載，要聞除自己採訪的新聞外，主要用台灣「中央社」電訊，副刊稿件多譯自日本報刊，其中翻譯小說多為井上靖的作品。出版至1970年代停刊。[7]

1968年4月27日，《東北研究》在橫濱創刊，由留日橫濱東北同鄉會創辦，王慶仁擔任發行人，王良主編。1972年1月29日出版第2期後停刊。

此外，1960年代還有一種《神戶中華同文學校通訊》（月刊）在神戶創刊，是神戶中華同文學校校刊，16開本，每期40頁，廣告達28

頁。內容主要報導該校情況，有學校生活、華文寫作、中國書法等，經費主要靠華僑商人的廣告支持。[8]

■ 1970年代創辦的中文報刊

中日關係在1970年代起了很大的變化，1972年中日建交，1978年簽訂《中日和平友好條約》，日本相應調整了此前與台灣當局的關係。1970年代在日本創辦的中文報刊有4種，兩種在橫濱，兩種在關西地區神戶等地，都是華人聚居的地方。這4種報刊的大概情況如下：

（1）《社團法人神戶中華總商會報》（月刊），1971年12月10日在神戶創刊，社團法人神戶中華總商會文化委員會主編，是該會的機關報。〈發刊詞〉宣稱其宗旨為「記錄及預告本會的行事；發表會員的意見和會員的消息；記錄每月間的世界大事新聞要略；記載僑界消息；寫點華僑小史。」內容主要介紹華僑情況和評述有關問題，如第11號有陳德仁〈脫了國籍也洗不了中國人的血〉，第14號有林同春〈要培養接班人〉等。16開8版，中日文並用，後為不定期刊。

（2）《橫濱華僑通訊》（月刊），1973年2月在橫濱創刊，是日本橫濱華僑總會的機關報。早期主要編輯是該會的常務理事吳桂顯，其後為馬廣秀、溫耀權。中日文並用，而以日文為主。主要報導僑會及僑胞的各種消息，及中國涉台、涉僑方面的動態，發行約三千份，讀者基本上是該會的會員。[9]

（3）《關西華僑報》（月刊），1976年4月在關西地區京都、大阪、神戶三市的華僑總會聯合創辦。三市本來各自辦有華僑報紙，至此合為一家。每月逢25日發行，每期出四開紙二張，共8版，發行量三千多份。早期的主要負責人是神戶華僑總會常任理事曾森茂和常任理事文化部長王鄂，其後為蔡宗杰、楊隆資等。辦報目的是為了加強關西地區華人之間的聯繫，及促進中日交流；內容主要介紹中國內地在政治、經濟、文化等各方面的最新動態，並以三版篇幅分別提供有關京都、大阪、神戶的華僑消息。[10]

（4）《橫濱華僑會報》（月刊），1977 年 8 月 15 日在橫濱創刊，日本橫濱華僑總會發行。每期出一大張，共有 4 頁。中日文混合，內容記述華僑各界重要事項及海內外的大事。出版至 1979 年 10 月，因經費支絀，人手不足，時出時停，1981 年終刊，共出版了 25 期。

第二節　1980 年代至 1990 年代中文報刊現象和變化

1980 年代在日本創辦的中文報刊較以前多，究其原因，約有三端：第一，戰後從台灣到日本留學的學生日漸增加，累計至 1980 年代為數已經不少，留學生活動亦頗頻繁；第二，1978 年中國內地推行改革開放後，赴日本留學的學生在短期內遞升，為中國學生而設的日語學校迅速發展起來，留學生刊物亦見增多；第三，隨着中國的經濟成長，中日兩國的貿易較前增加，在這情勢下華僑社會漸趨活躍。

大抵而言，1980 年代前期創辦的中文刊物，仍多以台灣的留學生和旅居日本人士為對象，這情況在 1980 年代後期就不明顯了。隨着中國內地赴日本居留及工作的人士增加，留學生人數持續上升，在生活方面和學習方面需要對日本社會有所認識，日本人漸多參與辦理中文報刊，這與日本人到中國的情況較前普遍，也有一定的關係。

■ 1980年代前期創辦的中文報刊

（1）《社團法人廣東同鄉會會刊》，1980年12月25日在東京創刊，簡稱《廣東同鄉會會刊》。創刊號的編輯委員會主任委員是吳少白，第2期改由該會的文化部編輯。初為中文季刊，內容有會務活動、華僑歷史、詩文、廣告和「社團法人廣東同鄉會名冊」；後因日本出生的華裔人士提出要求，於1982年增設日文版。1985年該會成立20週年時，還出版《紀念特刊》，內容包括該會簡史、章程，及會員回憶、感想等。

（2）《留日學志》（月刊），1980年代初創刊，是台灣系的留日同學會會刊，編輯為陳靜婷，每期出四開紙一張半（六版），中日文並載，出版至1990年代初。

（3）《慶應華報》，1981年12月在東京創刊，是台灣在日慶應會的會刊，屬不定期刊，慶應大學校長石川忠雄為該刊題字。內容介紹台灣留日學生的學習情況，及中日兩國有關的歷史文化。屬不定期刊。[11]

（4）《台灣大眾》（月刊），1982年2月28日創刊，是獨立台灣會的代表史明所辦。該會曾於多年前發行過一份《獨立台灣》（月刊），至1974年停辦，《台灣大眾》可以說是《獨立台灣》的復刊，〈創刊詞〉說「要繼續為實現台灣社會革命及闡釋正確的社會主義而奮鬥」、「站在勞苦大眾的立場來研究社會主義的革命理論及其方法論」。創刊號所載的文章，有史明的〈革命〉及〈為如何促使「革命的主體條件」成熟？〉、蘇平的〈近十年來海外台灣人政治運動的回顧〉和林閱的〈讀「四百年史」筆記〉，以及三篇〈島內游擊戰〉等。

（5）《學林》（半年刊），1983年1月在京都創刊，由中國藝文研究會出版。1997年，該刊出版至第26期。據　現仍刊行。[12]

（6）《東京商報》（日報），1984年6月1日在橫濱創刊；在日本華文報業史上，是第一份日報。社長許至誠為台灣人，原籍山東；發行人為吳少白。至同年 7 月 26 日，出版至第 56 號。

■ 1980 年代後期創辦的中文報刊

1985 年 7 月 1 日，《華僑新報》（*Japan China News*，月刊）在東京創刊，亦為在日台灣人士所辦，以台灣在日華僑為主要對象。中日文並載，每期 3 張 12 版，發行量 1 萬 5 千份，以台灣在日華僑為主要對象，提供有關台灣和華僑的最新資訊，每年發行四次至六次彩色特集。出版至 1996 年改為日文報紙，每期出對開兩張，負責人為楊文魁。[13]

1986 年 1 月 1 日，橫濱中華學院創辦《學園通訊》。該刊為不定期刊物，每逢新年、節日、校慶等紀念佳日出版 4 頁至 6 頁，內容除報導學院種種活動和年中行事外，還有教師研究心得、學生作文、美術作品等。

1988 年 12 月 1 日，《留學生新聞》在東京創刊，初為月刊（每月 25 日出版），後改半月刊（每月 1 日及 15 日出版）；中日文並載，而以中文為主。總編輯為董炳月，發行人是日籍人士麻生潤。該刊是現代華僑華人傳媒中最早的一份華文報紙，欄目有焦點新聞、定格日本、世事解說、環球通訊、東瀛華人、中國新聞、日本新聞、世界新聞、歷史聚焦、台灣情勢、校園、讀書前線、藝術世界、財經、體育等。該刊亦為日本外國人情報紙聯合會會員，主銷日本語學校。1994 年 4 月第 65 號起改為雙週刊，中文，現仍刊行。社長傅冰，總編輯曹光。[14]

1989 年又有兩種報刊面世：其一，是 2 月 1 日在東京創刊的《外國學生新聞》（*Foreign Students' News*，月刊），中、英、日三種語文並載；發行人白銀信夫，文萍、李益良先後任主編，每期出紙 7 張 28 版，主要讀者是在日本的外國留學生和就學生，內容計有留學生情報、生活情報、國內外新聞和日語講座，以及最新娛樂情報、人物介紹、問與答等。[15] 其二，是 4 月 14 日在橫濱創刊的《亞洲新聞》（半月刊），初時以中文為主，後來中日文並載。發行人兼社長，是來自台灣的許至誠。該刊的前身為 1971 年 10 月 10 日創刊的《復興新聞》，1980 年間先後改名為《亞東新聞》和《東京商報》。《亞洲新聞》每期出對開紙一張，創刊目的是「擔任僑民與僑民、僑民與國家之間的橋樑」。後來改為週刊，2005 年後仍刊行。[16]

■ 1990 年代初創辦的中文報刊

承接着 1980 年代的勢頭，1990 年代創辦的中文報刊甚多，平均每年均有幾種新刊面世。這些報刊出版的經過，大抵反映了兩國人民往來的情況，以及中日文化交流的進展，可以說是戰後中文報刊出版的一個高峰期。

1991 年 5 月 1 日，《中國留學生》（*Chinese Students Abroad News*，月刊）在東京創刊，每月 1 日出版。其初由中國留學生新聞社發行，每期出 4 開紙 3 張至 4 張，共 12 版至 16 版；後來改由中山國際信息公司發行，中國留學生新聞社編輯。1990 年代中，該刊的總編輯為張靜波。以中文為主，每期約三版為日文。內容主要報導中國留學生在日本學習、生活和就職情況，及刊載他們所寫的文章；此外，也有一些關於中國國內問題的材料。[17]

1991 年 7 月 25 日，《新交流時報》（半月刊）在東京創刊，新交流株式會社發行，1990 年代中的主編為陳志宏。每期出 4 開紙 4 張共 16 版，中日文各佔 8 版，雙向對排。以在日華僑和中國語圈的在日留學生為主要對象，內容報導中國內地、香港、台灣及新加坡、馬來西亞、印尼等國家和地區的對日貿易交流，介紹有關企業狀況，提供生活、居住、醫療、福利、法律、教育多方面的消息，以及記錄各種交流活動等。除日本外，該刊還在中國內地、香港、台灣出售。名稱屢改，出版15年後停刊。

1992年4月12日，《中日新報》（月刊）在大阪創刊，大阪中日新報新聞社發行，地址在大阪市西區江之子島1—7—3奧內河波驛前大廈1201號。社長劉成，總編輯孫莉。每月1日出版，版面為對開紙2張共8版，使用中日兩種文字。中文版的內容，分為經濟、信息、文化交流、留學生四部分；日文版主要介紹中國經濟、文化，亦有關於中國留日學生情況的報導。這是關西地區少量的中文報刊之一，以關西的中國留學生和部分日本學生為主要對象。

1992年11月15日，《中文導報》（週報）在東京創刊，發行人李葉，發行所為中文產業株式會社。星期四出版，每期出4開紙5張共20版。發行量達3萬2千份，在當時號稱日本華文報紙第一。1990年代中，總編輯為毛振奇。該報主要對象是在日華人，從政治、經濟、文化、社會等方面反映在日華人的生活情況，為他們提供相關信息，欄目有新聞綜述、專題報導、藝能熱線等。

1993年創辦的中文報刊多達4種，包括《中日交流》、《半月文摘》、《東方時報》和《華人時報》，以下是這幾種報刊的出版概況：

（1）《中日交流》（月刊），1993年1月在東京創刊，日中交流促進會發行。編輯部成員有胡阿童、荒井翼、中村正人、孫丹青、胡劍飛等，在上海有中國聯絡所。每期出4開紙3張至4張，共12版至16版，中日文合刊，日文版佔多數，中文版每期約三版。

（2）《半月文摘》（半月刊），1993年4月15日在東京創刊，每月1

日及 15 日出版，每期出四開紙三張，共十二版。總編輯為劉言心，日中友朋協議會發行，發行人馬場武次郎。內容主要摘錄中國內地報刊文章。

（3）《東方時報》（月刊），1993 年 8 月 30 日在東京創刊，由株式會社東方時報社發行，發行地區包括日本及中國內地、香港、台灣、澳門等地。主編是楊有達，編委會成員包括秦建勳、許鶴鳴、李相哲、張志豪、祝曉虎、羅耘、林小劍、段耀中等人。這是一種中日雙語報紙，每期出對開紙 2 張共 8 版，中文版設有日本及國際新聞、在日華僑及留學生專頁等。1996 年 8 月 1 日改為中文《東方晚報》，仍為月報；同年 10 月 1 日改稱《東方時報》，成為中文週二刊報紙。

（4）《華人時報》（月刊），1993 年 10 月在東京創刊，華人時報社發行。1990 年代中，該刊的發行人是島本一幸，總編輯是趙華。每月 10 日出 4 開紙 5 張共 20 版。該刊聲稱其宗旨正視現實、振奮士氣、創造未來，對象是在日本居留及經營、觀光的中國人。欄目有亞太新時代、大千商界、時報廣場、下筆成文、瀟灑貴族等。

■ 1990 年代中期創辦的中文報刊

1994 年 2 月 3 日，《華僑之聲》（旬報）在橫濱創刊，永昌商事華僑之聲新聞部發行。每月 5 日、15 日、25 日發行，有重點報導、國內要聞、華僑、經濟、婦女天地、大千世界、副刊、大地遊蹤八個版面。

1994 年 7 月 16 日，中日產業開發聯合會在大阪成立。該會本着「團結、實幹、平等、高效」的原則，發揮「能力、幹勁、合作精神」，為發展中、日兩國間的產業合作和交流作出貢獻；成立當年即出版題為《中日產業開發》的會刊。該刊屬季刊，中日文並載；第 2 期的中文版，設有特集、信息 Box、連載 / 中國投資實例分析、亞洲 / 關西經濟、中日文化等欄目。

1994 年 11 月 8 日，在日本亞洲經濟開發中心和日中文化體育交流協會的支持下，竹書房株式會社在東京創辦名為《中國巨龍》（*Chinese Dragon*）的日文週刊。該刊的發行量，保持在五萬份左右。1995 年 11 月起增設中文版，每月 1 期，採用中國新聞社提供的專稿，對台灣海峽兩岸關係、中日戰爭遺留問題、領土主權問題等作出報導。中國巨龍新聞社株式會社負責發行，發行人、社長兼總編輯孔健據稱是孔子嫡傳 75 世孫，原為北京《中國畫報》記者，故此該報與中國畫報社和北京的《經濟日報》有合作關係。中文版主編為汪蕾、祁放，1990 年代中有職員三十多人。

1995 年 4 月 25 日，《華聲新聞》在東京創刊，這是一種報紙型月報，由華聲有限公司負責，主要在關東地區發行。社長高梨昭一，總編徐秀蓉，主編高迎。該報內容以文化娛樂及生活服務為主，對中國文化、藝術、科技方面的發展及其現狀亦頗關注，時有報導。發行量估計在 1 萬份以下。

同年 5 月 1 日，《東方》在東京創刊。這是一種報紙形式的月刊，由東方雜誌社負責發行。該刊的主要對象是分佈於日本各地的中國留學生，以促進中日交流為宗旨，並使來自中國內地、港台的中國人和海外華人彼此增進理解。發行數估計在 10,000 份以下。

1995 年還有一種題為《時報》的月報，5 月 25 日在東京創刊，由日中通信社株式會社發行。該報定於每月 25 日出版，每期出 4 開紙 10 張共 40 版，發行量為 4 萬份。除日本外，還在香港、台灣、新加坡等地區銷售。主要讀者是在日本的中國人，與中國有各種貿易關係和經濟交流的日本會社亦為訂戶。該報的方針是迅速而準確地為讀者提供信息，主要欄目有日本新聞、時事評論、人物專訪、全球熱點、中國焦點、港台風雲、歐美記事、北京及上海經濟情報、中國不動產情報、女性世界、留學生園地、健康與保險等。《時報》於 1996 年 11 月 11 日起增出日報，日出對開紙 2 張共 8 版，橫排，是當時日本唯一的華文日報。同年 12 月 2 日起，改為每週出版 5 天。總編輯為張一帆。《時報》創辦日報後，月刊仍繼續發行，每月出 4 開紙 10 張共 40 版，以深度報導為主。

1996 年創辦的中文報刊有兩種：其一是《時代》（月刊），1996 年 3 月 15 日在東京創刊，是留日學生所辦的報紙。其二是《日本僑報》，1996 年 8 月 1 日在崎玉縣創刊，株式會社日本僑報社出版，是中日雙語月刊，以中日兩國的學者及研究人員為主要對象。《日本僑報》的發行人是南泉，主編是段躍中。該刊主要報導在日本研習和工作的中國學者、中國企業經營者的業績，及中國駐日機構的活動等。1997 年 1 月起改為季刊。

■ 1990 年代後期創辦的中文報刊

1997 年有《華風新聞》、《唐人報》、《東方時報》和《聯合週報》4 種新刊湧現，1998 年有《中國語世界》和《台灣新聞》兩種新刊，全部都在東京創刊，多為週刊，也有半月刊和月刊，以下是這幾種刊物的概況：

（1）《華風新聞》，1997 年 7 月 1 日創刊，發行人為李軍。這是一種綜合性中文週報，逢星期二發行，每期出小 4 開 48 版，欄目有要聞、論壇、隨筆、家庭、娛樂、旅遊、讀書、情感、文學，並有關於日本、華人、中國內地和香港、澳門、台灣地區的報導等。

（2）《唐人報》，1997 年 9 月 30 日創刊，是報紙型半月刊，發行者為東寶麗商事株式會社，發行人為野世優介。是否有中國人參與創辦，待查。每期出 4 開紙 7 張，共 28 版，主要版面，有綜合新聞、日本新聞、華人動態、唐人社區、焦點話題、華人見聞、社會紀實、專題報導、大陸傳真、港台新聞、國際瞭望、經濟金融、科技動態、文化天地等。

（3）《東方時報》（週刊），1997 年創刊，社長為何毅雲，總編是蘇靈。逢星期四發行，每期出小開 48 版，發行量為 6 千份。內容主要報導日本華僑及華人社會消息，欄目有東方專題、華人新聞、日本新聞、國際新聞、中國新聞、港台新聞，並有關於經濟、體育、文藝、生活等方面的專題。

（4）《聯合週報》，1997 年創刊，由《華聲新聞》（月報）、《中國經濟週報》等三家報刊合併而成，主編為周杉，主要贊助者是日本 Telecom。逢星期四發行，4 開共 48 版。該刊內容以報導新近到日本的華人動向及中日兩國社會狀況為主，欄目有聯合要聞、在日華人、日本新聞、專題報導、溫馨家庭、史海鈎沉、小說天地、軍事探索等。

（5）《中國語世界》（週刊），1998 年 3 月 26 日在東京創刊，社長為張一帆。原包括《中國語週刊》和《時報》，後者於 2000 年 12 月停刊。《中國語週刊》主要面向學習中文的日本讀者，向他們介紹中日兩國的社會風情和時事新聞。每期出 16 版，中日文對照，並有單詞註解和拼音解讀，欄目包括中國新聞、中國人看日本、中國電影、中國流行歌曲、中國成語故事、中國見聞等。該刊發行 4 萬 5 千份，每年都舉辦中文作文比賽和中文卡拉 OK 大獎賽。

（6）《台灣新聞》（月報），1998 年在東京創刊，台灣籍人士主辦，負責人為彭筱琪。除了東京總社外，還有大阪支社。每月 25 日發行，共 24 版；主要欄目有台灣新聞、華僑動態、全球瞭望、專題報告、科技現場、財經、讀者廣場、大地副刊、體育生活、流行風尚、觀光娛樂、文化天地及關西版等。

1999 年 2 月 25 日，《日本新華僑報》（旬刊）在東京創刊，總編為劉林，發行人是蔣豐。每月 8 日、18 日、28 日發行，4 開 28 版，套色印刷。主要內容是報導日本的中國人社會和中日兩國時事，欄目有中日新聞、華人新聞、專稿、特寫、華人經濟、華人與法律、電腦專版、華人眾議院等。

1999 年還有一種名為《列島週末》的半月刊在東京創刊，發行人為周彪，每月雙週六出版，共 48 版，是一種休閒性的報紙。欄目甚多，有列島新聞、綜合新聞、中華要聞、股票信息、經濟信息、投資中國、國際聚焦、千奇百怪、列島漫步、社會廣角、法制天地、都市掃描、藝壇掠影、體壇風雲、旅遊指南、飲食文化、星相命理等。

1999 年出版的中文報刊，還有《華人生活情報》（隔月刊）、《百年》（雙月刊）、《現代日本經濟》（季刊）、《中文財經資訊》、《二十一世紀新聞》（旬刊）、《中和資訊》、《百樂門》（月刊，後改為週刊）、《華聲女性》（月刊）、《環宇》（月刊）等，中日文刊物有《愛華》（月刊）；還有 1 種中韓文的《留學生》（*Monthly International Student*）月刊，1996 年 6 月創刊，部分期號英文、越南文並載，2008 年夏發行中文版。

■ 世紀之交創辦的中文報刊

千禧年是劃時代的年份，在日本，2000 年有《南華報》和《華人週報》兩種新刊面世，翌年有電視報《大富》創刊。以下是這幾種報刊的概況：

（1）《南華報》（月報），2000 年 4 月在神戶創刊。台灣籍人士主辦，社長為賴連金；除神戶外，另有東京聯絡處。每月 1 日發行，共 6 版，是中日雙語報紙，主要欄目有時事論壇、社會經緯、鄉土副刊、環球一覽、視野觀察、大千世界等。

（2）《華人週報》，2000 年 6 月 22 日在東京創刊，逢星期四出版。發行人為杜笑岩，地址在東京都豐島區池袋 2 — 14 — 11。每期 40 頁，發行量 2 萬 5 千本至 3 萬本，以專題報導及評論見長，主要讀者是在日華僑、中國留學生、亞洲各國駐日機構的研究單位，以及各大學的研究人員等。[18]

（3）《大富》電視報，日本大倉商事和富士電視台出資，於 1998 年 7 月成立 CCTV 大富電視台，通過日本衛星頻道 SKY — PERFECT.TV783 轉播，同步轉播中國中央電視台第四台節目。2001 年起，該電視台自製 15 分鐘日本社會新聞，並出版《大富》電視報作為配套，每月兩期，逢第一和第三個週日出版，16 小開版，地址在東京都中央區銀座 8 — 18 — 1，社長為張麗玲。2005 年 8 月改稱《大富報》。[19]

根據相關調查，2000 年在日本出版的報刊還有《法制與生活》月刊，*Tokyo Yoyo*（月刊）、《知音》雙月刊、《中日名流》（季刊）等；中日文刊物，有大阪的《藍 BLUE》和東京大學中國留學生辦的《赤門華風》等。這些刊物，日本國立國會圖書館多有見藏。

第三節　21 世紀中文報刊的潮流和趨向

2000 年是千禧年，一般以這一年作為 21 世紀的開始；中國則認為正式開始應是 2001 年，如果以 100 年作為一個世紀計算是正確的。這一年創辦的中日文新刊物，有《關西華文時報〉（雙週刊）、《聽聽中國語》（月刊）；中文有《時報週刊》，後改為《時報》月刊。2002 年底有中文的《陽光導報》（雙週刊）在東京出版，社長吉田宏美；後改為週刊，由陽光新聞社出版。

2003 年 6 月 12 日，中文週刊《新華時報》創刊，是綜合性報紙，內容包括政治、經濟、文化、生活等各方面的新聞。社址在東京都中央區新川 1–21–1–1808，新華國際株式會社出版發行，發行人林忠凡，執行編輯張作人。

2005 年有一種名為《日中商報》的半月刊創辦，每月 1 日至 15 日出版，中日文並載，長城協力有限公司出版，社長程顯齊，社址在東京都新宿區西新宿 7–8–11 大黑大樓 5 樓。每期發行 3 萬份，在餐廳、酒店、學校、旅行社等處派發。[20]

《越洋聚焦 —— 日本論壇》（季刊）原於 2001 年 7 月在北京創刊，2006 年起改由日本駐華大使館編輯，Japan Echo 公司在東京發行，挑選日本論文譯為中文。2007 年創辦的新刊物較多，中文有《第一雜誌》（月刊）、《一週時刊》（週刊）、《中日商報》（月刊）等，中日文並載的有《中日交流》（季刊）。2009 年 1 月 25 日創刊的《西日本僑報》，是西九州地區第一種中文報紙，創辦人兼社長是福岡地區的華僑實業家董発明，社址在福岡市博多區南本町一丁目 2 番 3–1 號。該報的發行量為 1 千冊。

2010 年代至今，仍陸續有中文報刊在日本創辦。首先是《現代中國報》（月三刊），2010 年 10 月創刊，每月 5 日、15 日、25 日發行，中日文並載。社長為郭均成，內容以中日新聞、娛樂、生活為主，匯集日本、中國及全球資訊，每期並推出日本旅遊特輯。

2015 年 7 月創辦的《旅日》季刊，是中文旅遊雜誌，以居留日本的華僑、華人及中國遊客為對象，每期發行量 1 萬冊。發行人劉荊生，編輯孫秀蓮，亞洲太平洋觀光社出版，社址在東京都中央區銀座。

此外，還有中文的《華商》在東京出版，是不定期刊物；《東京華人》

為中文月刊，每月 28 日出版。近幾年來，中文刊物漸見減少，多為中日文並載，以中國讀者為對象的日文刊物相對增加。內容則主要是日本事物介紹，日常生活需知及中日語言學習之類，反映了時代的變化。

註釋

1 日本國立國會圖書館藏有《中華新聞》由第 100 號（1954 年 10 月 30 日）至 239 號（1957 年 6 月 29 日）。

2 日本的主要圖書館有收藏《大地報》。據《北京圖書館館藏報紙目錄，該館藏有 1954 年 3 月至 1970 年 1 月的《大地報》（部分）。

3 香港大學馮平山圖書館藏有《新亞洲》第 93 期（1963 年）至 116 期（1965 年）部分原件。

4 日本的主要圖書館有收藏《東方文摘》。日本國立國會圖書館藏有該刊第 1 卷第 1 期（1960 年 9 月）至 2 卷第 4 期（1961 年 4 月）。

5 日本主要圖書館有收藏《自由中華》。

6 香港大學馮平山圖書館藏有《揚華僑報》第 50 期（1965 年 12 月）至 364 期（1972 年 7 月）。日本國立國會圖書館藏有該刊第 51 期（1966 年 1 月 10 日）至 388 號（1973 年 4 月 25 日）。

7 日本國立國會圖書館藏有《中興報》第 1 號（1965 年 9 月 15 日）至 114 號（1972 年 10 月 15 日）。

8 日本主要圖書館均藏有《太平洋經濟評論》、《中興報》、《東北研究》、《神戶中華同文學校通訊》等報刊。

9 日本國立國會圖書館藏有《橫濱華僑通訊》第 366 號（2004 年 7 月 1 日）起各期，該刊現仍刊行。

10 日本國立國會圖書館藏有《關西華僑報》第 379 號（2004 年 1 月 1 日）起各期，該刊現仍刊行。

11 慶應大學圖書館及日本主要圖書館有收藏《慶應華報》。

12 日本國立國會圖書館藏有《學林》第1號（1983年1月）至19號（1993年4月）。

13 日本國立國會圖書館藏有《華僑新報》第1號（1985年7月1日）至181號（2001年1月24日），卻第171號。

14 日本國立國會圖書館藏有《留學生新聞》。

15 日本國立國會圖書館藏有《外國學生新聞》第34號（1992年4月）至66號（1994年12月15日）。該刊後來改為《中華時報》。

16 日本國立國會圖書館藏有《亞洲新聞》第100號（1992年7月8日）至444號（2005年5月27日）。

17 日本國立國會圖書館藏有《中國留學生》由1994年2月至1995年各號，欠1994年6月號及7月號。

18 日本國立國會圖書館藏有《華人週報》第5號（2000年7月20日）至249號（2005年8月18日），現仍刊行。

19 日本國立國會圖書館藏有《大富》第1期（1999年4月18日）至151期（2005年7月17日）。2005年8月7日第152期起，改名《大富報》，現仍出版。

20 日本國立國會圖書館藏有《日中商報》第105期（2009年6月1日）起各期，現仍刊行。

第八章

中國人在日本辦報的意義及其影響

第一節　中國人在日本辦報的初衷和意義

19 世紀後期至 21 世紀初，中國人在日本創辦的中文報刊和中、日知語報刊多達二百餘種，其數量約與日本人在華創辦的報刊相當，意義和影響則有所異同。報刊為本國僑民和留學生提供消息，包括僑居國家的近況和僑民社會的動向，是在國外辦報的初衷，大抵亦起了一些文化交流的作用。透過僑民社會，可以加強外交政策的推行，在國外創辦報刊，自亦反映了國家的現狀，使遠在國外的僑民，對祖國有較多認識。中國人在日本辦報也好，日本人在中國辦報也好，必然具備這些辦報初衷，所起的作用和影響，雖因兩國的情況容或有異，大體都是相同的。

近代日本人在華報業活動，因有日本官方的資助和參與，多少反映了日本的對華態度和政策，後來甚至淪為日本侵華的政治工具。換言之，這些報刊與近代中國政治有較密切的關係；報上的言論和記載，常與日本的外交策略息息相連。不過，晚清時期的情況不至於如民國以後那般明顯。此外，日人在華所辦的報刊，於文化和社會方面，對中國的影響也是較大的。但中日兩國的文化交流，因日本侵華舉動而大受打擊，蒙上很大的陰影，是令人惋惜和痛心的。

中國人在日本辦報，主要以本國僑民、留學生和中國國內讀者為對象，幾乎沒有辦給日本人看的意圖，所以對日本政治和社會的影響是極少的，只是在客觀上起了一些文化交流的作用而已。相反地，這些報刊與近代中國政局有相當密切的關係，或造成輿論，或匯為潮流，對中國社會造成很大的衝擊，甚至有劃時代的地位和意義。

第二節　中國人在日本辦報的作用和影響

中國人在日本辦報的作用和影響，扼要地說，可以分為幾方面，且因時代不同而有變化。首先，晚清時期為數眾多的留日學生報刊，在引入新知識、新思想方面，起了先驅性的作用，專門性質的刊物尤具開創意義。其間《清議報》之於保皇，《新民叢報》之於立憲，足以成為一時的代表，後者於20世紀初年興起的啟蒙運動，以至於新知識群的形成和茁壯，功績尤大。後來《民報》與《新民叢報》就革命排滿與君主立憲兩大政治取態問題而展開的論爭，大大影響了國人的抉擇，歷史事實在相當程度上說明了漸進式的改革並非一無可採，暴烈式的革命亦為中國帶來了難以應付的問題。20世紀初頭這些報刊因在日本編印，在很大程度上受到明治文化與思潮的薰陶，當時日本舉國熱衷「求知識於世界」，以攝取西方文化作為建設近代國家的手段。在近代中日兩國文化交流史上，這是值得重視的一個時期。

到了民國初年，日本政界侵華的野心日趨暴露，中國人主要着眼於反袁世凱的專制措施和復辟帝制，連帶對日本方面也有嚴厲批評。在日本印行的政論報刊和政治性出版物，其出版目的在於聲援國內的黨派活動，涉及中日關係的反而不多，但在一定程度上反映了當時的具體情形。必須指出，民國時期留日學生所辦的刊物，其專業程度已大大超越晚清時期，涉及政治問題的評論相對較少，然而留學生貢獻社會和建設國家的熱誠洋溢於字裏行間，不比晚清時期遜色；學術刊物和文學、美術雜誌的創辦，也是值得注意的，撰著者不少都是當時或後來的名家，從中可以看到留日學生在學術文化方面的貢獻。如果說，晚清時期留日學生的參與以政治運動為主，民國時期的留日學生，在學術文化和專業方面更能突顯他們的成就。中日甲午戰爭至日本二戰失敗期間，台灣是日本的殖民地，台籍人士出版的報刊，情況是有所不同的。

第二次世界大戰後，日本在國家重建過程中有出色的表現；戰後初期的中國，則陷入國、共兩黨和談、爭持以至內戰的狀況，居留日本的僑民、華裔和台灣海峽兩岸留學日本的大批學生，亦不免在政治態度上出現分歧。因此，戰後在日本刊行的中文報刊，大致上可以分為幾類：第一類是居留日本的華僑、華人團體所辦的報刊，主要着眼於區內的華人社會，或報導消息，或提供資訊；第二類是以留日學生為對象而出版的刊物，或介紹升學途徑，或刊載學生文章，內容較集中於語文學習和日本概況；第三類是為了中日兩國間的經濟貿易需求而印行的刊物，比較重視推介經商環境和中日兩國近況，也有涉及生活狀況的報導，以及旅遊景點、文化活動的消息等。近三十年來，政論報刊漸見減少，以娛樂新聞為主打的報刊有漸成主流之勢。時移世易，報刊見證時代，報刊在媒體競爭中的興替，也反映了時代的變遷。

1990 年代至今，總共不少於二三十種中文報刊在日本創辦，其整體的發展趨向，主要有幾個現象：第一，台灣籍人士在日本華人社會中，至今仍佔有較重要的比例和地位，中國內地移居日本者雖日見增加，或為進修學人、年輕學生，或為經商人士、駐日代表，或者是與日籍人士結婚的家庭婦女，他們組織團體、學會的情況相對較少；第二，知識人士和學生團體已沒有像晚清及民國時期那樣，在日本有創辦報刊的實際需要和時代迫切性，因為他們已有其他表達意見或傳達訊息的渠道；第三，早期在日本出現的僑民社區，如橫濱、神戶的華人街等，雖然盛況不減當年，不過在區內生活的人士，已多是第二代、第三代，除了一些新移民外，大多通曉日語，反為對中文應用生疏了，雖然不少人仍能操家鄉語言或普通話，書寫中文的能力已見困難，甚至是完全不懂。

時至 21 世紀，中日雙語報刊已成為僑居日本華人辦報的主要現象，其用意或旨在教新移民、留學生學習日語，或藉以作為華裔人士和日本人學習中文的參考。純粹的中文報刊，其發展空間反見減少，香港、台灣和中國內地出版的中文書刊，很快就能傳遞到讀者手中，各式各樣的報刊亦較能滿足不同讀者的需求，中文書店的存在就是很好的說明。

展望中日兩國的關係，國家層次的外交動向固然是關鍵，兩國人民之間的往來亦不應忽視，民間報刊的訊息和作用仍是舉足輕重的。報刊在電台廣播、電視電訊等新傳媒的競爭下，影響雖不如前，然而在這個多元化時代，其保存訊息及傳之久遠的功能是佔優勢而且獨特的。因此，研究百多年來在日本國內印行的中文報刊，不僅僅是歷史論述的對象之一，同時亦為時政探索不可或缺的主要課題。

主要參考書目

（1）辭典及工具書

1. 《華僑華人百科全書・新聞出版卷》，北京：中國華僑出版社，1999 年。
2. 中國新聞社香港分社主編《港澳台及海外華文傳媒名錄》，香港：香港中國新聞出版社，缺出版年份（根據此書後記，出版年份應在 2001 年至 2002 年）。
3. 方漢奇主編《中國新聞事業編年史》上、中、下冊，福州：福建人民出版社，2000 年。
4. 王檜林、朱漢國主編《中國報刊辭典（1815–1949）》，太原：書海出版社，1992 年。
5. 史和、姚福申、葉翠娣編《中國近代報刊名錄》，福州：福建人民出版，1991 年。
6. 伍杰主編《中文期刊大詞典》上下冊，北京：北京大學出版社，2000 年。
7. 成春有、汪捷主編《日本歷史文化詞典》，南京：南京大學出版社，2010 年。
8. 周棉主編《中國留學生大辭典》，南京：南京大學出版社，1999 年。
9. 夏林根、董志正主編《中日關係辭典》，大連：大連出版社，1991 年。

（2）報刊及出版史

1. 《中國新聞圖史》，廣州：南方出版社，2002 年。
2. 戈公振《中國報業史》，上海：商務印書館，1927 年；北京：生活・讀書・新知三聯書店，1959 年；上海：上海古籍出版社，2003 年。
3. 方漢奇、史媛媛主編《中國新聞事業圖史》，福州：福建人民出版社，2006 年。
4. 方漢奇《中國近代報刊史》，太原：山西人民出版社，1981 年。
5. 方積根、胡文英編著《海外華文報刊的歷史與現狀》，北京：新華出版社，1989 年。
6. 王天濱《台灣新聞傳播史》，台北：亞太圖書出版社，2002 年。
7. 王鳳超《中國報刊史話》，北京：商務印書館，1991 年。
8. 宋原放主編《中國出版史料》（現代部分），濟南：山東教育出版社，2000 年。
9. 宋應離主編《中國期刊發展史》，開封：河南大學出版社，2000 年。
10. 李焱勝《中國報刊圖史》，武漢：湖北人民出版社，2005 年。
11. 辛廣偉《台灣出版史》，石家莊：河北教育出版社，2001 年。
12. 卓南生《中國近代報業發展史（1815–1874）》增訂版，北京：中國社會科學出版社，2002 年。

13. 周佳榮《言論界之驕子：梁啟超與新民叢報》，香港：中華書局，2005 年。
14. 周佳榮《近代日人在華報業活動》，香港：三聯書店，2007 年；長沙：岳麓書社，2012 年。
15. 周佳榮《蘇報及蘇報案：1903 年上海新聞事件》，上海：上海社會科學院，2005 年。
16. 周蕙秀、涂明《中國近現代文化期刊史》，太原：山西教育出版社，1999 年。
17. 張靜廬主編《中國近現代出版史料》8 冊，上海：上海書店，2003 年。
18. 陳玉申《晚清報業史》，濟南：山東畫報出版社，2003 年。
19. 彭偉步《東南亞華文報紙研究》，北京：社會科學文獻出版社，2005 年。
20. 程曼麗《海外華文傳媒研究》，北京：新華出版社，2001 年。
21. 楊光輝等編《中國近代報刊發展史概況》，北京：新華出版社，1986 年。
22. 葉再生《中國近代現代出版通史》4 卷，北京：華文出版社，2002 年。

（3）華僑及留日史

1. 《橫濱華僑誌》，橫濱：財團法人中華會館，1995 年。
2. 丁新豹、周佳榮、黃嫣梨主編《近代中國留學生論文集》，香港：香港歷史博物館，2006 年。
3. 李喜所《近代中國的留學生》，北京：人民出版社，1987 年。
4. 李喜所《近代留學生與中外文化》，天津：天津教育出版社，2006 年。
5. 沈殿成主編《中國人留學日本百年史（1896-1996）》上下冊，瀋陽：遼寧教育出版社，1997 年。
6. 林子勛《中國留學教育史》，台北：華岡出版公司，1976 年。
7. 舒新城《近代中國留學史》，上海：中華書局，1933 年。
8. 黃福慶《清末留日學生》，台北：中央研究院近代史研究所，1975 年。
9. 董守義《清代留學生運動》，瀋陽：遼寧人民出版社，1985 年。
10. 實藤惠秀著，譚汝謙、林啟彥譯《中國人留學日本史》，香港：中文大學出版社，1982 年。
11. 瞿立鶴《清末留學教育》，台北：三民書局，1973 年。

（4）文化史及其他

1. 《方漢奇文集》，汕頭：汕頭大學出版社，2003 年。
2. 《寧樹藩文集》，汕頭：汕頭大學出版社，2003 年。
3. 中下正治《新聞にみる日中関係史：中国の日本人経営紙》，東京：研文出版，1996 年。
4. 李則芬《中日關係史》，台北：中華書局，1970 年。
5. 周佳榮《亞太史研究導論》，香港：利文出版社，1999 年。
6. 周佳榮《近代日本文化與思想》，香港：商務印書館，2015 年。
7. 周佳榮《新民與復興：近代中國思想論》第 2 版，香港：香港教育圖書公司，2008 年。
8. 周佳榮《香港報刊與大眾傳播》，香港：天地圖書有限公司，2017 年。
9. 周佳榮《細語和風：明治以來的日本》，香港：香港中和出版有限公司，2018 年。

附錄

一　日本國內出版中文報刊簡介

【001】《六合叢談》（*Shanghai Serial*）

1857 年 1 月創於上海，月刊，英國人偉烈亞力（Alexander Wylie）主編，墨海書館印行。次年遷日本，不久即停刊。

【002】《香港新聞》

日本人於 1861 年翻印香港出版的《香港船頭貨價紙》，加日文註解，並改名為《香港新聞》，內容除記載船期、貨價外，還有簡略的新聞報導。[①]

【003】《華字新報》

中國人最早在日本出版的中文報刊，1876 年創刊於東京，在旅日華僑社會中流通，1877 年仍有出版，其後情況不明。[①④]

【004】《東亞報》（*Eastern Asia News*）

清末維新派出版的刊物。1898 年 6 月 29 日（光緒二十四年五月十一日）在神戶創刊。除用光緒年號外，還用孔子紀年。旬刊，有光紙鉛印。內容以譯載西報西電為主，介紹西方政治、經濟、科學和文化，宣傳救亡圖存及維新變法，兼及國內外時事新聞。同年 10 月出版至第 11 期後停刊。[①②]

【005】《清議報》

清末戊戌政變後維新派出版的主要刊物。1898 年 12 月 23 日在橫濱創刊。旬刊，名義上的發行兼編輯人署「英國人馮鏡如」，實際的主持者是當時流亡日本的梁啟超，印刷人署名鈴木鶴太郎。用孔子二千四百四十九年紀年，以代替光緒二十四年（1898）。用連史紙印刷，線裝書款式裝訂，每冊約三十面至四十面。發行約四千份，發售點與代售點有 38 處。宣稱「專以主持清議，開發民智為主義」，大力宣傳實行君主立憲和保救光緒帝之說。因攻擊慈禧太后及剛毅、榮祿等人，清廷嚴禁輸入國內。1901 年 12 月 21 日出版第 100 冊特大號，梁啟超發表了一篇綜論新聞學的長文〈本報第一百冊祝辭並報館之責任及本館之經歷〉。但報社隨即遇到火災，由於保險單上沒有準確寫上經理人姓名，承保的外國保險公司拒付賠款，因而停刊。①②⑥

【006】《女學報》（第 4 期）

初名《女報》，1899 年創於上海，月刊，陳擷芬主編，是中國最早的婦女刊物。不久即停刊，1902 年續出，期數重起，由蘇報館發行。1903 年改名《女學報》，出版了 3 期。同年「蘇報案」發生，陳擷芬避居日本，該刊第 4 期改在東京出版，由上海國民日日報發行。

【007】《開智錄》（又稱《開智會錄》）

中國留日學生出版的第一種刊物。1900 年 11 月 1 日在東京創刊，是橫濱開智會的機關報；該會由鄭貫一（鄭貫公）於 1900 年冬創立，是橫濱最早的留日學生團體之一。《開智錄》為半月刊，最初用油印出版，後來接受孫中山資助 200 元印刷費，於同年 12 月 22 日出版「改良第一期」，改為鉛印。印刷 500 份，隨《清議報》發行。該刊利用《清議報》的機器印刷，旨趣卻與保皇立憲不同，所以受到維新派的干涉，鄭貫一被逐出《清議報》編輯部。1901 年 3 月 20 日出版第 6 期後停刊。共出油印數期（據說有 3 期）、鉛印 6 期。①②⑥⑧⑬

【008】《譯書匯編》（*Yi Shu Hui Plen*）

清末留日學生出版的刊物。1900 年 12 月 6 日在東京創刊。月刊，零售每本 2 角 5 分。編輯兼發行者，初署坂崎斌，第二年起署胡英敏，實際上是由留日學生戢翼翬（元丞）、楊廷棟（翼之）、楊蔭杭（補孫）、雷奮（繼興）等主持。譯書匯報社在東京神田區駿河台鈴木町 18 番地。總發行所設在上海，北京、天津、河北、安徽、江西、浙江、江蘇、香港等地均有代售處。《譯書匯編》創刊比《開智錄》鉛印的改良第一期略早，因而被稱為「留學界雜誌之元祖」。最初只有譯稿，介紹西方和日本的政治經濟、法律學說。1902 年 12 月 10 日出版的第二年第 9 期起，改為以發表政法論著為主，編譯文章為副，提出改革社會和參與政治的要求。體例方面，除篇首刊登圖片外，增設政治通論、法律、經濟、歷史、哲學等研究專欄，共出版了 21 期。該刊又改變了傳統的線裝書形式，在近代中國報刊中，首先以洋裝書形式出版。每期發行逾 1 千份，銷往中國內地及香港、新加坡等。第三年起，於 1903 年 4 月 27 日改名《政法學報》，又出版了 8 期。①②⑥⑬

【009】《國民報》（*The Chinese National*）

清末的革命派刊物。1901 年 5 月 10 日在東京創刊。編輯兼發行人署名京塞爾，由秦力山、王寵惠、楊廷棟、戢翼翬（元丞）、沈翔雲（虬齋）、馮自由等主持。社址在東京小石川區白山御殿町百十番地。月刊，主要欄目有：社說、時評、菊井、叢談、紀事、外論、譯編、西文論說、附錄等。該刊以「喚起國民精神」為宗旨，揭露清政府的專制和賣國政策，廣泛介紹歐美革命理論和歷史，提出暴力革命及建立政黨等學說。共出版了 4 期，1901 年 8 月 10 日停刊。每期印刷逾 2 千份，經上海銷往國內。在最早一批留日學生刊物中，是革命傾向最明顯的一種。在中國報刊上，亦是革命派抨擊保皇派的最早言論。1904 年上海作新社出版《國民報匯編》。①②⑥⑬

【010】《大同學錄》

1901 年（光緒二十七年）間在橫濱出版，是華僑主辦的中文期刊，同年年底停刊。①⑧

【011】《亞洲時務匯報》

清末時事性質的政治刊物，1901 年在橫濱創刊。不定期刊（或作半月刊），16 開本。內容有內閣抄奉、中國各地官吏的各種大事記、新政奏議匯編、中外各大員札示十二抄、中外交涉大事議、時務新治匯抄、通人著述等。現時存見最後一期是 1901 年出版的第 4 期。⑥

【012】《新民叢報》（*Sein Min Choong Bou*）

清末戊戌變法後維新派出版的重要刊物。1902 年 2 月 8 日在橫濱創刊。編輯兼發行者署馮紫珊，實際上由梁啟超主編，所刊文章，大多數由梁氏自己撰寫。1903 年 2 月至 11 月梁氏赴美期間，由蔣智由代他主持。其他撰稿人還有韓文舉、馬君武、康有為、歐榘甲、徐勤、楊度等，早期章太炎也曾發表過文章。新民叢報社發行，馮紫珊是經濟支持者。半月刊，32 開本，洋裝，每期約一百二十頁。該報介紹了許多西方的重要學說，在思想啟蒙方面對當時的知識界影響頗大。銷行數量很多，最高曾達一萬三千餘份。早期刊有不少激烈言論，清政府曾將其列為禁書。

1904 年後經常不能按期出版，反對革命的態度漸趨明顯。1905 年同盟會機關報《民報》創刊，對《新民叢報》加以抨擊，梁啟超起來應戰，雙方展開了一場革命與君憲的論爭。在清政府宣佈預備立憲後，該刊於 1907 年 11 月 20 日停刊，共出版了 96 期。①②⑥

【013】《新小說》

清末維新派出版的文學期刊。1902 年 11 月 14 日在橫濱創刊。名為月刊，但時有脫期。編輯兼發行者署名趙毓林，實際上是由梁啟超主持，韓文舉、蔣智由、馬君武等任編輯。初時由新小說社發行，發行所設在橫濱市山下町 152 番地。1905 年 2 月第 2 卷起，遷至上海，改由廣智書局發行，1906 年 1 月停刊。共出版了 24 期。該刊以發表小說為主，著名小說《二十年目睹之怪現象》首先在此刊物上連載；以提倡白話文和小說界革命為改革社會的重要手段，開創了晚清小說創作的新局面。關於文藝理論的文章，有梁啟超〈論小說與群治之關係〉、楚卿〈論文學上小說之位置〉、松岑〈論寫情小說於新社會之關係〉、三愛〈論戲曲〉等。①②⑥

【014】《遊學譯編》

清末留日學生出版的刊物。1902 年 12 月 14 日在東京創刊。遊學譯編社編譯，長沙礦務局發行。編輯兼發行人，署熊野蘋。湖南留日同鄉會主辦，是近代中國第一個留日學生同鄉會刊物。主編為楊守仁（又名毓麟，字篤生），編輯人還有陳天華、梁煥彝、樊錐、黃軫（黃興）、周家樹、楊度等。月刊。每冊五十餘頁，欄目有學術、政治教育、軍事、理財、內政、外交、歷史、地理、時論、世界新聞、附錄等，有時還有海外通訊、實業、小說等。創刊時為避免直接評議時政，使雜誌能夠在中國內地廣泛發行，規定以編譯外國報刊文章和外國學者專著為主，只在文章前面加「譯者說」或在文末以「譯後」形式發表感想。初時宣傳改革，認為只要積極地推行教育救國和實業救國，有了先進的文化，國家自然會富強起來。1903 年起，除譯著外，兼刊抒發作者見解的政論，大力鼓吹革命，成為革命派刊物，同時亦有宣傳地方自治之類的改革觀點。同年 11 月 3 日出版至第 12 期停刊。①②⑥⑬

【015】《湖北學生界》

清末留日學生刊物。1903 年 1 月 29 日在東京創刊。湖北留日學生同鄉會主辦，編輯兼發行者是王璟芳、尹援一，第 2 期署湖北同鄉會雜誌部，第 3 期起署尹援一，第 5 期改署竇燕石；參加編輯工作的，有劉成禺、藍天蔚、張繼熙、盧慎之、周維楨、金華祝、但燾、李書城、李熙等。月刊，每冊一百餘頁，售大洋二角。發行所在東京神田區駿河台鈴木町 18 番地。該刊以「輸入東西之學說，喚起國民之精神」為宗旨，站在革命派立場，宣揚民族、民主主義，抨擊封建專制，亦揭露列強的侵略罪行。主要欄目有：論說、學說、政法、教育、軍事、經濟、實業、理科、醫學、史學、地理、小說、詞藪、雜俎、時評、外事、國聞、留學紀錄、附湖北調查部紀事等。1903 年 6 月 25 日出版過 1 期增刊《舊學》，專輯宋明兩代愛國詩人的愛國詩詞。同年 7 月 24 日第 6 期起改名《漢聲》，9 月 21 日出版第 7 期、第 8 期合刊後停刊。①②⑥⑬

【016】《浙江潮》

清末浙江留日學生出版的革命期刊。1903 年 2 月 17 日在東京創刊，浙江同鄉會雜誌部編。實際負責編輯和出版的，有孫翼中（江東）、蔣智由、蔣方震、許壽裳、王嘉禕等，此外，還有陳梘、陳威、何燏時、沈沂、魯迅等主要撰稿人。編輯和撰稿人多為光復會會員，有些人還參加了青年會等革命組織。月刊，32 開本，洋裝 1 冊，每冊一百八十餘頁，約八萬字。每冊卷首均有一幅彩色地圖和浙江名人、勝景插圖三四頁。館址設在東京神田區駿河台鈴木町 18 番地，總發行所在上海四馬路中外日報館。銷數頗高，每期都印五千冊，最初幾期曾重印多次。主要欄目有：社說、論說、學術、大勢、教育、哲理、歷史、談叢、時評、記事、雜錄、小說、文苑、新浙江與舊浙江、調查會稿、專件、圖畫等。所刊文章富有民族革命精神和民主主義色彩，1904 年停刊，共出版了 10 期，一說 12 期（第 11 期、第 12 期為合刊）。①②⑥⑬

【017】《直說》

清末留日學生所辦的革命報刊。1903 年 2 月 22 日（光緒二十九年正月二十五日）在東京創刊，直隸（河北省）留日學生杜羲等主編，直說編輯社出版。月刊，每期六十餘頁、四萬餘字。代售處分設國內北京、天津、保定、豐潤、南京等地。宗旨是「輸東西文明，開內地風氣」。文風惟取「直捷爽快，一目了然」。內容以刊登「東西各論」和「日本最新學說」為主，也有一些自撰的論說。僅見兩期。①②⑥⑬

【018】《浙江月刊》

月刊。1903 年 3 月在東京創辦，同年 12 月出版至第 10 期。①

【019】《江蘇》

清末留日學生所辦的革命刊物。1903 年 4 月 27 日（光緒二十九年四月初一）在東京創刊。江蘇同鄉會編，總編輯為秦毓鎏，參加編輯工作的有張肇桐、汪榮寶、黃宗仰、陳去病、丁文江等。月刊，每月望日發行。32 開本，每期一百五十頁左右。發行所在東京神田駿河台鈴木町 18 番地。欄目有圖畫、社說、學說（政治、教育、軍事、衛生、實業、哲理、歷史、地理）、譯篇、傳記、小說、時論、說苑、時評、記事（本省、內國、外國、留學界）、記言、雜錄等。以政論為主，除自撰的文章外，也譯載外報有關中國問題的評論，補白部份載有大量推薦和介紹新書出版的廣告。1904 年 5 月 15 日（光緒三十年四月初一日）出版第 11 期、第 12 期合刊後停刊。①⑥⑬

【020】《政法學報》（*The Tsen Fah Shui Pao*）

月刊。其前身《譯書匯編》（1900 年 12 月創刊），是清末留日學生最早出版的刊物。1903 年 4 月 27 日改出《政法學報》第 1 期，以發表政法論文為主。由留日學生戢翼翬（元丞）、楊廷棟（翼之）、楊蔭杭（補孫）、雷奮（繼興）等主持，社址設在東京駿河台鈴木町 19 番地。欄目有寫真、社說、論說、學術（法律、經濟、歷史、哲理）、訪問、雜纂、研究資料等。每期約五十頁。出版至第 11 期停刊。①⑥

【021】《漢聲》

宣傳革命的綜合性刊物。原名《湖北學生界》，1903 年 1 月 29 日在東京創刊；同年 7 月 24 日第 6 期起，改名《漢聲》。月刊。由湖北留日學生組織，編輯兼發行為湖北同鄉會雜誌部。欄目有論說、軍事、實業農學、實業商學、經濟、理科、算學、詞藪、政治小說、雜俎、外事、歷代傳記等，其中傳記、小說刊載歷代一些富有民族思想的詩文。同年 9 月 21 日，出版第 7 期、第 8 期合刊後停刊。①

【022】《新白話》（又稱《新白話報》）

清末留日學生所辦的白話報刊。1903 年 12 月在東京創刊，由新白話報社編輯及發行，上海普益書局總發行，南昌設有總代派所，贛州、九江、吉安、萍鄉等地有分代派所。主要撰稿人有擔當、公因、昌漢、捕夷、易清等。欄目有：論說、政事、地理、傳記、時評、新聞、雜俎、小說等。月刊，內容倡導反清民族革命，揭露和反對列強的侵略活動和政策。據廣告稱，該刊第4期至6期因延期過久，改印小說代替。現存最後一期為第8期，1904年10月出版。①⑥

【023】《江西白話報》

江西留日學生所辦的刊物。1903年在日本創刊，軍國民教育會會員張世膺（華飛）主編。該刊曾為軍國民教育會的活動作過宣傳，出版不久即停刊。①

【024】《芻報》

清末革命派刊物。1903年在東京創刊，由朱霄青主持編務。僅出版兩期即被查封。①⑧

【025】《新湖南》

1903年在日本創刊，湖南譯編社發行。其主旨為闡述湖南之形勢與人民之特質，以發揮民族思想，寓地方獨立之意。執筆人有黃軫（黃興）、陳天華、楊篤生、梁煥彝、樊錐等人。曾暢銷一時，甚至再版發行。⑥

【026】《日新學報》

1904年7月在東京創刊，日新學報館出版，中外圖書局發行。月刊，24開本。其宗旨為「傳播新學知識於清國國民」，以「促東洋之進步」。設有論說、教育、地理歷史、理學、法制經濟、殖產興業、傳記、藝苑、匯報等欄目，刊登日人所撰的文章，發表文學研究心得和傳記，介紹歐美和日本學界的情況等。①⑥

【027】《白話》（又稱《白話報》）

清末留日學生所辦的革命刊物。1904年9月24日在東京創刊，秋瑾主編，以她組織的演說練習會的名義編輯及發行，地址在東京神田區駿河台鈴木町18番地中國留學生會館內，由上海小說林社總經售。月刊，32開，每冊大錢50文。主要欄目有論說、教育、歷史、實業、地理、理科、時評、談叢、小說、歌謠、戲曲、傳記、來稿等，內容大都是演說練習會中的演講稿，以及一些關於興辦實業的資料。採用白話，文字力求簡易。共出版六期，1905 年停刊。①⑥⑧⑬

【028】《海外叢學錄》

清末留日學生所辦的刊物。1904 年 9 月 29 日在東京創刊。月刊，是雲南籍留日學生所辦，劉昌明、田宗龍、陳詒恭編輯。該刊的刊例聲稱「以資學識，開民智為宗旨」。內容主要選譯外國各科著作及學校講義，旁及中外時事。登載的作品有拯救民族危機的強烈愛國思想，亦具民主主義思想。①②⑥⑬

【029】《湖北地方自治研究會雜誌》

月刊，1904 年在東京創刊。編輯兼發行者，是留日學生張百熙等組織的湖北地方自治研究會；實際的主編人是呂嘉榮，印刷者為伊藤幸吉。社址在東京牛込區鶴卷町 201 番地。欄目有：論著、調查、譯述、雜錄等，大致都是闡述地方自治及介紹國外自治問題的文章。1906 年後，曾一度停刊。1908 年 11 月 15 日出版新第 1 號，編輯與發行者仍為湖北地方自治研究會，社址在淀橋柏木。1909 年 4 月停刊。①⑧

【030】《湖南學生》

清末留日學生刊物。1904 年在東京創刊，月刊。由楊度主持編務，是湖南籍留學生所辦。①⑧

【031】《女子魂》

1904 年（光緒三十年）在東京創刊，是僑居日本的華商所辦，編輯及發行人為潘樸（署名抱真女士）。1905 年仍有出版。①

【032】《四新學報》

月刊，1904 年在東京創刊。該刊是否即《日新學報》而名稱誤記，有待考證。①

【033】《東京留學界紀實》

1905 年 2 月在東京創刊。清國留學生會館編輯及發行，雙月刊。主要報導留日學生的新聞，有關留學生與清朝官員的衝突頗多。內容龐雜，言論傾向革命派。①

【034】《二十世紀之支那》

清末革命派刊物，是《民報》的前身。1905 年 6 月 3 日在東京出版，印有「開國紀元 4603 年五月初一」字樣，使用黃帝紀元，創刊號並印有軒轅黃帝像，標榜愛國主義。由宋教仁等湖南、湖北、廣東、江蘇、安徽幾個省的留日學生聯合創辦，東京中國留學生會館發行。主編為程家檉，參加編輯發行工作的有田桐、白逾桓、陳天華、黃興、劉公、魯魚、何謀霖、雷克宇、張炳標、高劍公等。初刊時印 3 千冊，每冊 120 頁。原定為月刊，但未按時出版。欄目有論說、學說、政法、歷史、軍事、理科、實業、叢錄、文苑、時事、時評等，同年 8 月 20 日，黃興在同盟會成立大會上，提出該刊的社員半數以上都已加入同盟會，願意將該刊改組為同盟會機關報，得到與會社員的贊成。但 8 月 27 日，《二十世紀之支那》第 2 期刊登蔡序東〈日本政客之經營中國談〉，揭露日本侵略中國東北的陰謀，觸怒日本當局，聲稱「雜誌有害公安，內務大臣特命押收」，致使該刊遭到查禁，原已印好準備發行的刊物被沒收，宋教仁、田桐受法院傳訊。由於沿用原有名稱已不可能，遂於同年 11 月 26 日改組為《民報》出版。①②⑥⑬

【035】《第一晉話報》

清末革命派刊物。1905 年 7 月在東京創刊。由山西留日學生同鄉會編輯，同盟會會員景定成、王用賓、劉錦若、景太昭等擔任編輯。月刊。以山西太原師範學堂及教育研究會為總發行所。欄目有社說、地理、歷史、教育、實業、緊要新聞（本省、各省、各國）、時評、小說、詩歌等。介紹外國經濟、政治、軍事發展狀況，鼓吹開辦實業，與列強競爭，建立民主政體。因言論激烈，被山西地方當局禁止進口。1906 年出版至第 9 期停刊。由於同鄉會分裂，該刊不能續出，編者之一的景定成，邀集景耀月、谷思慎、王用賓、榮炳、榮福桐等人，另行組編《晉乘》，於 1907 年 9 月出版。①⑥⑬

【036】《晨鐘》

清末革命派的宣傳刊物。1905 年秋在東京創刊，週刊，由山東留日學生蔣衍升、丁鼎丞等主編。①⑬

【037】《醒獅》

清末革命派刊物。1905 年 9 月 20 日在東京創刊，月刊。編輯者署名李疊，實為高旭（天梅）等所主持。撰稿人有馬君武、李惜霜、陳去病、柳亞子等。售價每本兩角。社址在東京淺草黑舟町 28 番地，總發行為東京中國留學生會館。國內發行有上海國粹學社等處。欄目有：論說、軍事、教育、政法、學術、醫學、時評、文藝等。1906 年 6 月 22 日出版第 5 期後停刊。⑥⑧⑬

【038】《鵑聲》及《後鵑聲》

清末留日學生所辦的白話刊物。1905 年 9 月在東京創刊，四川留日學生主辦。出版第 2 期後，引起清政府不安，川督錫良頒佈告示予以嚴禁，被迫停刊。據載1906 年間，有《鵑聲》月刊出版，欄目有社說、論說、宗教、教育、政法、經濟、歷史、地理、彈詞、文苑、談叢、小說、時評、紀事等。1907 年由雷鐵崖（鐵錚）、董修武、李肇甫等重新組織，出版「再興第一號」，更名《後鵑聲》，刊有〈中國已亡之鐵案說〉、〈檄告蜀人當先天下興光復軍〉等文章。主持者和體例均已變更，又改登文言文字，而仍襲用原名，是因《鵑聲》曾使清政府「驚擾而嚴禁者，正所以增吾報之價值」。再興第一號欄目有：論說、譯叢、文苑等。1907 年11 月改組，於次年 1 月出版《四川》。①②⑥⑬

【039】《民報》

中國同盟會的第一個機關報，亦是當時最主要的革命刊物。1905 年 11 月 26 日在東京創刊，署中國開國紀元四千六百另三年十一月二十六日。該刊由《二十世紀之支那》改組而成。32 開本，名為月刊，但經常脫期。1908 年 10 月 10 日出版至第24 期時，一度被迫停刊。1910 年 1 月又在日本秘密印行，出版地托名巴黎，出版了第 25 及 26 兩期，同年 2 月終刊。第 3 期、第 4 期之間出版過一張號外，第 12期、13 期之間出版過增刊《天討》一冊。編輯人兼發行人，署名於刊內的有張繼、章炳麟、陶成章、汪精衛 4 人；實際的主編人，前五期是胡漢民；第 6 期至 24 期主要是章太炎，其中有幾期是汪東、劉師培、黃侃、湯增壁等。主要欄目有：圖畫、論說、時評、譯叢、談叢、附錄、來稿等。①②⑥

【040】《音樂小雜誌》

近代中國第一種音樂刊物。1906 年 1 月 20 日在東京創刊，李叔同主編。發行所設於中國。⑬

【041】《法政雜誌》

清末留日學生出版的法政雜誌。1906 年 3 月 14 日在東京創刊。由法政雜誌社事務所出版，社址在東京淺草黑船町 28 番地。張一鵬、林鵾翔編輯，發行者為蔡承煥、林鵾翔，印刷者為池田宗平。張一鵬是江蘇吳縣人，當時在日本攻讀法政，該刊的主要撰稿人，亦多為留日學生。月刊，鉛印，洋裝 1 冊約二百頁，每冊售洋 3 角。總代派處設在上海後馬路泰安坊森元絲棧內朱星圻，北京、上海、南京、天津、保定均有代派處。初印 3 千冊，後出再版。內容以翻譯日本法政報刊和書籍為主，討論纂述為輔。欄目有：論叢、譯匯、講演、法令一斑、法政瑣聞、時事錄要等。著重介紹國外尤其是日本的法學、法律及政治制度，但也注意中國社會現實問題的研究。1906 年 8 月 14 日出版至第 1 卷 6 號停刊。同年 9 月，與天津《北洋學報》合併，改名《北洋法政學報》（旬刊），期數另起，出版至 1910 年 11 月停刊。[①②⑥⑬]

【042】《復報》

清末革命派的宣傳刊物。1906 年 5 月 8 日在東京創刊。其前身為《自治報》，用鋼板蠟筆刻印，每週一期，刊行了 67 期，改出鉛印版，易名為《復報》，第 1 號的目次下面，註有「原六十八號」字樣。月刊，書本形式，每期六十頁左右，約三萬字。柳亞子、高旭（天梅）、田桐等編輯，社址在東京市淺草區黑船町 28 番地。參加者還有陳去病、馬君武、高燮等。發刊詞為柳亞子（棄疾）所作。欄目有：社說、政法、傳記、演壇、小說等。文學作品每期約佔三分之一篇幅。該刊宣揚民主主義，抨擊君主立憲，號召排滿、逐滿以拯救中國，並從 1906 年 7 月出版的第 3 期起改名為《報復》。該報的稿件在大體上在國內編好，然後寄往日本印刷出版。曾與《民報》相呼應，與君憲派報刊進行論戰，因而被稱為「《民報》的小衛星」。現存第 10 期於 1907 年 6 月 15 日出版，同年 10 月 2 日出版第 11 期後停刊。[①⑥⑬]

【043】《農桑學雜誌》

清末的農桑學刊物。1906 年 6 月在東京創刊。群益書社出版，發行所在東京小石川區小日向道端二丁目 64 番地東鄉館。每冊售價兩角。該刊在廣告上述其宗旨是要「闡明舊理，輸入新法」。[①]

【044】《雲南》（*Yuen Nan Journal*）

清末留日學生所辦的革命刊物。1906 年 10 月 15 日在東京創刊。第 1 期編輯兼發行者，署雲南留學生同鄉會；第 2 期起，署名編輯者為吳琨，發行者為趙伸；第 5 期編輯者署名席聘臣，第 6 期編輯者為孫志曾，第 14 期發行者署名劉九疇。發行所也時有變更，開始時在東京府豐多摩郡內藤新館北裏町 125 番地。月刊，每期約六十頁。初時每期銷售約三千冊，最多時達 10,000 冊。名為月刊，但不能按時出版。1906 年至 1907 年間，基本上每月一期，出版至第 11 號。1908 年第 18 號起，改為兩月一期，七八月間，延遲了三個月才恢復出版，這年共出版 5 期，出版至第 16 號，但第 17 號推遲了九個月才發行。1909 年只出版了第 18 號。因經費和人力不足，1910 年第 19 號開始，與《滇話報》合併，改為三個月 1 期，每冊定價 3 角。1911 年 10 月出版至第 23 號後停刊。另有附刊《滇粹》一冊。[①②⑥⑬]

【045】《洞庭波》

清末留日學生所辦的革命派刊物。1906 年 10 月 28 日（光緒三十二年九月初一日）在東京創刊。編輯及發行人為湖南留日學生陳家鼎、楊守仁（篤生）、寧調元、傅專、仇式匡等，出版者為中國留學生會館。月刊，欄目有論著、時評、學術、譯叢、談苑、文苑、附錄等。僅出版 1 期，次年改組為《漢幟》。[①②⑥⑬]

【046】《中央叢報》

清末革命派刊物。其前身是 1906 年 10 月 18 日（光緒三十二年九月初一）在東京創刊的《洞庭波》，第 2 期起改名為《中央叢報》。或謂《洞庭波》第 1 期出版後即停刊，本擬易名《中央雜誌》，次年改組為《漢幟》，期數另起。[①]

【047】《新譯界》

清末留日學生所辦的刊物。1906 年 11 月 16 日在東京創刊。月刊。新譯界社出版，創辦者為滇籍留日學生。范熙壬（任卿）任總理，谷鍾秀、劉賡澡、席聘臣、范紹壬任編輯兼發行人，湯化龍、景定成、周鍾岳等任譯述。白報紙印刷，圖畫用道林紙。初時定價 3 角，1909 年後改為二角。發行所在東京神田區仲猿樂町 17 番地，第 2 期改在本鄉區鶴卷町 427 番地。上海、北京、天津、保定、南京、漢口、宜昌、重慶、南昌、東京都有代派所。現存最後一期為 1907 年 12 月出版的第 7 期。[①②⑥]

【048】《教育》

清末留日學生所辦的教育專業雜誌。1906 年 11 月 30 日在東京創刊。由愛智會主辦，教育雜誌社編輯發行。社址在東京神田區仲猿樂町 4 番地。總經售處為上海開明書店，還銷售香港、南洋、歐美各地。月刊，洋裝大 32 開本，每冊約一百六十頁。該刊強調以「涅毀為心，道德為用，學問為器，利他為宗。」鼓吹教育救國，反對政治革命。欄目有：社說、學說（教育學、倫理學、心理學、哲學、哲學史、國學、群學、名學）、科學、思潮、批評、記事、雜俎、問答、文苑等。實際上只出版了兩期，第 3 期僅有目次預告。[①②⑥]

【049】《革命軍》（亦作《革命軍報》）

1906 年 12 月 29 日在東京創刊，大量報導萍、瀏、醴起義消息，並刊登了在起義中發佈的〈中華民國軍政府檄文〉。只出版了 1 期。[①⑥]

【050】《豫報》

1906 年 12 月在東京創刊。編輯兼發行者為豫報社，由河南留日學生主編，編輯部在東京巢鴨村町目 1021 番地長竹館內，河南省城、上海、南陽、天津、沙垣、光州、東京均有代銷處。原為月刊，但一再脫期。洋裝，32 開本，每期一百頁左右。文言白話兼收，所論多與河南有關。由於編輯部成員複雜，政治傾向不一致，引起一些激進學生不滿，以資金不足為由，1908 年 4 月 30 日出版至第 6 期後，宣告停刊。[①②⑥⑬]

【051】《鐵券》

1906 年同盟會會員在東京創刊，以恩漢子名義發行。言論激烈，停刊日期不得而知。[⑥]

【052】《直言》

清末宣傳革命的刊物。1906 年在東京出版，日刊，直隸留學生杜羲等主辦。[①⑫]

【053】《革命評論》

日本志士為聲援中國民主革命而創辦的革命刊物。1906 年 9 月 5 日，由宮崎寅藏等在東京創刊，月刊。1907 年 3 月 25 日第 10 號上，有章太炎的〈鄒容傳〉及柳亞子的〈有懷太炎威丹〉。旋因內部分裂而停刊。①⑦

【054】《官報》

1906 年 12 月至 1907 年 1 月間（光緒三十二年十二月）在東京創刊，由清廷派駐的日本東京留學生監督處出版。月刊，16 開平裝本。專載有關中國留學生的事宜，欄目有章奏、文牘、調查報告、經費報銷、學界紀事等。至 1910 年 12 月，共出版了 50 期。①⑥

【055】《法政學交通社雜誌》

中國留日學生團體出版的法政類刊物。1907 年 1 月 14 日在東京創刊。孟昭常等編輯，印刷人為田所定吉。發行所為法政學交通社，事務所為東京神田今川小路集賢館。月刊，豎排版書本式鉛印，每期約一百四十頁，售價每冊 2 角 5 分。欄目有：章程、題辭、社志、社交論、公法私法之區別、最新各國政體考緒論、各國眾議院規則、論說、小說等。所刊文章均以文言文撰寫。①⑥

【056】《中國新報》

清末著名的君主立憲派刊物。1907 年 1 月 20 日在東京創刊。楊度、陳家瓚等主編，撰稿人有胡茂如、熊范輿、薛大可、方表、李黨、谷鍾秀等。中國新報社出版，編輯部在東京牛込區早稻田南町 56 番地。月刊，每期約八十餘張、一百七十多頁，以 4 萬字為標準。每期銷售僅 300 冊。內容以政論為主，竭力為預備立憲做鼓吹。主張擺脫列強對中國的羈縛，改良政治，召開國會，建立責任政府。欄目有圖畫、論說、雜錄、來稿、時評、譯件等。《中國新報》除在東京印刷外，還有上海版。自第 1 卷 7 期起，遷至上海繼續出版，編輯部設在上海四馬路惠福里中國新報社。現存最後一期是 1908 年 1 月出版的第 9 期。①②⑥

【057】《漢幟》

清末留日學生所辦的革命刊物。1907 年 1 月 25 日在東京創刊。編輯兼發行者署名黃一鑄，實際是陳家鼎、景定成、仇式匡主編。發行所在東京神田表神保古今圖書局。月刊，每冊 1 角 6 分。欄目有：圖畫、論說、譯叢、時評、時諧、小說、文苑、附錄、來稿等。出版兩期，因經濟困難終刊。①②⑥

【058】《中國新女界雜誌》

清末提倡女權的刊物。1907 年 2 月 5 日在東京創刊。月刊。朱奮吾任總經理，編輯兼發行者是燕斌（筆名煉石），劉青霞等分任編輯工作，參加撰稿的有佩公、巾俠、篠隱、清河、草碧、娲魂等。其初設臨時編輯所於東京牛込區馬場下町 20 番地，後來社址設在東京小石川區竹早町 34 番地。發行數字最多時曾達五千份。該刊以宣傳婦女解放、男女平等為宗旨，其出版廣告聲稱：「本社痛祖國女權之未倡，女學之不興，不揣綿薄，思有以溝而通之。」批判男尊女卑和封建婦德，提倡慈愛、高尚、俠烈、勇毅的婦德，闡述婦女解放之於國家、社會、家庭的意義，但秋瑾曾批評該刊「不敢放言」。許多文章採用白話文表述，每期並附有照片及插圖數幀。1907 年 7 月 5 日出版至第 6 號，被日本警視廳禁止出版。①②⑥

【059】《學報》

清末的學術性刊物。1907 年 2 月 13 日在東京創刊。編輯兼發行者為何天柱、梁德猷，總發行所在上海棋盤街學報社。月刊，每期約一百頁。欄目有：倫理、歷史、傳記、博物、數學、化學、物理、英語、法制、經濟、生理、衛生、時事、雜俎等。現存最後一期，是 1908 年 7 月出版的第 12 期。①⑥

【060】《漢風》

清末留日學生所辦的革命刊物。1907 年 2 月 20 日在東京創刊。主編時蛀（但燾）為湖北留日學生，日本秀光社印刷。有章太炎題：「能夏能大」4 字。月刊，欄目有：題字、詩、詞曲、詔、誥、諭、制、賜書、國書、檄、表、盟文、露布、上梁文、書、策、賦、序、雜纂。僅見 1 期。①②⑥⑬

【061】《法政學報》

清末留日學生所辦的法政學專業刊物。1907 年 2 月 27 日在東京創刊。由沈其昌等編輯，總發行處在東京神田表神保町 10 番。上海總代辦處在新昌路昌壽里教育世界社、三馬路書錦里普及書局等。月刊，每冊約四十頁，售價 4 角。內容以法學論著為主，欄目有：社說、憲法、商法、刑法、國際法、財政、雜纂、文苑等。同年 7 月出版第 5 期後停刊。①②⑥

【062】《大江七日報》

清末革命派刊物。1907 年 3 月 9 日在東京創刊。週刊。夏重民、黃增耆等主編，參加撰稿的有肖子、鋤非、血性等。欄目有論著、留學界記事、海外要聞、時事匯譯、國內要聞、虜廷記事、雜文、文苑、謳歌、瑣談片片等，花邊空白處印上口號及愛國詩詞。出版數期後停刊。僅見兩期。①②⑥

【063】《牖報》

清末的立憲派刊物。1907 年 4 月 13 日在東京創刊，編輯兼發行者為李慶芳。月刊，但刊期不定，每冊約六十頁，售價兩角。社址在東京猿樂町二番地。其政治主張傾向於君主立憲，提倡融合滿漢。欄目有：社說、法律、教育、實業、政治、經濟、時評、文苑、附錄等。1908 年 8 月出版至第 9 期。①②⑥

【064】《醫藥學報》（*Ephemeris Medico-Pharmacologia*）

清末留日學生刊物。1907 年 1 月 1 日在千葉創刊，初為雙月刊；1909 年 2 月第 13 期起，改為月刊。用 5 號鉛字排印，每頁紙張加大，為大 32 開本，字數亦增多。每期約一百六十頁，售價原為 3 角，後降為 2 角 5 分。編輯兼發行者為 1906 年秋成立的留日學生團體中國醫藥學會，印刷者為日本人伊藤幸吉。發行所分設在日本東京的中國留學生會館和上海文明書局、普及書局。其廣告宣稱：「專記醫學藥學之新理及公眾衛生之通論。」發刊詞謂「本報之目的則在攻究醫藥之事，非徒以盲從塞責，必恃有最新之學說」。欄目有論文、學說、通俗講話、治療顧問、雜錄等。學說欄又分為解剖學、組織學、生理學、藥物學、內科學、外科學、婦科學、衛生學、化學、藥用植物學等類。①⑥

【065】《農桑學雜誌》

1907 年 5 月在日本創刊。月刊，大 32 開本。其宗旨為宣傳農桑教育，增進國家富強。刊載有關農桑科學的論述、譯文、報告等，包括氣象學、土壤學、植物生理學、植物營養學、植物病理學、農用昆蟲害蟲學、普通作物栽培學、農業經濟學多個方面。⑥

【066】《醫學新報》

1907年5月在日本千葉創刊。中國醫藥學社發行。月刊。[①]

【067】《天義報》

中國最早宣傳無政府主義的刊物。1907年6月10日在東京創刊，天義報社出版。社址在東京牛込區新小川町二丁目8番地。編輯及發行人為劉師培（光漢）、何志釗（何震）夫婦，主要撰稿人還有汪公權、陸恢權等。第2卷刊登其發起人為陸恢權、周怒濤、何震、張旭、徐亞尊、殷震。旬刊，後改為半月刊。白報紙鉛印，每冊四十頁左右，售價一角。欄目有：論說、學理、時評、譯叢、來稿、雜記等，卷首有圖畫。該刊初為「女子復權會」的機關報，後來也是「社會主義講習會」的機關報。內容除了提倡女界革命外，還提倡種族、政治、經濟革命。第10卷以後，遷至上海出版。現存最後1卷，是1908年3月15日出版的第19卷。[①②⑥]

【068】《衛生世界》

清末留日學生創辦的通俗性醫療衛生雜誌。1907年6月11日在金澤創刊。月刊，每逢初一刊行。金澤市白山町146番地中國國民衛生會發行，編輯兼發行人署中國國民衛生會幹事，由金澤市下木多町一番丁五番地鶴文堂印刷出版。第1期刊有中國國民衛生會敘文、中國國民衛生會章程。主要內容有：通俗簡易療法、傳染病的預防法、家政衛生講話、衛生叢談、中外紀事等。出版五期後停刊。[①]

【069】《大同報》

清末改革派刊物。1907年6月在東京創刊。月刊，編輯兼發行者署名叔達，其主幹人物實為留日學生恆鈞（十豐）、烏澤聲等。恆鈞為清宗室，主張君主立憲。主要撰稿人有恆鈞、烏澤聲、穆都哩、佩華、隆福、榮陲等。印刷者為上村龍之助。編輯所和事務所設在東京早稻田鶴卷町493號大同報社，第4期（1907年11月10日）起遷至早稻田鶴卷町285號。發行所為北京大同報社，在北京崇文門方巾巷公益報館內。該刊「以提倡立憲，融合滿漢為惟一宗旨」，有四條具體主張：（1）建立君主立憲政體；（2）開國會以建設責任政府；（3）滿漢人民平等；四、統合滿漢蒙回藏為一大國民。內分圖畫、論說、論著、評著、來稿等專欄。共出版了7期。1908年3月27日改為《大同日報》，日出兩大張。報館設在北京琉璃廠土地祠內。[①②⑥⑬]

【070】《遠東聞見錄》

1907 年 7 月 19 日在東京創刊。編輯人為雷昭性、段瑞蘭，總經理為李士鋭。編輯發行所在東京神田區三崎町三丁目 1 番地陸軍部留學生監督處。初為旬刊，第 3 號起改為半月刊。該刊創辦時指出：「雖吾國新聞亦能兼採外事以資採擇，然以機關尚未靈通之故，於列邦對我之陰謀，尚有未能周知者。日本各種新聞指不勝屈，於歐美各國政策，實能於每日搜集無遺，而亞東尤詳。用是特組織斯報，匯集日本諸報而選其關係吾國者一一譯之輸入吾國，以廣見聞。」欄目有圖畫、論說、外交、軍事、殖民、實業、經濟、交通、世界要聞、小說等。①⑥⑩

【071】《科學一斑》

1907 年 7 月 6 日在日本創刊。由留日學生組織的科學研究會出版。每冊約七十頁，道林紙印刷。有教育、國文、歷史、地理、音樂、體操、博物、理化、算學等欄目。出版第 4 期後停刊。⑥⑫

【072】《秦隴報》

一作《秦隴》，清末留日陝甘學生所辦的革命派刊物。1907 年 8 月 28 日在東京創刊。編輯兼發行者為秦隴報社，党積齡（松年）、郗朝俊、高又民等主編，經理人為楊銘源。國內西北各地和上海、漢口等地亦有發行。月刊。宣揚社會改良主義，提倡民權、平等思想，反對君主專制制度，欄目有：論說、政治、教育、實業、軍事、時評、譯件、小說、文苑、新聞、關隴匯聞、選稿等。對西北地方的政治、經濟、軍事等提出改革方案，並介紹西方的先進技術和新知識、新觀念。只出版了 1 期，即因內部意見不合，於 1908 年分為《關隴》與《夏聲》出版。①②⑥

【073】《晉乘》

山西留日學生所辦的革命派刊物。1907 年 9 月 15 日在東京創刊。編輯兼發行者為晉乘雜誌社，由景定成、景耀月、谷思慎、榮炳、榮福桐等主持。社址在東京神田區仲猿樂町 5 番地。月刊，實際上是不定期刊物。欄目有圖畫、論著、晉語、文藝、附錄等，內容側重論著；大多採用白話，文字通俗易懂。24 開本，第 1 期用小字印刷，第 2 期起改用大字印刷，1908 年 6 月 5 日出版至第 3 期因經費缺乏而停刊。該刊對山西省的鬥爭活動起了一定的指導作用，曾有相當影響。①②⑥⑬

【074】《東洋新報》

清末的君主立憲派刊物。1907 年 10 月 1 日在東京創刊。①⑧

【075】《政論》

清末立憲派刊物。1907 年 10 月 7 日在東京創刊，梁啟超策劃，蔣智由主編，是在日本成立的政聞社的機關報。以「造成正當輿論，改良中國之政治」為宗旨，宣傳改革思想，反對暴力革命。原定為月刊，但第 2 期以後便開始脫期。每期約六十頁，欄目有論著、譯述、批評、記載、條錄等。鼓吹立憲政治，標榜要「實行國會制度，建設責任政府」，主要撰稿人有梁啟超、蔣智由、黃可權、麥孟華、熊崇煦等人。第 3 期起遷至上海，出版至第 9 期。1908 年 8 月 13 日，清政府以「糾結黨羽，化名研究時務，陰圖煽亂，擾亂治安」為名，查禁政聞社，《政論》亦被迫停刊。②⑥

【076】《粵西》

清末留日學生宣傳革命的刊物。1907 年 11 月 15 日（光緒三十三年十月初十）在東京創刊。廣西留日學生劉崛、陸涉川負責籌備，總編輯卜世偉。社址在東京神田猿樂町 2 番地 74 號。月刊，每冊至少 100 頁；訂購全年，價銀兩元。欄目有：論著、譯叢、時評、小說、文苑、談叢、雜俎、訪函、記事等。1908 年出版至第 7 期停刊。①②⑥

【077】《四川》（*The Sze Chuen Magazine*）

清末四川籍留日學生會組織所辦的革命派刊物。1907 年 12 月 5 日（光緒三十三年十一月初一）在東京創刊。編輯兼發行人署名雷鐵崖，實際主持者為吳玉章。社址在東京府北豐島郡下戶冢村 595 番地，第 3 號社址改為東京府北豐島郡下戶冢村 602 番地。月刊，每冊約一百六十頁。該刊是在《鵑聲》的基礎上改組而成的，設有圖畫、論著、譯叢、時評、雜俎、文苑、演出辭、來稿、大事記等欄目。第 4 號剛出版，就被沒收。日本當局指控該刊鼓吹革命、激揚暗殺，煽動日本殖民地反對帝國和天皇，結果法庭判決查禁該刊，科罰金 100 元，判編輯發行人吳玉章有期徒刑半年，緩期執行。該刊遂告結束。①②⑥⑬

【078】《河南》

清末革命派的宣傳刊物。1907 年 12 月 20 日在東京創刊。由中國同盟會河南分會主辦。編輯者署名武人、朱宣，實際上是由劉積學任主編，張鍾瑞任發行人，另設編輯、翻譯、會記、書記、庶務、監察各一人，均屬義務職責。創辦時，同盟會會員劉青霞曾拿出 2 萬元充當基金。發行所設在東京府下豐多摩郡大久保百人町 303 番地。月刊，原定於每月朔日（初一）發行，初期因急欲發刊以快時望，特於定期之前早挪十日（即二十日）發刊；後因組織出版《二十世紀之中國女子》，致使《河南》「一切事務不免遲延，故自第二期起，仍改為每月初一發行。」每期約一百二十頁，售價 2 角。該刊宣稱其宗旨為「牖啟民智，闡揚公理……激發愛國天良，作酣夢之警鐘，為文明之導線。」〈發刊詞〉表示：「外患之迫於燃眉，遂不能不赴湯蹈火」，「為生為死，即在今日，為奴為主，即在今日。」欄目有：圖畫及諷刺畫、社說、政治、地理、歷史、教育、軍事、實業、時評、譯叢、小說、文苑、新聞、來函、雜俎等。內容注重思想文化批判，並有猛烈抨擊孔子的文章。現存最後一期，是 1908 年 12 月 20 日出版的第 9 期。①②⑥⑬

【079】《大江月報》

清末留日學生刊物，1907 年底在東京創刊。月刊。編輯及發行人為夏重民、黃增耆、盧信等。出版數期後停刊。①⑥⑦

【080】《二十世紀之中國女子》

中國留日學生組織河南學生會所辦的婦女雜誌。1907 年在東京創刊。月刊。主筆為恨海女士。該刊的宗旨是「糾正近世女子教育之謬妄，提倡社會女子，注重道德，恢復女權」。①⑥

【081】《關隴》

其前身為《秦隴報》，是陝甘留日學生編印的革命刊物。1908 年 2 月 2 日在東京創刊，月刊，書本形式，每冊兩角兩分。社址設在東京神田區西小川町二丁目西番地。該刊宣稱以「提倡愛國精神，濬瀹普通智識」為宗旨，欄目有：圖畫、論著、譯述、實業、時評、專件、譯叢、紀事等。1908 年 4 月 15 日出版至第 3 期後停刊。①⑥⑬

【082】《國報》

清末留日學生宣傳革命的刊物。1908 年 2 月 3 日在東京出版，由國報雜誌社編輯及發行。曹澍主編，撰稿人狄海樓、景耀月等。月刊，每冊兩角。社址在東京神田區仲猿樂町五番地。該刊聲稱其宗旨是「指導國民獨立，提倡地方自治」。主要欄目有：圖畫、論著、譯述、附錄等。內容主張民主和愛國，但革命傾向不很明顯。①⑥⑦

【083】《夏聲》（*Sharh Shing*）

陝甘留日學生所辦的刊物。由《秦隴報》改組而成，1908 年 2 月 26 日在東京創刊。編輯兼發行者為夏聲雜誌社，社址在東京小石川區第六天町 40 番地。楊銘源任發行人，趙世鈺任總編輯。主要撰稿人有俠魔、尊俠等，于右任、張季鸞亦曾發表詩文。欄目有：論著、時評、學藝、雜纂、時事匯錄、列國時局一覽、附錄等。第 7 期增加了用白話寫的通俗講話一欄。現存最後一期，是 1909 年 9 月 5 日出版的第 9 期。①②⑥⑧

【084】《學海》

清末的綜合性學術刊物。1908 年 2 月 29 日在東京創刊。京師大學堂留日學生編輯社編，社址在東京本鄉西須賀町 9 番地。月刊，每冊五十餘張，售價銀元 3 角。編撰人員有沈家彝、貝壽同等四十餘人。該刊得到清政府大臣的資助，出使大臣李家駒等曾為本刊作序。內容分為兩部份：（1）甲編——哲學與社會科學，欄目有圖畫、法律學界、政治學界、文學界、小說、商學界、叢談、附錄等；（2）乙編——科技性論著，分為理、工、農、醫等方面。甲編共出五期，乙編共出四期，1908 年 6 月停刊。①②⑥⑧

【085】《東亞月報》

1908 年 4 月 10 日在東京創刊，是黑龍會機關刊物《黑龍》的改刊。月刊。由日本人宮崎宣芷、武田范之、小室友次郎主辦。同年 9 月 1 日出版至第 5 期後停刊。①

【086】《衡報》

中國早期無政府主義刊物。1908 年 4 月 28 日秘密在東京創刊。創辦人為劉師培、何震夫婦，是社會主義講習會的出版物。該刊為掩人耳目，以「澳門平民社」的名義編輯發行。鼓吹無政府革命，號召農民抗稅和工人罷工。1908 年 10 月被日本政府查禁，共出版了 11 期。②⑥

【087】《滇話報》

清末雲南籍留日學生所辦的刊物。1908 年 4 月在東京創刊。東京滇話報社出版，社址在東京下谷區上野町二丁目 24 番地。主編為劉鍾華，發行代表者為李長春。月刊，每冊售價 1 角。「經費由募捐而成」，曾得到《雲南》創辦人李根源、趙伸等人的資助。該刊聲稱「純用漢語體演出，雖婦孺亦能讀。」宣傳愛國救亡和收回利權，揭露清政府統治的黑暗，提倡普及教育和思想解放。欄目有：社說、來信、小說、談叢、大事記等。1906 年創刊的《雲南》是其姐妹刊物，常刊登介紹《雲南》的廣告和文章。現存最後一期，是 1909 年出版的第 6 號。1910 年 3 月併入《雲南》。①②⑥

【088】《武學》

清末留日學習陸軍的學生團體所辦的刊物。1908 年 5 月 30 日在東京創刊。月刊，大 32 開本，洋裝鉛印。由武學編譯社編輯，編輯兼發行者，第 1 期至 9 期署陸光熙、方日中，第 10 期署覃鎏欽，第 13 期至 14 期署總編輯王徛昌、姜梅𡽪，總經理黃郛。社址設在東京西谷區坂町 114 番地，總發行所在北京前門外虎坊橋北洋陸軍圖書館編譯局。該刊聲稱以「專研究最新武學，冀補內地軍事教育所不及為宗旨」，主張要注意研究軍事教育和軍事建設。欄目有：圖畫、社說、教育、學術（步科、工科、炮科、憲兵科）、雜俎、文藝、小說、調查（內國之部、外國之部）。①②⑥

【089】《教育新報》

清末留日學生所辦的刊物。1908 年 5 月 30 日在東京創刊。留日湖北教育會編輯及發行，正、副會長為張國溶、匡一，會址設在東京神田區三河町一丁目 14 番地。印刷者為荻原勝次郎。月刊，實為不定期刊物。該刊「以輸入關於教育之新知識，謀內地教育之完全發達為宗旨」。欄目有：論說、演說、報告、附錄等。現存最後一期，是 1909 年 4 月 15 日第 3 號。①

【090】《支那革命叢報》

清末留日學生所辦的時事性刊物，內容以報導革命黨起義為主。1908 年 7 月 8 日在東京創刊，通訊處署東京神田駿河鈴木町中國留學生會館轉交李修文。半月刊，每逢初十日、二十五日發行。32 開本，每冊約五六十頁，售價 1 角。欄目有紀事、電叢、論著、專件、調查、歷史、傳記、小說、文苑、雜俎、餘錄等十餘種，內容均與革命問題有關。①②⑥

【091】《江西》

江西留日學生創辦的革命刊物。1908 年 7 月 9 日在東京創刊，愍生等主編。名為月刊，實為不定期刊。該刊聲稱「以引導文明、濬發民智、鼓吹地方自治、圖謀社會公益」為宗旨，剪除弊俗，灌輸最新學說，鼓舞國民精神。欄目有：論著、譯叢、時評、文苑、雜俎、雜記、來函、調查、專件、紀事等。內容着重記述江西人民生計的凋敝和吏治的腐敗，強調發展教育和實業，主張用革命手段推翻清朝的封建專制統治。1909 年 6 月 10 日出版第 4 期。①②⑥

【092】《梅州》

1908 年 11 月 13 日在東京創刊，由旅日廣東梅州籍人向津編輯發行，撰稿人多為旅日梅州人或國內梅州人。有濃烈的地方色彩，所載文章和圖畫揭露了梅州地方政治、教育等方面的腐敗，亦有反清、反封建傾向。欄目包括論說、時評、譯叢、文苑、小說、撰錄、雜俎等。第 2 期於 1910 年 1 月出版。⑩

【093】《日華新報》

清末革命派報紙。1908 年在東京創刊，亦有一說謂該報在神戶創刊。五日刊，編輯及發行人為夏重民。①⑦⑬

【094】《法政新報》

1908 年在東京創刊。法政新報社出版，社址在東京牛込市ケ谷加賀町一丁目 4 番地。欄目有：社說、憲法、行政、民法、商法、刑法、訴訟法、國際法、經濟學、監獄學、海陸軍刑法及海陸治罪、憲兵學、警察學、外國語法政會話（英、德、法）、歐美法政留學界通信、日本講師質疑、調查、雜纂、紀事、文苑等。①

【095】《醒回篇》

伊斯蘭教早期中文刊物。1908 年在東京創刊。季刊。內容除有關伊斯蘭教外，也涉及政治。出版不久即停刊。①

【096】《農桑雜誌》

1908 年在日本創刊。詳情不得而知。⑩

【097】《女報》

清末的婦女刊物。1909 年 1 月在東京創刊，女報社出版。①⑩

【098】《新女界》

清末的婦女刊物。1909 年 3 月前在東京創刊。月刊。每冊 2 角。有關該刊的記載，僅見於 1909 年 3 月 14 日《神州日報》。①

【099】《海軍》

1909 年 6 月 1 日在東京創刊。留日海軍同學會編輯發行，發行處在東京赤坂葵町 3 番地海陸軍留日學生監督處。季刊，書本式，白報紙雙面印刷，每期約二百七十頁。每冊售價 3 角。該刊以「討論振興海軍方式，普及國民海上知識」為宗旨，欄目有圖畫、論說、歷史、地理、學術、小說、雜件、文苑、海事新報、海軍口新錄、航業要聞、來稿等。①⑩

【100】《湘路警鐘》

1909 年 7 至 8 月間在東京創刊，由湖南籍留日學生組成的湖南鐵路研究社出版，焦達峰主編。出版第 1 期後，因日本政府干涉而改名《湘路危言》，移至上海發行。欄目有通議、芻言、白話、叢錄等，〈湘路紀事〉按年月日敘述，並加按語評論，具史料價值。內容對張之洞扼殺商辦鐵路工業和借外債出賣路權的行為，有較深刻的揭露。

【101】《中國蠶絲業會報》

清末有關蠶絲業的專門刊物。1909 年 8 月 5 日在東京創刊，中國蠶絲業會事務所編。雙月刊，以振興祖國蠶絲業為宗旨。所載大多是國內各省的蠶業情形和海外各國的銷行狀況，從第 10 期起，作了一些改進。欄目有圖畫、論說、科學、譯叢、調查、問答、拾芳、文苑、記事、雜錄等。出版至第 14 期終刊。

【102】《憲政新誌》

清末宣傳君主立憲的刊物。1909 年 9 月 14 日在東京創刊，由諮議局事務調查會出版。該會是一個右翼留日學生團體，主辦人張君勱，編輯及發行人為事務調查會編纂科長吳冠英，發行所為上海諮議局事務調查事務所。月刊，每冊約六十頁。欄目有：論著、時評、譯述、記載、調查、文苑等。內容主要論述中國應如何建諮議局和國會，介紹國外有關憲政的理論及外國人對中國立憲的意見等。現時所見最後一期是第 12 期。[①⑥⑭]

【103】《學林》

1909 年至 1910 年間在東京創刊。學林處編，編輯人為章絳（章炳麟）。他在該刊發表了多篇文章，第 1 期有〈學林緣起〉、〈封建考〉，第 2 期有〈秦政記〉、〈秦獻記〉、〈文始〉續等。[①⑩]

【104】《中國商業研究會月報》

亦作《中國商業月報》，1910 年 3 月 10 日在東京創刊，是中國商業研究會所辦。月刊，每冊八十餘頁。以振興祖國及華僑的商業為宗旨，內容有論說、學說、調查、統計、英文等。[①⑥]

【105】《教育今語雜誌》

清末光復會的機關刊物。1910 年 3 月 10 日在東京創刊，署共和紀年二千七百五十一年正月二十九日。編輯兼發行署教育今語雜誌社，社址在東京小石川區大塚町 50 番地。第 3 期起改署庭堅，實為陶成章等創辦，章炳麟（獨角）為主要撰著人。月刊，每期 70 頁。洋裝，書本式。大力提倡「教育救國」，「演以淺顯之語言」。欄目有：社說、中國文字學、群經學、諸子學、中國歷史學、中國地理學、中國教育學、附錄等。1910 年 6 月停刊，共出版了 5 冊、6 期。

【106】《南洋群島商業研究會雜誌》

1910 年 6 月 17 日在東京創刊。是南洋群島商業研究會的會刊，李文權主編。季刊，每冊約四十頁。欄目有圖畫、論說、譯著、文牘、傳記、調查報告、僑音等。內容包括：殖民地問題、僑民問題的論文和譯著，商貿問題調查報告，清政府考察南洋商業和教育的奏摺，外國駐華機構就移民問題發佈的公文，華僑要人傳記、華僑界重要消息，以及會員通信等。現存第 1 期至 4 期。①⑥

【107】《鐵路界》

1910 年 7 月 20 日在東京創刊。中國鐵路研究會編輯部編輯發行，該會是由留日的鐵路專業學生在當年 1 月 16 日所組織。雙月刊，張大義任總編輯。一說楊日新任總編輯，吳樹烈、程宗植、陳其殷為編輯。欄目有論說、時評、歷史、學科、談叢、專件、調查、文苑、中國鐵路大事記、本會紀事、中國鐵路研究會章程等。內容揭露帝國主義掠奪中國路權和清政府媚外賣路的情況，報導了湘、鄂、滇、贛等省保路鬥爭的消息。①②⑥

【108】《中國實業雜誌》

1910 年 10 月在東京創刊。中國實業雜誌社編輯，社長為李文權。北京、上海商務印書館發行。欄目有：圖畫、論說、譯著、專件、傳記、調查、近事、文苑、附錄等。1917 年第 1 期至 4 期，附《橫濱中華商務總會月報》。1917 年 8 月 1 日第 8 卷 8 期起遷至天津，繼續出版至 1919 年第 7 期或以後。①⑥

【109】《浙湖工業同志會雜誌》

1910 年 12 月在東京創刊，浙湖工業同志會出版。24 開本，有圖。內容以工業技術、工業經濟為主，有部分為譯文。①⑥⑩

【110】《中國青年學粹》

1911 年 3 月 10 日在東京創刊。中國青年學粹社編輯發行，四川成都粹記書莊為總發行所，上海民立報館代售。大 32 開，豎排版，鉛印。有正文 60 頁、插圖兩頁。這是一種以中學生為對象的學生雜誌，以汲取西方科學、改革中國教育、弘揚中國文化為宗旨，向中國學生介紹旅日學者的所見、所聞、所感、所思，力倡中西文化合璧。欄目有：插圖、社說、著述、文藝、雜纂、英文（英漢對照）等。形式活潑，文言文，立論新穎，作風嚴謹而兼顧趣味性。①⑥

【111】《留日女學會雜誌》

1911 年 5 月在東京創刊。留日女學會所辦，湖南唐群英主編。發行所在東京神田區女學會雜誌編輯部，上海代辦處為民立報館。季刊，鉛印洋裝，每冊約一百六十頁，附有銅版紙插圖，印刷精良。售價大洋 3 角。該刊「以注重道德，普及教育及提倡實業、尊重人權為宗旨」，欄目有：圖畫、論說、譯著、科學、文苑、譚叢、小說、白話、來稿、附錄等。內容揭露列強侵略和政府專制給民族帶來災難，給婦女帶來痛苦，主張改革政治，仿照英、法等西方國家設立議會，實行共和，改變男尊女卑、三從四德、包辦婚姻等不良習俗和社會積弊，並號召婦女負擔社會重任。①②⑥

【112】《研究會日報》

清末出版的報刊。在東京創刊。有關該刊的記載，僅見於戈公振《中國報學史》。①

【113】《研究會雜誌》

清末出版的雜誌。在東京創刊。有關該刊的記載，僅見於戈公振《中國報學史》。①

【114】《中國商業》

清末的商業雜誌。在東京創刊。有關該刊的記載，僅見於戈公振《中國報學史》。①

【115】《農商雜誌》

清末出版的農商雜誌。在東京創刊。有關該刊的記載，僅見於戈公振《中國報學史》。①

【116】《軍聲》

1912 年 11 月在東京創刊。蔣志清（蔣介石的學名）、杜炳章編，軍聲編輯社發行。月刊，32 開本。內容以軍事為主，欄目有圖畫、論說、學術、調查、記事、特別記事、特別記錄、雜組、文苑、小說等。介紹法、日、英等國家的軍事教育和軍費、武器狀況，刊登日本軍事演習的目擊記及日本兵器數量表，並有國內外及蒙藏大事記。同年 12 月 1 日出版第 2 期。③⑥

【117】《國民雜誌》（*The National Magazine*）

國民黨駐日各支部的機關刊物。1913 年 4 月 15 日在東京創刊。社長為夏之時，副社長為吳作模。總編輯初為鄧澤，第 4 期起為桂念祖。月刊。宗旨為「發揚黨綱，闡明平民政治原理」。主張「共和國以國民為主體」，反對袁世凱專制獨裁，維護民主共和，鼓吹「二次革命」。欄目有：專論、譯論、時事春秋、黨員錄等。同年 9 月出版至第 5 期停刊。②⑥⑦

【118】《讜報》（*The Tang Pou*）

1913 年 4 月在東京創刊。月刊，32 開。原為共和黨旅日支部的機關刊物，1913 年 5 月，共和黨與民主黨合併為進步黨，該刊自第 3 期起，改為進步黨留日東京支部的機關刊物。編輯有王寶經、王邦銓、王燦、方宗鼇、朱德全等 23 人，黎元洪、梁啟超、陳昭常、孫武、汪大燮、熊希齡、張謇為名譽成員。其宗旨為「發揮本黨黨綱，敦促國家改變進步，牖啟國民政治知識」。主要欄目有：論說、專論、譯述、文錄、記載等。⑥

【119】《醒目》、《醒氓》

1913 年在日本創刊。留日宗教團體中華聖公會編輯，同時由上海廣學會和東京中華學會發行。大 32 開本，有英文目次及文章。該刊「以發揚主道、醒世救國救民為主義」，內容包括宗教、哲學、倫理、道德、教育、政治、法律各方面，「凡有益於國家社會風俗人心者，靡不及之」，亦載有少量詩詞雜俎及科學知識。1914 年改名《醒氓》，出版至第 2 卷 1 期（1914 年 4 月）。⑥

【120】《甲寅雜誌》

「二次革命」後反對袁世凱的主要刊物之一。1914 年 5 月 10 日在東京創刊。發起人為胡漢民，主編為章士釗，陳獨秀曾協助擔任編輯工作，撰稿人還有李大釗、高一涵、周鯁生、張東蓀、胡適、楊端六等。月刊，欄目有：時評、政論、通信、論壇、文藝等。態度平和，言論不如海外其他反袁報刊激烈。1915 年 5 月出版第 5 期後，移到上海印刷出版，編輯部則仍設在東京。同年 10 月出版至第 10 期停刊。

1917 年和 1925 年，該刊曾兩度復刊，先改為月刊，後改為週刊。②⑥⑦

【121】《民國》

中華革命黨機關刊物。1914 年 5 月 10 日在東京創刊。由孫中山在日本領導部份國民黨員創辦。總編輯為胡漢民（署名去非），名義上的發行人為居正（署名東辟），參加編輯撰稿的，還有朱執信（署名前進）、邵元沖、田桐、周瘦鵑、蘇曼殊、戴季陶、廖仲愷、汪精衛等，所載文章皆用筆名。屬不定期刊物，大 32 開本，每期二百餘頁。1914 年 7 月中華革命黨成立後，即成為該黨的正式機關刊物。中心內容是擁護孫中山，反對袁世凱。除政論外，還闢有譯述和文藝兩欄。1916 年孫中山離日返國後，該刊隨即停辦。②⑥⑦

【122】《國學》

1914 年 7 月在東京創刊，國學扶危社編印及發行。編輯有呂學沅、丘陵、甄海雄、毛澄宇、文鎬等人。以「導揚國學」為宗旨。16 開本，有圖片。欄目包括圖畫、學篇、文衡、雜筆、詩辭、拾遺、紀錄、前載，內容分為研究論文和古文作品兩大類，表現了文化復古的傾向。僅見 1 期。③⑥

【123】《人籟》

綜合性刊物。1914 年 9 月在東京創刊。編輯人為賴一塵、何荒天等。半月刊。欄目有論說、短評、雜文、小說、世界潮等。內容涉及社會問題，反映勞動階層的生活，並有關於罷工、女權等方面的進步文章。僅有第 1 期。②⑥

【124】《郢中學報》

1915 年 6 月在東京創刊。是湖北郢中（湖北江陵一帶）留日學生所辦的綜合性刊物，大 32 開本，刊期不詳，陸宗輿為該刊題詞。以民生實用為宗旨，內容主要論述教育、經濟、醫、農、工、商等實業，將西方先進技術介紹給鄉親父老，來推動富國強兵的改革。欄目有：論說、學藝、時事、調查等，刊登有關世界經濟、中國財政及農業經濟方面的論述和調查報告，發表介紹紡織工業技術、畜牧業的知識，以及討論地方自治、道德修養、婦女教育等問題的文章，亦有報導時事。文風篤實，重視學術，圖文並茂，令人耳目一新。⑥

【125】《神州學叢》

1915 年 9 月創刊，李大釗主編，季刊，是留日學生團體神州學會的機關誌。該刊反對袁世凱盜竊國政和帝制自為。旋即停刊。

【126】《民彝》

中華民國留日學生總會機關刊物。1916 年 5 月 15 日在東京創刊。李大釗主編。不定期刊。欄目有撰著、評論、通訊、論壇、譯述、調查、雜俎、餘錄、會務等，主要刊載時人探討民國政治、經濟問題的學術文章和評論意見等。反對袁世凱獨裁，並刊登紀念烈士的詩文。因受日本當局干預，第 2 期起，由上海泰來圖書館發行。1917 年 2 月出版第 3 期後停刊。李大釗曾在該刊發表〈民彝與政治〉等文章，反對籌安會和袁世凱復辟帝制。[②⑥⑦]

【127】《民鐸》

民國時期留日學生組織的言論刊物。1916 年 6 月 15 日在東京創刊。學術研究會出版，主要撰稿人有李石岑、嚴既澄、朱謙之等。1918 年 12 月第 5 期起，遷至上海出版。初為季刊，1920 年 8 月第 2 卷第 1 期起，改為月刊，後又改為雙月刊。1931 年 1 月停刊，共出版了 10 卷、52 期。欄目有：論說、譯述、記載、調查、藝文、雜纂等，大量介紹和宣傳尼采、羅素、杜威、柏格森等人的哲學思想。[②⑥]

【128】《陝西留口學錄》

1916 年 10 月 10 日在東京創刊。陝西留日同鄉會會刊，其宗旨是「灌輸知識，啟發事業，敦進鄉治，匡扶民志」。欄目有評論、學術、記載、雜纂等。記載一欄既刊外面的調查材料，供內地同人研究；亦刊內地政治、社會、教育、實業、地理、人文等方面的調查，以便於研究治理和改良的方法。僅見一期。[③]

【129】《留日大高同學會會報》

留日學生刊物。1916 年在東京創刊，留日大高同學會幹事編，該會俱樂部出版。創辦目的，是為中國留學日本的學生建立通訊錄，以便交流信息，並留作紀念。欄目有寫真、報告、同學錄、附錄等。同年 6 月出版第 2 號。[③]

【130】《神戶華僑商業研究會季報》

1916 年在神戶創刊。是神戶華僑商業研究會的會刊，楊壽彭編。商業季刊，大 32 開本。欄目有論說、選論、譯叢、商品學、文苑。該刊登載一些商業方面的論說，介紹商品學、貿易方法和日本的商法，也有文藝天地，主要為當地華僑服務。1917 年 10 月出版至第 7 期。③⑥

【131】《精神》

版權頁題作《精神雜誌》，1917 年 1 月在神戶創刊。中國精神研究會主辦，編輯鮑芳洲，該會函授部發行。季刊。封面題名上有「催眠術專門研究」字樣，旨在「提倡催眠學術，灌輸科學知識」。刊登有關催眠術的研究、論述及該會的函授講義，並載有關於催眠術研究試驗的照片。同年 6 月出版第 2 期，停刊時間未詳。⑥⑧

【132】《山東實業學會會誌》

民國時期山東旅日學生組織所辦的刊物。1917 年 3 月在東京創刊，山東實業學會出版。季刊，于聯五主編。該刊主張振興民族經濟，研究並介紹與發展農、工商各業經濟有關的理論、技術，報導山東經濟的發展狀況，欄目有通論、農業、工業、商業、譯叢、調查、雜俎等。停刊日期不得而知。②⑥

【133】《中華藥學雜誌》

1917 年 4 月在東京創刊，是東京留日中華藥學會會刊，先後由施明、王長春任主編（一說江聖陶主編）。半年刊。旨在引進國外先進藥學成果，以促進中國藥學事業的發展。欄目有：論說、譯叢、調查、雜錄、會務等，內容包括關於藥品成份及製造的研究成果，翻譯國外專家的著作、報告、參觀和實習心得，以及各種實驗結果等。出版至 1918 年 11 月出版至第 3 期停刊。②⑥⑧

【134】《學藝》（*Wissen und Wissenschaft*）

民國時期的綜合性學術刊物。1917 年 4 月在東京創刊，旅日學生團體丙辰學社主辦。季刊，第 2 卷第 4 期起改為月刊。欄目有撰著、譯叢、評論、雜俎、文苑等，主要刊載有關政治、經濟、軍事、教育、哲學、科技等方面的學術論著。抗日戰爭期間一度停刊，1947 年 1 月在上海復刊，卷期續前，至 1949 年已出版第 19 卷。其後仍繼續出版，停刊日期不得而知。②⑥

【135】《神州學叢》

1917年9月在東京創刊，是旅日學生組織神州學會的機關刊物，季刊，李大釗主編。欄目有選著、講演、時評、通訊、譯述、雜著等，主要刊登政治、經濟、道德、教育等方面的論著，介紹國外財政經濟、科技、教育的發展狀況；此外，還報導國內外的重要新聞，反對袁世凱盜竊國政、帝制自為。旋即停刊。②⑦

【136】《教會警鐘》

1917年創刊，東京留日中華聖工會編。季刊，1922年出版至第23期停刊。⑧

【137】《實業雜誌》

1920年4月在北海道創刊。中華民國留日北海道帝國大學同窗會編輯發行。年刊。旨在喚醒國民，鼓吹實業救國，提出「欲興教育，則實業教育尤為當務之急，苟無實業教育以啟迪之，則實業之興無由普及，國勢發達難期鞏固」。該刊主要發表農林牧副漁業方面的論述和譯著，介紹國外先進經驗，並對改善國內實業狀況，提出了意見。1922年3月出版至第3期停刊。⑥⑧

【138】《留日高等工業學校同窗會志》

1920年4月創刊，是東京留日工業學校同窗會會刊。年刊。1921年5月出版第2期後停刊。⑧

【139】《醫藥》(*The Medical and Pharmaceutical Journal*)

1920年10月在千葉創刊，由千葉縣千葉町中國醫藥學社編輯發行，16開豎排版鉛印。旨在聯絡中國醫界，研究中國醫學，介紹醫學新知識，倡導中西醫結合。欄目有論說、原著、實驗談、譯述、摘錄、通俗講話、雜談、社志等，發表中國醫藥學社社員研究醫藥學的論文、譯著，刊登實驗報告、病例病案，介紹醫藥衛生常識、從醫心得，解答疑難問題。⑥⑧

【140】《台灣民報》

1920年在東京創刊。謝春木編，株式會社台灣雜誌社發行。週刊，屬新聞刊物，旨在報導台灣社會、政治、經濟情況，宣傳民族獨立，反對日本殖民統治。欄目有社說、評論、時事、小言、世論、雜錄、學藝等。1927年7月22日出版至第166期。③

【141】《機械》

約於 1920 年在東京創刊，是留日東京高工機械科同窗會所辦。刊期不詳，32 開本。主要登載與機械製造有關的學術文章、設計圖和計算過程，以及有關日本工業的調查報告等。共出版了 3 期，停刊時間不得而知。⑥⑧

【142】《教育》

民國時期留日中國學生創辦的教育學研究刊物。1921 年 1 月 15 日在東京創刊，東京高等師範學校教育社發行。季刊，16 開本，各期頁碼連續。設有論說、研究、介紹、調查、雜錄等欄目，主要刊載關於中國教育問題、教育理論的研究論文和調查報告。撰稿人有楊正宇、李宗武、王惕、陳公博、王駿聲、林本、程時奎等。第 2 期及第 3 期在上海的中華書局印刷。⑥

【143】《興化》（*The Hingwha*）

1921 年 12 月在東京創刊。興化雜誌社發行，發行者李祖蔚。季刊，16 開鉛印。該社採社員制，規定社員有納費及投稿的義務，並可免費領取一份雜誌。該刊以「振興文化，改良社會」為宗旨，欄目有論說、研究、譯述、調查、小說、雜談等，內容包括國際政治、經濟形勢的評述，社會問題的探討，傳染病防治措施的研究，國外教育制度及留學生近況等，亦發表文藝作品，範圍頗為廣泛。⑥

【144】《東亞醫學》

1922 年 1 月在東京創刊。黃天民主編。出版至第 5 期停刊。⑮

【145】《留日學生學報》（*Revue Universelle Organe des Etu diants Chinois au Japan*）

1923 年 2 月在東京創刊。中華民國留日學生總會編輯部編，該會出版部發行。雙月刊，16 開鉛印。學術刊物，包括對蘇俄革命和新經濟政策的評論、日本自治問題、文學、教育和相對論等方面的著譯文章，以及文學評論、詩作等。③⑥

【146】《台灣民報》

1923 年 4 月 15 日在東京創刊。林呈祿編，台灣雜誌社發行。週刊，屬政治性刊物。載有〈二十一條日華協約歷史〉、〈帝國議會大事記〉、〈地方自治制概論〉等。

第 1 期及第 2 期的文藝欄目中，載有胡適的喜劇作品〈終身大事〉。1927 年 7 月 22 日出版至第 166 期。1930 年 3 月第 305 期起改名《台灣新民報》，期號續前。1932 年 4 月改為日報。③

【147】《三五》

1923 年 4 月在東京創刊。由中國國民黨日本東京支部編輯，上海民國日報館發行。刊期不詳，16 開本。內容主要是國民黨關於中國各種問題的看法和評論，探討社會問題與中國命運，闡述國民黨的主要任務方針，還有一些文藝作品和關於日本的介紹等。⑥

【148】《曙滇》

1923 年 5 月在東京創刊。由雲南留日學生張天放、寸樹聲發起組織的曙滇雜誌社創辦，得到旅日、旅緬僑胞及省內外同鄉資助。寄上海印發，其負責人先後為復旦大學雲南籍學生張耀參及留日回滬開設東方醫院的雲南人張德輝。月刊，以謀求雲南社會經濟的改造為宗旨。1925 年停刊。④

【149】《東工同窗》

1924 年在東京創刊，由中華留日東京工業大學學生同窗會發行，負責人兼編輯谷宗憲。年刊，16 開本，有照片、圖表。這是該校中國留學生的習作園地，內容主要為工業設計與介紹，論文報告一欄，專載同學的研究成果。至 1937 年 1 月，共出版了 14 期。⑥

【150】《留日山西同鄉會年刊》

1925 年 3 月在東京創刊。東京留日山西同鄉會刊物，以研究學術、交換知識為宗旨。欄目有論著、譯述、調查、文藝、雜俎、附錄等，主要內容涉及政治、經濟、法律、哲學、教育、心理、科學知識及文學評論、詩歌等方面，同時介紹留日山西同鄉會的情況。僅見創刊號。②③⑥

【151】《國民評論》

1925 年 6 月 1 日在東京創刊。中國國民黨東京支部主辦和編輯，是時政刊物。半月刊，24 開本。其宗旨主要為喚起國民的政治覺醒，號召留日知識份子和華僑工商界人士積極參加國民革命戰線的工作。同年共出刊 3 期。⑥

【152】《北伐》

1926 年在東京創刊，東京中華留日各界北伐後援會編輯和出版發行。24 開本，不定期刊。該刊為時事政治刊物，支持廣州國民政府北伐，反對軍閥和帝國主義。內容除政治文章外，還有關於日本各界對中國北伐戰爭的反映、蔣介石答日本《朝日新聞》記者等報導。⑥

【153】《時代》

中國旅日青年社團所辦的刊物。1928 年 3 月在日本創刊，中華青年會主辦，松社編輯部編輯兼發行。32 開鉛印本。僅見創刊號。⑥

【154】《同仁醫學》

1928 年 6 月在東京創刊。入澤達吉主編，日本東京同仁會發行。月刊。第 17 卷第 7 期（1939 年）起，改名《同仁會醫學雜誌》，小野得一郎主編，出版至第 18 卷第 11 期（1944 年）停刊。中日文兼有。⑮

【155】《雷聲》

中國留日學生社團在東京創辦的綜合性刊物，創刊時間大約在 1929 年 1 月。月刊，但常有脫期；大 32 開豎排，每期三十頁左右。旨在樹正氣，以公正的言論引導留東界學生。內容主要評論國內外時局，抨擊「辱國喪權之國民黨政府」，亦有介紹著名學者及其學術研究，還刊登雜感、小說、詩歌和通信等。⑥

【156】《同澤季刊》

1929 年 2 月在東京創刊。中華駐日同澤俱樂部主辦。季刊，24 開本。主要刊登各學科的文章，包括政治、財經、金融、教育、軍事，以及鐵道、船舶、農業、法律與警察等方面，此外還有遊記、詩歌等文學作品。第 3 卷 1 期（1931 年 1 月）起，改為《同澤月刊》，欄目有時事評論、新年徵文、學術論著、海外采風錄等，第 3 卷 4 期為「三週年紀念號」。⑥

【157】《新醫藥觀》（*Medical and Pharmacological Review*）

1929 年 2 月在大阪創刊。醫藥專業性月刊，大 16 開本，非賣品。封面有民國紀年，封底有日本昭和年月。設有論著、臨床實驗、治療與藥物、醫林瑣談、武田牌新藥介紹等欄目。出版至 1943 年。⑥

【158】《中華民國》（*The Chung Hwa Republic*）

1929 年 3 月在東京創刊，是旅日華僑團體中華民國社所辦的刊物。主要發表政論性質的文章，批評國民黨獨裁政治，評論國民政府的外交政策，此外還有關於國際政治及歐洲勞工問題的譯述。同年 9 月出版至第 5 期。⑥

【159】《檢討》

1929 年 5 月在東京創刊。中華留日青年會主辦。初為半月刊，第 7 期以後改為月刊。16 開本。該刊是中國國民黨黨員所辦，聲稱「一方面對主義極力闡揚，一方面對國內反動事實極力揭發」，主要發表政論性文章和政治雜文。以擁汪反蔣的立場，評論國內政局，抨擊新軍閥勢力，又對蔣介石的南京政府提出批評。至 1930 年 1 月，共出版了 12 期。⑥

【160】《中華民國留日東京工大學生同窗會學藝部月刊》

約於 1929 年在東京創刊。中華民國留日東京工業大學學生同窗會學藝部編印。編輯為龍慶忠，發行人為余家璆。科技月刊，主要刊載科技方面的短篇文章，論述當時中國的工業狀況及日本機械工業發展趨勢；還有該會工作報告、函件，報導該校校聞等。⑥

【161】《學術界》

1930 年 11 月在東京創刊。中華留日明治大學校友會編輯出版。季刊。欄目有論著、講演、譯林、資料、雜報等，主要刊登學術論文；其內容為研究政治學、經濟學的基本理論，探討國際關係、社會、文藝等方面的學術思想。1933 年 1 月停刊。1935 年復刊，卷期另起，至 1937 年 4 月終刊。②⑥

【162】《海外黨聲》

1930 年在北平（今北京）創刊，北平中國國民黨海外各地代表聯會辦事處主辦。月刊。第 8 期起，改由日本東京直屬支部黨務整理委員會出版，同時改為半月刊。其後情況不詳。⑥

【163】《同澤月刊》

1931 年 1 月起出版，由《同澤季刊》改名而來。從第 3 卷 1 期開始，出版至第 3 卷第 6 期。⑥

【164】《中華民國留日東京工業大學學生同窗會季刊》

1931 年 7 月在東京創刊，中華民國留日東京工業大學學生同窗會編輯和發行。原定按季出版，因受九一八事變影響，停刊 1 年，1932 年 8 月復刊，改名為《中華民國留日東京工業大學學生同窗會會刊》。該刊為科技類刊物，發表該會學生的學術論文和科研成果，介紹世界最新科技消息，用以報效「我們產業落後的中國」。內容包括物理學、化學、力學及工、農業技術方面的著述，也刊登雜文報導該會會務等。⑥

【165】《海外公論》

1931 年 12 月在東京創刊。中華留日基督教青年會主辦並編輯，由上海倉頡印務有限公司出版發行。月刊，16 開本，是政治刊物，以日本侵華、九一八事變為主題。第 1 期為「東北問題專號」，從不同側面反映和分析日本的侵華態勢。⑥

【166】《牛頓》

1932 年 11 月在東京創刊。是中國牛頓社社刊。朱光憲、王毅之、陳華洲、毛達庸編輯，胡兆輝、高慶春發行。月刊，但有脫期情況。以研究理工學術、提倡中國工業為宗旨。內容包括工業技術發明、理工試驗報告、工業原料研究、製造方法研究、工業調查記錄、工廠經營管理方法、工業新聞、科學消息以及相關譯著，涉及的範疇頗為廣泛。1934 年 1 月改名為《工業》，1935 年再改名為《中國工業》，1936 年恢復用《工業》之名，至 1937 年 7 月停刊。②⑥

【167】《自然學會會刊》

1932 年 12 月在東京創刊，由中國留日學生學術團體自然學會編輯和發行。該會會員關中哲、甘塵囚任編輯，余頌堯負責發行。16 開鉛印，非賣品，函索付郵資即奉送。以「研究學術，推進文化」為宗旨，發表有關數學、物理學、生物學、工程學、社會學、哲學、文學等自然科學和社會科學的文章，注重科學根據，強調科學本身的內容和本質，以及各科學群的關聯性，思想較為活躍。⑥

【168】《工業》

原名《牛頓》，1932 年在東京創刊。為了更直接地反映該刊的內容，1934 年 1 月第 3 卷第 1 號起改名為《工業》；後因與日本某刊重名，無法註冊，1935 年第 4 卷第 10 號起，再改名《中國工業》。1936 年 1 月遷至南京出版，第 6 卷 1 號起重新名為《工業》。該刊以「振興中國工業」、「開發國有資源」為宗旨，主要刊載理工方面的論著和譯述。前 5 卷不分欄目，第 6 卷起闢有時評、本事、通俗講義、小工業、工業新聞等欄目。1937 年 7 月停刊。②⑥

【169】《東亞醫報》

1933 年 1 月在東京創刊，東亞醫學社主編。月刊，1941 年 3 月出版至第 9 卷 3 期停刊。⑮

【170】《河北留東年刊》

1934 年 3 月在東京創刊。河北駐日留學生經理處出版發行。年刊，16 開本。旨在鼓舞讀書興趣，交流研討，並向中國國內提供建議。內容以經濟、教育、醫學為主，欄目有論著、譯述、遊記、附錄等。⑥

【171】《大鐘》

1934 年創刊。東京中華青年會大埔留日同學會會刊，由該會編輯及出版發行；至 1935 年 7 月，編輯、發行改為大鐘社。24 開本，不定期刊。該刊以介紹世界文化、研究學術、改造家鄉為宗旨，內容包括時事政治評論、詩文、小說等，有大量譯文。第 2 期為「日本介紹專號」，其他各期亦多介紹日本政治、經濟、教育、醫學的文章。⑥

【172】《文化》

1935年1月在東京創刊，由東京中華青年會內山西留日同鄉會主辦，該會文化編輯委員會編輯出版，上海山西留日同鄉會發行。16開本，第2期（1935年11月1日）改為24開本。該刊的主題是評論國際經濟和政治，主要刊登譯自日文、俄文、英文的文章，亦有關於國內政治局勢與經濟的分析，以及少量文學作品及文化評論。⑥

【173】《雜文》

1935年5月15日在東京創刊。杜宣、邢桐華（勃生）先後任主編。月刊，屬文學刊物。主要刊載文學評論、文學創作和翻譯作品，並介紹文學家。撰稿人有魯迅、郭沫若、茅盾等。出版後被禁，同年8月左右出版第1卷4期，改名為《質文》。第2卷1期起，遷至上海編輯出版。1936年11月停刊。②⑥

【174】《詩歌》

1935年5月在東京創刊。雷石榆編輯，東京詩歌社發行，中國國內由上海雜誌公司總發行。月刊，但有脫期。登載反映現實生活的詩歌創作及外國詩人的翻譯作品，並發表詩歌評論。1935年10月出版的第1卷4號，闢有「聶耳紀念特輯」，由魏晉編輯，刊登郭沫若等人的悼念詩歌。⑥

【175】《質文》

原名《雜文》，1935年5月在東京創刊。月刊。第1卷第4期起，改名《質文》；第2卷第1期起，遷至上海出版。1936年11月出版第2卷第2期後停刊。24開本。主要刊載文學評論、文學創作和翻譯作品，並介紹文學家。文章針砭時弊，對當時的社會和文壇現象作了有力的批判。另一方面，評介了世界進步的文藝作品和理論著作，藉以促進中國的新興文藝。第2卷有關於「國防文學」的文章。該刊的撰稿人，有魯迅、郭沫若、茅盾、魏猛克、孟式均、陳辛人、任白戈、張香山、歐陽凡海、林渙平、林林、田漢、陳北歐、豐子愷等。共出版了8期。②⑥

【176】《留東新聞》

1935年6月在東京創刊。主編兼發行人為傅襄謨，中華青年會留東新聞社出版。第11號起，編輯兼發行人還有張健冬、簡泰梁。週刊，8開紙，每期2張4版，屬綜合性刊物。主要刊登留日學生的著作，內容有國內外新聞、文化理論探討、招生廣告、世界知識、文藝作品、讀者信箱等，並介紹中國留日學生的生活、學習和工作情況。1937 年 1 月出版至第 59 號停刊。②③⑥

【177】《留東學報》

留日學生所辦的綜合性學術刊物。1935 年 7 月 1 日在東京創刊。留東學報社編，月刊，但時有脫期；32 開本。其宗旨是反映留日學生的學術研究成果，除了關於國內經濟、政治、文化、教育等方面的學術研究論文外，還選錄外國人對於中國的觀察和批評，介紹外國出版業，並有各國調查統計、日語講座、文藝、讀者園地等。第 1 卷至 2 卷，每卷 6 期；並出有合訂本。1937 年 5 月出版至第 3 卷 5 號。③⑥

【178】《新興美術》

1935 年 7 月 15 日在東京創刊，東京中華新興美術協會編輯發行。大 32 開本，僅有 10 頁。內容分為兩部份：（1）繪畫部分，載油畫作品 7 幅；（2）文字部分，發表美術方面的文章，介紹國外美術流派，報導該會消息。

【179】《日文研究》

1935 年 7 月 18 日在東京創刊，是用中文編刊的日語研究雜誌。⑬

【180】《中國工業》

原名《牛頓》，1932 年在東京創刊。1934 年改名為《工業》，至 1935 年再改名《中國工業》。1936 年 1 月遷至南京出版，恢復使用《工業》為刊名。1937 年 7 月停刊。②

【181】《現代農業》（*The Modern Agriculture*）

1936 年 2 月 10 日在東京創刊。東京農業大學中華留日同學會主辦。不定期學術刊物，24 開本。以研究中國農村生產關係、生產手段，探討農業技術及生產方法為主要任務。設有研究、介紹、論述、講話等欄目，內容包括農村狀況調查分析、植物栽培方法、病蟲害防治、家禽飼養、園藝、日本農業技術及發展情況的介紹等。同年 12 月 10 日出版第 2 期。⑥

【182】《時代文化》

1936 年 4 月 1 日在東京創刊。李東美主編，時代文化社發行。中國國內各大書局代售。大 16 開本政治性刊物，主要登載介紹科學和藝術的翻譯文章，介紹蘇聯的文化、政治等。⑥

【183】《小譯叢》

1936 年 5 月 10 日在東京創刊。東京中華留日學生會主辦，該會小譯叢社出版，發行人鄭太，編輯陳小基、王亞洪。第 2 期至 3 期，編輯改為于行。月刊，16 開本，是綜合性譯文刊物，設有小國際、小研究、小藝園等欄目。內容側重國際政治和文學方面，還有書評和讀書心得等。⑥⑬

【184】《新經濟》

1936 年 7 月 1 日在東京創刊。中華留日青年會新經濟學會編輯出版。16 開鉛印。旨在研究區別於古典經濟學的新經濟理論和現實經濟問題，所刊文章多為論著和譯作，政治傾向不限，包括有關中國、日本、蘇聯和世界經濟的文章。⑥

【185】《理科論叢》

1936 年 7 月在仙台市創刊，中華留日帝國大學理科同學會編輯和發行。季刊，16 開本橫排，鉛印。內容以研究自然科學為主，包括數學、物理、化學、地理、生物、工程等，注重各科最新理論的綜合報告或系統介紹，所載論著和譯述配有大量圖表和公式。⑥

【186】《言殿》

1936 年 8 月 10 日在東京創刊，范德元、田夢嘉主編。月刊。⑬

【187】《文海》

1936 年 8 月 15 日在東京創刊。中華留日青年會文海文藝社主辦，由文海文藝社編輯並發行。郭沫若為其命名及投稿。以宣傳高爾基所倡導的「海燕」精神為宗旨，號召青年們「來迎接這暴風的時光」。內容有中外文學評論和各種題材的文學作品，還介紹世界名著及名作家。16 開鉛印直排，第 1 卷 1 期有 92 頁。⑥

【188】《譯叢月刊》

1937 年 1 月在東京創刊。16 開本。國際時政譯文刊物，全部譯自日文文章。該刊旨在幫助讀者對國際事件中的矛盾、對抗及政局的發展趨勢，有更多的把握和了解，內容主要分析和討論國際局勢及各國動向，側重介紹日本的政治和經濟狀況。⑥

【189】《學聯半月刊》

1937 年 2 月 1 日在東京創刊。中華留日學生聯合會會刊，發行人林楚君，編輯先後為段連榮和該聯合會。半月刊，16 開本。設有短評、時事政治、學生團體、學生生活等欄目。內容以反映中國留日學生的思想和生活為主，重點報導該會組織公演著名話劇《復活》的消息，亦有報導國際時事新聞、中國國內各大學新聞等。同年 5 月，該學聯續出《留東學生》。⑥

【190】《留東周報》

時事政治刊物。1937 年 3 月 1 日在東京創刊，是旅日華僑及青年學生所辦，余仲瑤編輯兼發行。週刊，8 開紙，每期兩張四版。主要發表國際、國內時事評論，介紹日本文化、經濟、政治，並報導旅日華僑和留日學生的消息。同年 5 月出版至第 11 期。③⑥

【191】《留東學生》（*Chinaj Studnatoj en Japanio*）

1937 年 5 月 15 日在東京創刊。中華留日學生聯合會編，首任編輯責任者為王重英，發行人為林策。其前身為 1937 年 2 月創刊的《學聯半月刊》。綜合性刊物，16 開鉛印。欄目有論壇、譯叢、學術、文藝、消息等。該刊發表評論，分析中華民族即面臨的戰爭危險，呼籲全體留日學生團結一致，為拯救國家命運而效力。所刊譯文，重點評述日本的政治現狀及對外政策。學術研究方面，有評價德國古典哲學的進步性等論文。此外，還刊登留日學生的短篇文學作品。僅見 1 期。③⑥

【192】《中華民國四川留日同學會會刊》

1937 年 7 月在日本創刊。編輯者為四川留日同學會執行委員會總務文書邱采芹，由四川留日同學會發行。刊期不詳。16 開鉛印，非賣品。創刊號為「四川建設專號」，全冊 124 頁。論文 8 篇，論述了四川「在民族復興過程中」，政治、經濟、教育、農業、交通及社會事業等方面基本建設的理論和實踐方法。此外，有追悼該會同學吳澤舉的專欄，報導四川災情及國內外賑災情況，該會成立經過及一年來工作概況，會員名錄及會員合照等。⑥

【193】《華文大阪每日》

1938 年 11 月在大阪創刊，大阪每日新聞社主辦並編輯，由該社及東京日日新聞社出版發行，《東京日日新聞》自 1943 年 1 月 1 日起改為《每日新聞》。半月刊，16 開本。內容宣傳親日反共論調，文章有對華輿論宣傳、日本國情介紹、中日名人家庭訪問記、世界新聞、小說雜文等。第 1 卷出版了 4 期，第 2 卷至 11 卷，每卷出版 12 期，1944 年 1 月號為總第 125 號。⑥

【194】《新亞》

1942 年 1 月在東京創刊。東京新亞月報社發行，編輯兼發行人譚清虛。其前身是 1938 年至 1941 年出版的華文刊物《遠東》。月刊。設有特載、論壇、介紹、文壇等文藝欄目，內容擁護汪精衛偽政權的降日路線和政策。出版至 1944 年 7 月。⑥

【195】《學林》

約在第二次世界大戰前在東京出版，具體創刊日期不詳。季刊，設有名言部、制度部、學術流別部、玄學部、文史部、地形部、風俗部、故事部、方述部、通論部、雜錄、韻文部，內容主要是關於中國古代文學、各種學術流派、歷史、風俗習慣等。⑥

【196】《華光》

1946 年 5 月在東京創辦。東京中華民國華光社發行。發行人毛鍾毓，主辦人兼編輯門殿英。16 開本，綜合性刊物。內容以政治、經濟為主，探討新中國誕生的條件，研究中國工農業建設的道路。既轉載蔣介石的《中國的命運》，又轉載毛澤東的《新民主主義論》。⑥

【197】《黃河》

1947 年 5 月在大阪創刊。華人賈鳳池創辦並編輯，大阪黃河社發行。不定期刊物，十六開本。內容包括日本政治、經濟、文化的介紹等，所刊文章有奔流〈日本教育的民主化與中國〉、關〈日本新法的輪廓〉、端木游光〈談談散文〉及蘇柏的創作〈地獄通信〉等。⑥

【198】《華文國際》

1948 年 1 月 1 日在大阪創刊。大阪中華國際新聞社主辦並發行，編輯兼發行人房穎泰；第 1 卷第 2 期起，編輯者改為張良驥；第 2 卷第 3 期起，編輯李文煦、發行人張良驥。旬刊，十六開本。綜合性刊物，內容以中日文化交流、中外關係為主，刊登中日兩國在文化、經貿、外交方面的議論文章，回顧戰爭為兩國及世界人民帶來的災難和痛苦，介紹日本華僑的生活和學習情形。1948 年 10 月 11 日，出版第 2 卷第 11 期。⑥

【199】《華僑報》

1948 年日本華僑在東京創辦的中、日雙語刊物。東京華僑總會出版，每期出版對開紙一張四版，其中一版為中文，三版為日文。後來改為全日文的旬刊，每月 5 日、15 日、25 日發行，4 開紙 1 張 2 版，發行量 5 千份。1990 年代的總編為東京華僑總會副會長殷秋雄，華僑總會理事梁啟成、江洋龍參加採訪、撰稿、編輯、校對、發行等工作。主要讀者為該會會員及在日華僑。內容以介紹中國政治、經濟、文化的最新動態為主，亦有中日關係和在日華僑的各類消息，並連載有關日本華僑歷史的專文。發行量在 5,000 份至 7,000 份。⓪⑪

【200】《中華新聞》

亦作《中華周報》，1952 年 11 月 29 日創刊，是當時台灣駐日本大使館所辦。週刊，中日文合刊。16 開單本型。該刊經常引用美聯社、中央社的電訊，有關台灣情況的介紹較多。1960 年代中期仍繼續發行，以後情況不詳。⑥⑪

【201】《大地報》

1954 年 3 月 1 日在東京創辦。東京華僑總會編，總編輯為韓慶愈。周一出版。1964 年 11 月第 420 號起，由大地報社出版發行，每期四開二版。1969 年 1 月 1 日起，改為每週星期三、星期六出版。著名僑領謝溪秋曾為該報主要撰稿人。內容主要介紹祖國的革命和建設、華僑的團結愛國、中日友好活動、民族獨立解放運動等。1970 年 1 月 12 日出版至第 915 期停刊。

【202】《自由新聞》

原稱《自由中國新聞》，1954 年 11 月 1 日在東京創刊的報紙型刊物。由台灣國民黨人宓汝卓創辦，日本人石井思郎協助。以日文為主，亦有中文。初為旬刊，1971 年 4 月改為五日刊。後由新台僑商汪少庭等多人集資接辦，汪少庭為發行人，王雲慶為社長，其後由張和祥、李建武等擔任。1973 年 2 月再改為三日刊。每期出版 4 開紙 1 張 2 版，第 1 版為台灣要聞，第 2 版為僑團動態，印 3 千份。除日本外，還發行至韓國。1995 年 11 月停刊。⑥⑪

【203】《新亞洲》

1956 年 7 月在東京創刊。發行人王力鵬。月刊，16 開本。內容側重商業宣傳，1960 年代中期仍繼續發行。⑥

【204】《東方文摘》

1960 年 1 月在東京創刊，是雜誌型月刊。發行人黃裕德，至 1960 年代中期仍繼續發行。⑥⑪

【205】《自由中華》

1961 年 1 月 23 日在大阪創刊，由中國國民黨駐大阪直屬支部主辦。月刊，是四開紙一張的油印刊物。⑥⑪

【206】《太平洋經濟評論》（*Pacific Economic Review*）

簡稱《太平洋經濟》，是日本華人所辦的經濟學雜誌。1963 年在東京創刊，發行人兼社長為李國卿。中文、英文、日文合刊，不定期出版。聲稱旨在「倡導、鼓吹、促進太平洋地區合作組織的實現」，內容以理論經濟為主，其次為待開發國家經濟啟蒙、國際關係、日本各種產業及新製品的介紹等，並有輕鬆幽默的歷史小說、稗官野史、世界珍聞、各國風俗習慣、世界著名企業及人物介紹等。⑥⑪

【207】《神戶中華同文學校通訊》

1960 年代在神戶創刊，是神戶中華同文學校校刊。月刊，16 開本，每期 40 頁，廣告達 28 頁。經費主要靠華僑商人的廣告支持。主要報導該校情況，內容有學校生活、華文寫作、中國書法等。⑥

【208】《揚華僑報》(*Yang Hua Chiao Pao*)

1963 年 2 月 25 日創於橫濱的週報。創辦者是國民黨人，在台北設有分社。社長薛來宏，總編輯楊佐華。每星期 3 出 4 開紙 1 張 4 版，內容以報導台灣新聞和經濟新聞較多。有 1 版副刊，稿件主要剪自香港報紙。較受華僑青年歡迎。1969 年停刊，共出版了二百五十餘期。⑥⑨⑪

【209】《中興報》(*Chung Shing Pao*)

1966 年 6 月在橫濱創刊的報紙，半月刊（後改為月刊）。社長劉興堯，發行人王慶仁。地址在橫濱市南區平樂 70 番地。每期 4 開紙 1 張 2 版，有時對開一張四版。內容有社論、國內外大事、短評、翻譯小說連載，要聞除自己採訪的新聞外，主要用台灣中央社電訊，副刊稿件多譯自日本報刊，其中翻譯小說多為井上靖的作品。出版至 1970 年代停刊。⑥⑨

【210】《東北研究》

1968 年 4 月 27 日在橫濱創刊，由留日橫濱東北同鄉會創辦，王慶仁擔任發行人，王良主編。1972 年 1 月 29 日出版第 2 期後停刊。⑨

【211】《社團法人神戶中華總商會報》

1971 年 12 月 10 日在神戶創辦的中文報刊，社團法人神戶中華總商會文化委員會主編，是該會的機關報。內容主要介紹華僑情況和評述有關問題。初為月刊，16 開 8 版；後為不定期刊，中日文並用。⑪

【212】《橫濱華僑通訊》

1973 年 2 月在橫濱創刊，是日本橫濱華僑總會的機關報。地址在橫濱市中區山下町 126–1 中華大廈。早期主要編輯為該會常務理事吳桂顯，繼為馬廣秀。現時的負責人為溫耀權。月刊，中日雙語，而以日文為主，讀者基本上是該會會員。主要報導僑會及僑胞的各種消息，和中國涉台、涉僑方面的動態。發行約三千份。⑤⑥⑪

【213】《關西華僑報》

1976 年 4 月由關西地區京都、大阪、神戶三市的華僑總會聯合創辦。本來各自辦有華僑報紙，至此合為一家。月刊，每逢 25 日發行。每期出 4 開紙 2 張 8 版，發行量三千多份。早期的主要負責人是神戶華僑總會常任理事曾森茂和常任理事文化部長王鄂，其後則為蔡宗杰、楊隆資等。辦報目的是為了加強關西地區華人之間的聯繫，以及促進中日交流；內容主要介紹中國大陸在政治、經濟、文化等各方面的最新動態，還有 3 版分別提供有關京都、大阪、神戶的華僑消息。⑥⑪

【214】《橫濱華僑會報》

1977 年 8 月 15 日在橫濱創刊，日本橫濱華僑總會發行。月刊，每期一大張，共分 4 頁。記述華僑各界重要事項及海內外大事，中日文字混合。出版至 1979 年 10 月，因經費支絀，人手不足，時出時停，至 1981 年停刊，共出版了 25 期。⑨

【215】《廣東同鄉會會刊》

全稱《社團法人廣東同鄉會會刊》，1980 年 12 月 25 日在東京創刊。雜誌型中文季刊，16 開本。創刊號由吳少白為主任委員的編輯委員會編輯，內容有會務活動、華僑歷史、詩文、廣告及「社團法人廣東同鄉會名冊」。第 2 期改由該會文化部編輯。由於日本出生的華裔提出要求，1982 年增設日文版。1985 年，廣東同鄉會成為法人團法 20 週年之際，該刊還出版《紀念特刊》，內容包括該會簡史、章程及會員回憶、感想等文章。⑥⑪

【216】《慶應華報》

台灣留日學生所辦的刊物。1981 年 12 月在東京創刊，是台灣在日慶應會的會刊。不定期刊，慶應大學校長石川忠雄為該刊題字。內容介紹台灣留日學生的學習情況，及有關中日兩國的歷史文化。⑥

【217】《台灣大眾》

1982 年 2 月 28 日在日本創刊，月刊，由獨立台灣會的代表史明創辦。該會曾於多年前發行過 1 份《獨立台灣》（月刊），至 1974 年停辦，所以《台灣大眾》可說是《獨立台灣》的復刊。停刊日期不得而知。⑥⑪

【218】《學林》

1983 年 1 月在京都創刊，半年刊。由中國藝文研究會出版。⑥

【219】《東京商報》

1984 年 6 月 1 日在橫濱創刊，是日本華文報刊史上第一份日報。社長許至誠，台灣人，原籍山東，發行人為吳少白。至同年 7 月 26 日，共出版了 56 期。⑥

【220】《華僑新報》

1985 年 6 月 23 日在東京創刊，華僑新報社發行，是日本的台灣人士所辦。月刊，用中日雙語出版，每期 3 張 12 版，發行量 1 萬 5 千份。以台灣在日華僑為主要對象，提供有關台灣和華僑的最新情報。每年發行 4 次至 6 次彩色特集，慶祝春節、雙十節等節日。1996 年時，已改為全日文報紙，每月 1 期，每期出對開紙兩張。負責人為楊文魁。⑥⑪

【221】《留日學志》（*Chinese Students' Monthly Review*）

1980 年代初在日本創刊，是台灣系的留日同學會會刊。報紙型月刊，中日文並載。1990 年代初，每期出版 4 開紙 1 張半 6 版。總編輯為陳靜婷。

【222】《學園通訊》

1986 年 1 月 1 日在橫濱創刊，橫濱中華學院出版。不定期刊物，每逢新年、節日、校慶等紀念佳日，出版 4 頁至 6 頁。內容除報導學院種種活動和年中行事外，還有教師研究心得、學生作文、美術作品等。⑨

【223】《留學生新聞》

1988年12月1日在東京創刊，是現代華僑華人傳媒中最早的一份華文報紙。總編輯為董炳月，發行人是日籍人士麻生潤。地址在東京都澀谷區櫻丘町22-20-301。初為月刊，每月1日發行4開紙7張至10張（28版至40版）；後改為半月刊，每月1日及15日發行4開紙32版。該刊是日本外國人情報紙聯合會會員，主銷日本語學校。中日文並載，而以中文為主。欄目有焦點新聞、定格日本、世事解說、環球通訊、東瀛華人、中國新聞、日本新聞、世界新聞、歷史聚焦、台灣情勢、校園、讀書前線、藝術世界、財經、體育等。⑤⑥

【224】《外國學生新聞》（*Foreign Students' News*）

1989年2月1日在東京創刊。外國學生新聞社出版，亞洲友誼公司發行，發行人白銀信夫，文萍、李益良先後任主編。月刊，每期出4開紙7張28版，包括日、中、英3種文字，主要讀者是在日本的外國留學生和就學生。內容計有留學生情報、生活情報、國內外新聞、日語講座、最新娛樂情報、人物介紹、問與答等。⑥

【225】《亞洲新聞》（*Ashyu Shimbun*）

1989年4月14日在橫濱創刊。日本亞洲新聞社發行，發行人兼社長是來自台灣的許至誠。其前身為1971年10月10日創刊的《復興新聞》，1980年間先後改名為《亞東新聞》和《東京商報》。《亞洲新聞》為半月刊，每期出對開紙1張。創刊目的是「擔任僑民與僑民、僑民與國家之間的橋樑」。初以中文為主，1996年時為中日文並刊報紙。⑥⑨

【226】《中國留學生》（*Chinese Students Abroad News*）

1991年5月1日在東京創刊。月刊，每月1日出版。其初由中國留學生新聞社發行，每期出四開紙3張至4張12版至16版；後來改由中山國際信息公司發行，中國留學生新聞社編輯。1996年時，總編輯為張靜波。以中文為主，每期約三版為日文。報導中國留學生在日本學習、生活和就職情況，也有關於中國國內問題的材料。⑥

【227】《新交流時報》（*New Com*）

1991年7月25日在東京創刊。新交流株式會社發行，1996年時的主編為陳志宏。報紙型半月刊，每期出四開紙 4 張共 16 版，中日文各佔 8 版。雙向對排，以在日華僑及中國語圈的在日留學生為主要對象。報導中國內地、香港、台灣及新加坡、馬來西亞、印尼等亞洲國家和地區的對日貿易交流，介紹有關企業，提供生活、居住、醫療、福利、法律、教育問題的消息，以及記錄各種交流活動等。除日本外，還在中國內地、香港、台灣出售。⑥

【228】《中日新報》

1992 年 4 月 12 日在大阪創刊。大阪中日新報新聞社發行，地址在大阪市西區江之子島 1–7–3 奧內阿波駅前大廈 12 階 1201 號。社長為劉成，總編輯為孫莉。月報，每月 1 日出版，對開 2 張 8 版，使用中日兩種文字。是日本關西地區少量的中文報紙之一，以關西的中國留學生和部分日本學生為主要對象。中文版內容分為經濟、信息、文化交流、留學生四部分，日文版主要介紹中國經濟、文化，及在中國的日本留學生情況。⑤⑥

【229】《中文導報》（*Chinese Review Weekly*）

1992 年 11 月 15 日在東京創刊。發行人李葉，發行所為中文產業株式會社。週報，每週四發行，每期出 4 開紙 5 張 20 版。發行量 3 萬 2 千份，月發行量在當時號稱日本華文報第一。該報的主要對象是在日華人，綜合反映在日華人社會的生活，提供日本社會及與在日華人相關的信息。欄目有新聞綜述、專題報導、大千世界、大特寫、經濟世界、財經天地、觀察與思考、生活天地、藝能熱線等。1996 年時，社長羅怡文，總編輯毛振奇，發行人李葉。⑥

【230】《中日交流》

1993 年 1 月在東京創刊。日中交流促進會發行。月刊，每期出 4 開紙 3 張至 4 張，12 版至 16 版，中日文合刊。中文版每期約三版左右，雙向對排。日文版佔多數版面。編輯部成員有胡阿童、荒井翼、中村正人、孫丹青、胡劍飛等。在上海有中國聯絡所。1990 年代末已停刊。⑥

【231】《半月文摘》（*Biweekly Digest*）

1993 年 4 月 15 日在東京創刊。半月刊，每月 1 日及 15 日出版，每期出 4 開紙 3

張共 12 版。總編輯為劉言心，日中友朋協議會發行，發行人為馬場武次郎。內容主要摘錄自中國國內的報刊。⑥

【232】《東方時報》

1993 年 8 月 30 日在東京創刊，是中、日雙語報紙。由株式會社東方時報社發行，發行地區包括日本及中國內地、香港、台灣、澳門等地。主編楊有達，編委會成員有秦建勳、許鶴鳴、李相哲、張志豪、祝曉虎、羅耘、林小劍、段躍中等人。初為月刊，對開紙 2 張 8 版。中文版設有日本及國際新聞、在日華僑及留學生專頁等。1996 年 8 月 1 日改為《東方晚報》（中文），仍為月報；同年 10 月 1 日再改為《東方時報》，是中文週二刊報紙。⑥

【233】《華人時報》（*The Chinese Times*）

1993 年 10 月在東京創刊，華人時報社發行。每月 10 日出版 4 開紙 5 張 20 版。聲稱其宗旨是正視現實、振奮士氣、創造未來，以在日中國人及到日本觀光、經營的中國人為對象。設有亞太新時代、大千商界、時報廣場、下筆成文、瀟灑貴族等欄目。1996 年時，發行人為島本一幸，總編輯為趙華。⑥

【234】《華僑之聲》（*The Appeal of Overseas Chinese*）

1994 年 2 月 3 日在橫濱創刊，永昌商事華僑之聲新聞部發行。旬刊，每月 5 日、15 日、25 日發行。共有 8 個版面，包括重點報導、國內要聞、華僑、經濟、婦女天地、大千世界、副刊、大地遊蹤。⑨

【235】《中日產業開發》

季刊，中、日文並載。是 1994 年 7 月 16 日在大阪成立的中日產業開發聯合會的會刊。該會本着「團結、實幹、平等、高效」的原則，發揮「能力、幹勁、合作精神」，為發展中、日兩國間的產業合作和交流作出貢獻。成立當年，即出版了兩期會刊。第 2 號中文版，設有特集、信息 Box、連載 / 中國投資實例分析、亞洲 / 關西經濟、中日文化等欄目。⑥

【236】《中國巨龍》(*Chinese Dragon*)

分日文版和中文版。日文版創於 1994 年 11 月 8 日，是在日本亞洲經濟開發中心和日中文化體育交流協會的支持下，由日本的竹書房株式會社在東京創辦。每週出版 1 期，發行量保持在五萬份左右。1995 年 11 月起出中文版，篇幅初為一版，次年 11 月 12 日起增為 2 版。每月 1 期，採用中國新聞社提供的專稿，對台灣海峽兩岸關係、中日戰爭遺留問題、領土主權問題等作出報導。發行由中國巨龍新聞社株式會社負責，發行人、社長兼總編輯孔健，原為北京《中國畫報》記者，故此該報與中國畫報社和北京的《經濟日報》有合作關係。中文版主編為汪蕾、祁放。1996 年全社有職員三十多人。⑥

【237】《華聲新聞》

1995 年 4 月 25 日在東京創刊，是報紙型月報。由華聲有限公司負責，主要在日本關東地區發行。社長高梨昭一，總編徐秀蓉，主編高迎。內容以文化娛樂及生活服務為主，對中國文化、藝術及科技方面的發展及其現狀，亦關注頗多，時有報導。發行數量估計不多於 1 萬份。⑥

【238】《東方》

1995 年 5 月 1 日在東京創刊，是報紙形式的月刊。由東方雜誌社負責發行，主要對象為日本各地的中國留學生。其宗旨為促進中日交流，增加來自中國內地、港台的中國人及海外華人之間的理解。發行數估計在 1 萬份以下。⑥

【239】《時報》

1995 年 5 月 25 日在東京創刊，由日中通信社株式會社發行。月報，每月 25 日出版，每期出 4 開紙 10 張 40 版，總發行量為四萬份。除日本外，還在香港、台灣、新加坡銷售。主要讀者是在日本的中國人，及與中國有各種貿易關係和經濟交流的日本會社。欄目有日本新聞、時事評論、人物專訪、全球熱點、中國焦點、港台風雲、歐美記事、北京及上海經濟情報、中國不動產情報、女性世界、留學生園地、健康與保險等。1996 年 11 月 11 日增出日報，日出對開紙 2 張 8 版，橫排；同年 12 月 2 日起，每週出版 5 天，是當時日本唯一的華文日報。總編輯為張一帆。《時報》創辦日報後，月刊仍繼續發行，每月出四開紙十張四十版，以深度報導為主。⑥⑪

【240】《時代》

1996 年 3 月 15 日在東京創刊，是中國留日學生創辦的報紙。每月出版 1 期。⑥

【241】《日本僑報》（*Chinese People in Japan*）

1996 年 8 月 1 日在琦玉縣創刊。株式會社日本僑報社出版，地址在琦玉縣川口市芝 5-6-6。發行人為南泉，主編為段耀中。中日雙語月刊，以中日兩國的學者及研究人員為主要對象。報導在日本研習和工作的中國學者、中國企業經營者的業績及中國駐日機構的活動等。1997 年 1 月起改為季刊。⑤⑥

【242】《華風新聞》

1997 年 7 月 1 日在東京創刊。發行人為李軍，地址在東京都新宿區八人町 1-18-10。綜合性中文週報，每逢星期二發行。每期出小 4 開 48 版，欄目有要聞、論壇、隨筆、家庭、娛樂、旅遊、讀書、情感、文學，以及華人、中國內地、日本、港澳台地區的報導等。⑤

【243】《唐人報》

1997 年 9 月 30 日在東京創刊，是報紙型半月刊。發行者為東寶麗商事株式會社，發行人為野世優介。每期出 4 開紙 7 張 28 版，闢有綜合新聞、日本新聞、華人動態、唐人社區、焦點話題、華人見聞、社會紀實、專題報導、大陸傳真、港台新聞、國際瞭望、經濟金融、科技動態、文化天地等版面。⑪

【244】《東方時報》

1997 年在東京創刊。社長為何毅雲，總編為蘇靈。地址在東京都豐島區南大冢 2-46-1km 大廈 6F。週刊，逢星期四發行。每期出 4 開 48 版，實際發行量為 6 千份。主要報導日本華僑及華人社會消息，有東方專題、華人新聞、日本新聞、國際新聞、中國新聞、港台新聞等欄目，以及經濟，體育、文藝、生活等專題。⑤

【245】《聯合週報》

1997 年在東京創刊，由《華聲新聞》（月報）、《中國經濟週報》等三家報紙合併而成。主編為周杉，地址在東京都新宿區北新宿 4-19-8-3F。日本 TELECOM 是其主要贊助者。週刊，逢星期四發行，4 開 48 版。內容以報導近年到日本的華人狀況及中日兩國社會情況為主，欄目有聯合要聞、在日華人、日本新聞、專題報導、溫馨家庭、史海鈎沉、小說天地、軍事探索等。⑤

【246】《中國語世界》

1998 年 3 月 26 日在東京創刊。社址在東京都練馬區豐玉北 4-11-7。週刊，社長為張一帆。原包括《中國語週刊》和《時報》，後者於 2000 年 12 月停刊；《中國語週刊》主要面向學習中文的日本讀者，介紹中日兩國的社會風情和時事新聞。每期共 16 版，中日文對照，並有單詞註解和拼音解讀，欄目包括中國新聞、中國人看日本、中國電影、中國流行歌曲、中國成語故事、中國見聞等。該報發行 4 萬 5 千份，每年都舉辦中文作文比賽及中文卡拉 OK 大獎賽。⑤⑪

【247】《台灣新聞》

1998 年在東京創刊，台灣籍人士主辦，負責人為彭筱琪。東京總社地址在東京都新宿區高田馬場 1-26-12 高田馬場大廈 405，並有大阪支社。月報，每月 25 日發行。共 24 版，欄目有台灣新聞、華僑動態、全球瞭望、專題報告、科技現場、財經、讀者廣場、大地副刊、體育生活、流行風尚、觀光娛樂、文化天地、關西版等。⑤

【248】《日本新華僑報》

1999 年 2 月 25 日在東京創刊。總編輯為劉林，發行人是蔣豐。地址在東京都豐島區南大冢 3-38-6 山景大廈 203。中文旬刊，每月 8 日、18 日、28 日發行。4 開 28 版，套色印刷，欄目有中日新聞、華人新聞、專稿、特寫、華人經濟、華人與法律、電腦專版、華人眾議院等，內容主要報導日本的中國人社會和中日兩國時事。⑤⑪

【249】《列島週末》

1999 年在東京創刊。發行人為周彪，地址在東京都品川區上大崎 3-2-9 星野大廈 4F。是一種休閒性的半月刊，每月雙週六出版，共 48 版。欄目有列島新聞、綜合新聞、中華要聞、股票信息、經濟信息、投資中國、國際聚焦、千奇百怪、列島漫步、社會廣角、法制天地、都市掃描、藝壇掠影、體壇風雲、旅遊指南、飲食文化、星相命理等。[5]

【250】《南華報》

2000 年 4 月在神戶創刊。台灣籍人士主辦，社長為賴連金，地址在神戶市中央區北野町 4–18–4–106；另有東京聯絡處，地址在東京都大田區山王 2–1–8–302。月報，每月 1 日發行，共 6 版，是中日雙語報紙。欄目有時事論壇、社會經緯、鄉土副刊、環球一覽、視野觀察、大千世界等。[5]

【251】《華人周報》

2000 年 6 月 22 日在東京創刊。發行人為杜笑岩，地址在東京都豐島區池袋 2–14–11。週報，每期 40 頁。以專題報導及評論見長，主要讀者是在日華僑、中國留學生、亞洲各國駐日機構的研究單位以及各大學的研究人員。[5]

【252】《大富》

「CCTV 大富」電視台的電視報。2001 年在東京創刊，作為電視節目的配套。地址在東京都中央區銀座 8–18–1。社長為張麗玲。每月 2 期，16 小開版。[5]

【253】《關西華文時報》

2001 年 8 月 1 日創刊，雙月刊，總部在日本大阪。以華人為讀者對象，其宗旨是為在日華人弱勢群體發聲。4 開版，中英雙語。主要內容有關西新聞、關西生活、關西聲音、關西華人故事、留學生活、現代中國等。

【254】《新華時報》

2003 年 6 月 12 日創刊，綜合性週報，設有獨家時評、一週要聞、中日關係、華人社會及娛樂、體育及生活等欄目。

【255】《越洋聚焦 —— 日本論壇》

2006 年在中國日本領事館的編輯支援下，由 Japan Echo 公司每年發行 3 次，把在日本發表的優秀論文翻譯成中文，介紹給中文讀者。

【256】《旅日》

2015 年 8 月 7 日創刊，是旅日華僑出版的旅遊雜誌，重點介紹旅遊日本時應當特別注意的社交禮儀，還重點選論華人文化學者的研究成果。

註釋：

① 史和、姚福申、葉翠娣編《中國近代報刊名錄》（福州：福建人民出版社，1991 年）。

② 王檜林、朱漢國主編《中國報刊辭典（1815 — 1949）》（太原：書海出版社，1992 年）。

③ 伍杰主編《中文期刊大詞典》上下冊（北京：北京大學出版社，2000 年。

④ 方漢奇主編《中國新聞事業編年史》上、中、下冊（福州：福建人民出版社，2000 年）。

⑤ 中國新聞社香港分社主編《港澳台及海外華文傳媒名錄》〔香港：香港中國新聞出版社，缺出版年份（根據此書後記，出版年份應在 2001 — 2002 年）〕。

⑥ 《華僑華人百科全書 · 新聞出版卷》（北京：中國華僑出版社，1999 年）。

⑦ 夏林根、董志正主編《中日關係辭典》（大連：大連出版社，1991 年）。

⑧ 葉再生著《中國近代現代出版通史》第一至四卷（北京：華文出版社，2002 年）。

⑨ 《橫濱華僑誌》（橫濱：財團法人中華會館，1995 年）。

⑩ 沈殿成主編《中國人留學日本百年史（1896 — 1996）》上下冊（瀋陽：遼寧教育出版社，1997 年）。

⑪ 程曼麗著《海外華文傳媒研究》（北京：新華出版社，2001 年）。

⑫ 實藤惠秀著，譚汝謙、林啟彥譯《中國人留學日本史》（香港：中文大學出版社，1982 年）。

⑬ 方漢奇主編《中國新聞事業通史》第一卷（北京：中國人民大學出版社，1992 年）。

⑭ 北京師範大學圖書館報刊部編《北京師範大學圖書館館藏中文珍稀期刊題錄》（北京：北京圖書館出版社，2002 年）。

⑮ 周佳榮編著《中國醫學史辭典》（香港：中華書局，2002 年）。

二　中國人在日本創辦報刊一覽

創刊或接辦日期	報刊名稱	形式	使用語文	發行地
1876	華字新報		中文	東京
1898.6.29	東亞報	旬刊	中文	神戶
1898.12.23	清議報	旬刊 （每月 3 冊）	中文	橫濱
1900.11.1 〔1899〕	開智錄	半月刊	中文	東京 〔橫濱創刊〕
1900.12.6	譯書匯編	月刊	中文	東京
1901.5.10	國民報	月刊	以中文為主，間刊部份英文論說。	東京
1901	大同學錄		中文	橫濱
1901	亞洲時務匯報	半月刊	中文	橫濱
1902.2.8	新民叢報	半月刊	中文	橫濱
1902.11.14	新小說	月刊	中文	橫濱
1902.12.14	遊學譯編	月刊	中文	東京
1903.1.29	湖北學生界	月刊	中文	東京
1903.2.17	浙江潮	月刊	中文	東京
1903.2.22	直說	月刊	中文	東京
1903.3	浙江月刊	月刊	中文	東京
1903.4.27	江蘇	月刊	中文	東京
1903.4.27	政法學報	月刊	中文	東京
1903.7.24	漢聲	月刊	中文	東京
1903.12	新白話報	月刊	中文	東京

創刊或接辦者	停刊日期	備註
		1877 年仍出版
以康有為、梁啟超為首的維新派	1898.10 出版至第 11 期後停刊	
馮鏡如（梁啟超主編）	1901.12.21 出版至第 100 期停刊	因報館失火而停刊
開智會	約半年後，於 1901 春停刊	初隨《清議報》發行，後因傾向革命而停刊。
戢元丞等	1903.12	1903.4.27 改名《政法學報》繼續出版
「京塞爾」（由秦力山、戢元丞等主持）	1901.8.10 出版至第 4 期後停刊	這是留日學生最早的革命報刊
華僑	1901 年底	
華僑		屬政治性刊物
馮紫珊、梁啟超	1907.11.20	
趙毓林，第 2 卷起由上海廣智書局出版發行（實際負責人為梁啟超）。	1906.1	共出 24 期
湖南留日學生同鄉會	1903.11.3 出版至第 12 期後停刊	
湖北留日學生同鄉會	1903.9.21	1903.7.24 第 6 期起改名《漢聲》
浙江留日學生同鄉會	1903.12	出版至第 12 期後
清國留學生會館，杜羲等主編。	1903.3 或 4	
留日學生	1903.12	出版至第 10 期
江蘇留日學生同鄉會	1904.5.15	共出版了 12 期
戢翼翬（元丞）等	1903.11	由《譯書匯編》改名而成
湖北留日學生同鄉會	1903.7.24 出版第 7 期、第 8 期合刊後停刊。	期數與《湖北學生界》相銜接
留日學生主辦	1904.10	第 4 期至 6 期因延期過久，改印小說代替，共出版了 8 期。

創刊或接辦日期	報刊名稱	形式	使用語文	發行地
1903	江西白話報		中文	東京
1903	女學報	月刊	中文	東京
1903	芻報			東京
1903	新湖南			
1904.9.24	白話	月刊	中文	東京
1904.9.29	海外叢學錄	月刊	中文	東京
1904	女子魂		中文	東京
1904	日新學報	月刊	中文	東京
1904	湖北地方自治研究會雜誌	月刊	中文	東京
1904	湖南學生	月刊	中文	東京
1905.2	東京留學界紀實	雙月刊	中文	東京
1905.6.3	二十世紀之支那	月刊	中文	東京
1905.7	第一晉話報	月刊	中文	東京
1905.9.29	醒獅	月刊	中文	東京
1905.9	鵑聲	不定期刊	中文	東京
1905 年秋	晨鐘	週刊	中文	東京
1905.11.26	民報	月刊（但經常脫期）	中文	東京
1906.3.14	法政雜誌	月刊	中文	東京
1906.5.8	復報	月刊	中文	東京
1906.6	川漢鐵路改進會報告書	月刊	中文	東京

創刊或接辦者	停刊日期	備註
張世膺（華飛）		
陳擷芬主編		第1期至3期在上海出版，第4期改在東京出版。
朱霄青主辦		革命派報刊，僅出版了兩期即被查封。
黃軫（黃興）等		
日本東京演說練習會，秋瑾主編。	1905	共出版8期
雲南籍留日學生		僅發行1期
抱真女士（潘樸）主編	1905仍在出版	
留日學生		
張百熙創辦，呂嘉榮主編。	1909.4	1905年前出版8期，1908.11.15續辦，期數另起。
湖南留日學生楊度		
中國留學生會館		
宋教仁、田桐、程家檉、黃瀛元、白逾桓、陳天華等。		1905.8.27出版第2期後被東京警視廳全部沒收，勒令停刊。
山西留日同鄉會	1906.9	共出版了9期
李疊主編	1906.6	共出版了5期
四川留日學生，後由雷鐵崖等復刊。	1907	出版2期即停刊，據載1906年有《鵑聲》月刊的出版；後復刊再出1期，題為《後鵑聲》。
山東革命留日學生	1907	
同盟會		1908.10.19出版的第24期全部被扣押，一度停刊；1910.1.1出版第25期，共出版26期。
蔡承煥、林鵾翔。	1906.8.14	出版至第1卷6號
高天梅、柳亞子、田桐。		1907.10.2出版至第11期後停刊
川漢鐵路改進會	1908年秋後停刊	

創刊或接辦日期	報刊名稱	形式	使用語文	發行地
1906.6	農桑學雜誌	月刊	中文	東京
1906.10.15	雲南	月刊	中文	東京
1906.10.18	洞庭波	月刊	中文	東京
1906.11.16	新譯界	月刊	中文	東京
1906.11.30	教育	月刊	中文	東京
1906.12.29	革命軍報		中文	東京
1906.12	豫報	月刊	中文	東京
1906	直言	日刊	中文	東京
1906	鵑聲	月刊	中文	東京
1906	政法新報		中文	東京
1907.1.1〔1907.2〕	醫藥學報	雙月刊，後改為月刊。	中文	千葉〔東京〕
1907.1.14	法政學交通雜誌	月刊	中文	東京
1907.1.20	中國新報	月刊	中文	東京
1907.1.25	漢幟	月刊	中文	東京
1907..1	官報	月刊	中文	東京
1907.2.5	中國新女界雜誌	月刊	中文	東京
1907.2.20	漢風		中文	東京
1907.2.27	法政學報	月刊	中文	東京
1907.2	學報	月刊	中文	東京
1907.3.9	大江七日報	周刊	中文	東京
1907.4.13	牖報	月刊	中文	東京
1907.4.25	天討		中文	東京
1907.5	醫藥新報	月刊	中文	千葉
1907.6.10	天義報	半月刊	中文	東京，第 11 期起改在上海印刷發行
1907.6.11	衛生世界	月刊	中文	金澤市
1907.6.29	大同報	月刊	中文	東京

創刊或接辦者	停刊日期	備註
東京群益書社	1907	
李根源、吳琨、趙伸等	1911.10	共出版23期，1908年9月另出版增刊《滇粹》1冊。
陳家鼎、楊守仁（篤生）、仇式匡、寧調元等。		只出版1期，後改組為《漢幟》繼續出版。
范熙壬、谷鍾秀、湯化龍。		
愛智會		出版兩期後停刊
「祝革命軍大捷之一分子」		僅出版了1期
河南留日學生	1908.4.30出版至第6期後停刊	
杜羲等		革命派刊物
雷鐵崖、董修武、李肇甫等。		
中國醫藥學會	1911.5	出版至第3卷第8期
孟昭常	1907.5	共出版了6期
楊度、陳家瓚。	1908.1	共出版了9期
陳家鼎、景定成、寧調元。	1907.2	僅出版兩期即停刊
清廷派駐東京的留學生監督處	1910.12	共出版了50期
朱奮吾經理，燕斌主編。	1907.7,5	出版至第6期被日本警方查禁
但燾		
沈其昌	1907.7	共出版了5期
何天柱、梁德猷。	1908.7	共出版了12期
夏重民、黃增等。		
李慶芳	1908.8	出版至第9期後停刊
		為《民報》臨時增刊
中國醫藥學社		疑此即《醫藥學報》
陸恢權、何震、周大鴻、張旭、徐亞尊等。		
中國國民衛生會		
恆鈞、烏澤聲等。		出版7期後停刊

創刊或接辦日期	報刊名稱	形式	使用語文	發行地
1907.7.19〔1907.6.10〕	遠東聞見錄	旬刊，後改為半月刊。	中文	東京
1907.8.28	秦隴報	月刊	中文	東京
1907.9.15	晉乘	月刊	中文	東京
1907.10.1	東洋新報		中文	東京
1907.10.7	政論	半月刊	中文	東京，第3期起遷往上海。
1907.11.15	粵西	月刊	中文	東京
1907.12.5	四川	月刊	中文	東京
1907.12.20	河南	月刊	中文	東京
1907.12	二十世紀之中國女子	月刊	中文	東京
1907	大江報	月刊	中文	東京
1907	中國婦女界雜誌		中文	東京
1908.1.1	滇話報	月刊	中文	東京
1908.1	自治叢錄	季刊	中文	東京
1908.2.2	關隴	月刊	中文	東京
1908.2.3	國報	月刊	中文	東京
1908.2.26	夏聲	月刊	中文	東京
1908.2.29	學海	月刊	中文	東京
1908.4.10	東亞月報	月刊	中文	東京
1908.4.28	衡報	旬刊	中文	東京（托名在澳門出版）
1908.4	滇話	月刊		東京
1908.5.30	教育新報	月刊	中文	東京
1908.5.30	武學	月刊	中文	東京
1908.5	滇話	半月刊	中文	東京

創刊或接辦者	停刊日期	備註
雷昭性、段瑞蘭、李士銳。		
陝甘籍留日學生		僅出版了 1 期
山西留日學生	1908.6.5	共出版了 3 期
梁啟超、蔣智由等。		共出版了 9 期
廣西留日學生		1908 出版至第 7 期停刊
留日四川籍同盟會會員吳玉章	1908.3	出版至第 3 期被日本政府封禁，剛出版的第 4 期被沒收。
同盟會河南支部	1908.12 出版至第 9 期停刊	
河南學生會，恨海女士主編	1908.1	出版至第 3 期
夏重民		
劉鍾華		
四川地方自治研究會		
西北籍留日學生	1908.4	出版至第 2 期即停刊
西北籍留日學生	1908	
留日陝甘籍學生	1909.5	出版至第 9 期停刊
京師大學堂留日學生	1908.6	甲編出版 5 期、乙編出版 4 期。
宮崎寅藏、武田范之、小室友次郎	1908.9.1	共發行了 5 期
劉申叔		出版至第 11 期與《民報》同時被禁
劉鍾華主辦	1910.3	併入《雲南》
留日湖北教育會張國溶、匡一	1909.4	出版至第 3 期
陸光熙、方日中、王祫昌、姜梅嶺等	1909	出版至第 14 期
雲南留日學生		

創刊或接辦日期	報刊名稱	形式	使用語文	發行地
1908.7.8	支那革命叢報	半月刊	中文	東京
1908.7.10	江西	月刊	中文	東京
1908.11.13	梅州		中文	東京
1908	日華新報	五日刊	中文	東京
1908	醒回篇	季刊	中文	東京
1908	法政新報		中文	東京
1909.1	女報	月刊	中文	東京
1909.3	新女界	月刊	中文	東京
1909.6.1	海軍	季刊	中文	東京
1909.7	湘路警鐘 / 湘路危言		中文	東京
1909.8.5	中國蠶絲業會報	雙月刊	中文	東京
1909.9.14	憲政新志	月刊	中文	東京
1910.3.10	教育今語雜誌	月刊	中文	東京
1910.3.10	中國商業研究會月報 / 中國商業月報	月報	中英文合刊	東京 / 上海
1910.6.17	南洋群島商業研究會雜誌	季刊	中文	東京 / 北京
1910.7.20	鐵路界	雙月刊		東京
1910.10	中國實業雜誌	月刊	中文	東京 / 天津
1910.12	浙湖工業同志會雜誌		中文	東京
1910	學林	季刊	中文	東京
1911.3.10	中國青年學粹	雙月刊	中文	東京
1911.5	留日女學會雜誌	季刊	中文	東京
1912.11	軍聲		中文	東京
1913.4.15	國民雜誌	月刊	中文	東京
1913.4	讜報	月刊		東京

創刊或接辦者	停刊日期	備註
李修文		
江西留日學生	1909.6	出版至第 4 期後停刊
旅日梅縣籍華僑		
夏重民		
留日的中國穆斯林		旋即停刊
留日學生		
東京女報社	1909.1	僅見第 1 卷 1 期
留日海軍同學會		
湖南鐵路研究社		
留日學生		出版至第 14 期後停刊
右翼留日學生團結諮議局事務調查會張君勱		共出版了 12 期
章太炎、陶成章。	1910.10	光復會機關報
中國商業研究會	1920.5	
南洋群島商業研究會		
中國鐵路研究會主辦，張大義主編。		鐵路專業雜誌
李文權	1919 出版至第 7 期	
浙湖工業同志會		僅見第 1 期
章太炎		僅出版了兩冊
中國青年學粹社		
唐群英		僅見 1 期
	1913.2 出版第 4 期後停刊	
國民黨駐日各支部	1913.7.15	共出版了 4 期
	1913.8 出版至第 5 期	原為共和黨旅日支部機關刊物，第 3 期起改為進步黨留日東京支部機關刊物。

創刊或接辦日期	報刊名稱	形式	使用語文	發行地
1913	醒目			日本
1914.5.10	甲寅	月刊	中文	東京 / 上海
1914.5.10	民國		中文	東京
1914.7	國學		中文	東京
1914.9	人籟	半月刊	中文	東京
1914.12	民聲		中文	東京
1915.6	郢中學報			東京
1915.9	神州學叢	季刊		東京
1916.5.15	民彝	不定期刊	中文	東京
1916.6.15	民鐸	季刊（1918.12 後經常脫期）	中文	東京 / 上海
1916	神戶華僑商業研究會季報	季刊	中文	神戶
1917.1	精神雜誌	季刊	中文	神戶
1917.3	山東實業學會會誌	季刊		東京
1917.4	學藝	季刊 / 月刊	中文	東京 / 上海
1917.4	中華藥學雜誌	半年刊	中文	東京
1917.9	神州學叢	季刊	中文	東京
1917	教會警鐘	季刊	中文	東京
1920.4	實業雜誌	年刊		北海道
1920.7.16	台灣青年		中文	東京
1921.1.15	教育	季刊		東京
1921.12	興化	季刊		東京
1922.1	東亞醫學			東京
1922.4.1	台灣		分出漢文版和日文版	東京

創刊或接辦者	停刊日期	備註
中華聖公會		1914 年改名《醒氓》
章士釗	1915.10	
孫中山、胡漢民。		袁世凱帝制失敗後停刊
國學扶危社		
湖北郢中留日學生所辦		綜合性刊物，僅見第 1 期。
李大釗主編	旋即停刊	留日學生團體神州學會機關刊物
中國留日學生總會	1917.2 出版第 3 期後停刊	
中華學術研究會	1931.1	創刊後即被日本政府查禁，1918.12 移至上海出版
	1917.10	
中國精神研究會		
山東旅日學生組織所辦，于聯五主編。		
丙辰學社（1923.6 後改名中華學藝社）		抗戰時期一度停刊，1947 年於上海復刊。
中華樂學會		
神州學會	旋即停刊	
留日中華聖工會	1922	出版至第 23 期
中華民國留日北海道帝國大學同窗會編輯發行	1922.3 出版至第 3 期	
新民會		1922.4.1 出版的第 3 卷 1 期起改名《台灣》雜誌
留日學生組織東京高等師範學校教育社所辦		1922.3 出版第 3 期
興化雜誌社李祖蔚發行		
黃天民主編	出版至第 5 期	
新民會		1923.4.15 改名《台灣民報》

創刊或接辦日期	報刊名稱	形式	使用語文	發行地
1923.2	留日學生學報	雙月刊		
1923.4.15	台灣民報	半月刊 / 旬刊 / 周刊	中文	東京 / 台灣
1923.4	三五			東京
1923.5	曙滇	月刊	中文	東京編輯，上海印發。
1924	東工同窗	年刊		東京
1925.3	留日山西同鄉會年刊			東京
1925.6.1	國民評論	半月刊		東京
1926	北伐	不定期刊		東京
1928.3	時代			
1929.1	雷聲	月刊		東京
1929.3	中華民國			東京
1929.5	檢討	初為半月刊，第 7 期以後改為月刊。		東京
1929	中華民國留日東京工大學生同窗會學藝部月刊			東京
1930.11	學術界	季刊		東京
1931.12	海外公論	月刊		東京
1932.11	牛頓	月刊		東京
1932.12	自然學會會刊			東京
1934.3	河北留東年刊			東京
1934〔1934.1〕	大鐘			東京

創刊或接辦者	停刊日期	備註
東京留日學生總會主辦	1923.4	共出版了兩期
新民會 / 台灣新民報社		
中國國民黨日本東京支部編輯，上海民國日報社發行。		
曙滇雜誌社	1925	
中華留日東京工業大學學生同窗會發行		至 1937.1 共出版了 14 期
		僅見創刊號
中國國民黨東京支部主辦和編輯		1925 共出版了 3 期
東京中華留日各界北伐後援會編印		時事政治刊物，1927.1 出版第 2 期。
中國旅日青年社團所辦，中華青年會主辦，松社編輯部編輯。		
留日學生社團		綜合性刊物，1929.5 出版至第 5 期。
旅日華僑團體創辦		1929.9 出版至第 5 期
中華留日青年會主辦		至 1930.1 共出版了 12 期
		1931.2 出版至第 12 期
中華留日明治大學校友會編輯出版	1937.4 終刊	1933.1 停刊，1935 年復刊。
中華留日基督教青年會主辦並編輯		
朱光憲、王毅之、陳華洲、毛達庸編輯。		1934.1 第 3 卷 1 號起改名《工業》，第 4 卷 10 號起改名《中國工業》，1936.1 遷至南京出版。
中國留日學生學術團體自然學會編輯和發行		1933.1 出版第 2 卷 2 號
河北駐日留學生經理處出版發行		
		東京中華青年會大埔留日同學會會刊

創刊或接辦日期	報刊名稱	形式	使用語文	發行地
1935.1	文化			東京
1935.5	雜文	月刊	中文	東京
1935.5	詩歌	月刊	〔中文〕	東京
1935.6	留東新聞	周刊	中文	東京
1935.7.1	留東學報	月刊		東京
1935.7.15	新興美術			東京
1935.12	質文		中文	東京 / 中國國內
1936.2.10	現代農業			東京
1936.4.1	時代文化			東京
1936.5	小譯叢	月刊		東京
1936.7.1	新經濟			東京
1936.7	理科論叢	季刊		仙台
1936.8.15	文海			東京
1936.8	言殿	月刊		東京
1937.2.1	學聯半月刊			東京
1937.3.1	留東周報			東京
1937.5.15	留東學生		中文	東京
1937.7	中華民國四川留日同學會會刊		中文	日本
1938.11	華文大阪每日		中文	大阪
1942.1	新亞	月刊	中文	東京

創刊或接辦者	停刊日期	備註
東京中華青年會內山西留日同鄉會主辦		
左聯在日本的成員		出版至第 3 號被查禁，1935.12 第 4 號起改名《質文》。
雷石榆編輯		
張健冬、王瑞符、簡泰梁等。		1937.1.12 被禁時，已出版至第 49 期。
留日學生所辦		綜合性學術刊物，1937.5 出版至第 3 卷 5 號。
東京中華新興美術協會編輯發行		
左聯在日本的成員	1936.11	連同《雜文》，共出版了 8 期。
東京農業大學中華留日同學會主辦		1936.12.10 出版第 2 期
李東美主編		
東京中華留日學生會主辦		綜合性譯文刊物
中華留日青年會新經濟學會編輯出版		
中華留日帝國大學理科同學會編輯和發行		1936.11 出版第 2 期
中華留日青午會文海文藝社		
范德元、田夢嘉主編。		
		中華留日學生聯合會會刊，1937.5.15 改為《留東學生》。
旅日華僑及青年學生所辦，余仲瑤編輯及發行。		1937.5 出版至第 11 期
中華留日學生聯合會		前身為 1937.2 創刊的《學聯半月刊》，僅見 1 期。
大阪每日新聞社		
東京新亞月報社	1944.7	前身為 1938 年至 1941 年出版的《遠東》

創刊或接辦日期	報刊名稱	形式	使用語文	發行地
二次大戰前	學林	季刊	中文	東京
1946.5	華光	月刊	中文	東京
1947.5	黃河	不定期刊	中文	大阪
1948.1.1	華文國際	旬刊	中文	大阪
1948	華僑報	每月 5 日、15 日、25 日。	中日文〔後改為日文〕	東京
1952.11.29	中華新聞 / 中國週報	週刊	中日文 / 日文	東京
1954.11.1	自由新聞	旬刊 / 五日刊 / 三日刊	日文為主，亦有中文	東京
1954.3.1	大地報	週刊 / 每週三、六出版	中文	東京
1956.7	新亞洲	月刊	中文	東京
1960.9	東方文摘（*The Eastern Digest*）	月刊	中文	東京
1961.1.23	自由中華	月刊	中文	大阪
1963	太平洋經濟評論	不定期刊	中、英、日文	東京
1960 年代	神戶中華同文學校通訊	月刊	中文	神戶
1963.2.25	揚華僑報	週刊 / 旬刊	中文	橫濱
1966.6【1965.9.15】	中興報	半月刊 / 月刊	中文	橫濱
1968.4.27	東北研究		中文	橫濱
1971.12.10	社團法人神戶中華總商會報	月刊 / 不定期刊	中日文	神戶
1973.2	橫濱華僑通訊	月刊	中日文 / 日文	橫濱
1976.4	關西華僑報	月刊	日文	京都 / 大阪 / 神戶
1977.8.15	橫濱華僑會報	月刊	中日文	橫濱
1980.12.25	廣東同鄉會會刊	季刊	中文 / 中日文	東京

創刊或接辦者	停刊日期	備註
東京中華民國華光社		
賈鳳池		
大阪中華國際新聞社		
東京華僑總會		
台灣駐日本大使館		
宓汝卓	1995.11	1971.4 改為五日刊，1973.2 改為三日刊。
東京華僑總會	1970.1.12	出版至第 915 期
王力鵬		
黃裕德 / 東方通信社		
中國國民黨駐大阪直屬支部		
李國卿		簡稱《太平洋經濟》
神戶中華同文學校		校刊
國民黨人	1973	共出版 388 期
劉興堯	1972 後	
留日橫濱東北同鄉會	1972.1.29	出版至第 2 期
社團法人神戶中華總商會文化委員會		
橫濱華僑總會		
京都、大阪、神戶三市的華僑總會。		
橫濱華僑總會	1981	1979.10 起時出時停，共出 25 期。
吳少白等		全稱《社團法人廣東同鄉會會刊》，1982 起增設日文版。

創刊或接辦日期	報刊名稱	形式	使用語文	發行地
1981.12	慶應華報	不定期刊	中文	東京
1982.2.28	台灣大眾	月刊	中文	日本
1983.1	學林	半年刊	中文 / 日文	京都
1984.6.1	東京商報	日報	中文	橫濱
1985.6.23〔1985.7.1〕	華僑新報（*Japan China News*）	月刊	中日文 / 日文	東京
1980 年代初	留日學志	月刊	中日文	日本
1986.1.1	學園通訊	不定期刊	中文	橫濱
1988.12.1	留學生新聞	月刊 / 半月刊 / 雙週刊	中日文 / 中文	東京
1989.2.1	外國學生新聞（*Foreign Students' News*）	月刊	中日、英文	東京
1989.4.14	亞洲新聞	半月刊 / 週刊	中日文 / 中文	橫濱
1991.5.1	中國留學生（*Chinese Students Abroad News*）	月刊，每月 1 日出版	中日文	東京
1991.7.25	新交流時報（*New Com*）	半月刊 / 月刊	中日文 / 中文	東京
1992.4.12	中日新報（*Sin Chew Jit Poh*）	月刊 / 半月刊	中日文	大阪
1992.11.15（1992.9.15 試刊）	中文導報	週刊 / 逢週四出版	中文	東京
1993.1.10	中日交流	月刊	中日文	東京
1993.4.15	半月文摘	半月刊（每月 1、15 日出版），後改週刊（逢週三出版）	中文	東京
1993.8.30	東方時報 / 東方晚報	月刊 / 週二刊	中日文 / 中文	東京
1993.10	華人時報（*The Chinese Times*）	月刊	中文	東京

創刊或接辦者	停刊日期	備註
台灣在日慶應會		
獨立台灣會的代表史明		是《獨立台灣》的復刊
中國藝文研究會		
許至誠		是日本華文報刊史上第一份日報。共刊 56 期。
日本的台灣人士		
台灣系的留日同學會		
橫濱中華學院		
董炳月	現仍刊行	是現代華僑華人傳媒中最早的一份華文報紙
外國學生新聞社		
日本亞洲新聞社		前身為 1971.10.10 創刊的《復興新聞》
中國留學生新聞社		
新交流株式會社		
大阪中日新報新聞社		
中文產業株式會社		
日中交流促進會		
日中友朋協議會		
株式會社東方時報社		1996.8.1 改為《東方晚報》，中文；1996.10.1 恢復原名，週二刊。
華人時報社		

創刊或接辦日期	報刊名稱	形式	使用語文	發行地
1994.2.3	華僑之聲（*The Appeal of Overseas Chinese*）	旬刊	中文	橫濱
1994.7.16	中日產業開發	季刊	中日文	大阪
1995.11	中國巨龍	月刊	中文	東京
1995.4.25	華聲新聞	月刊	中文	東京
1995.5.15	東方	月刊	中文	東京
1995.5.25	時報（*Mandarin News Times*）	月刊 /1996.11.11 改為日刊	中文	東京
1996.3.15	時代	月刊	中文	東京
1996.8.1	日本僑報	月刊 / 季刊	中日文	琦玉縣
1996	東方時報	週刊（逢週四出版）	中文	東京
1997	聯合週報（*Weekly Union Press*）	週刊（逢週四出版）	中文	東京
1997.7.1	華風新聞（*The Kafu Weekly News*）	週刊 / 旬刊（每月 1、11、21 日出版）	中文	東京
1997.9.30	唐人報	半月刊 / 週刊（逢週六出版）	中文	東京
1998.3.26（1998.2.12 試刊號）	中國語世界 / 亦稱《月刊中國語世界》（*Weekly Chinese World*）	週刊（逢週四出版）	中文 / 日文	東京
1998.10.10	台灣新聞 / 臺灣新聞（*The News Taiwan*）	月刊 / 半月刊	中文	東京

創刊或接辦者	停刊日期	備註
永昌商事華僑之聲新聞部		
中日產業開發聯合會		
日本竹書房株式會社		日文版（週刊）於 1992.8.25 創刊
華聲有限公司		1997.5.8 與《時代聯報》、《中和新聞》合併為《聯合新報》。
東方雜誌社		
日中通訊社株式會社		
中國留日學生		
株式會社日本僑報社		1997.1 起改為季刊
何毅雲	前身為中文月刊《東方晚報》；1998.1.10《每週文摘》併入。	
月報《華聲新聞》、《中國經濟週報》等三家報紙合併而成。		
李軍		
東寶麗商事株式會社 / 唐人通信社株式會社		
張一帆		
台灣新聞社		

創刊或接辦日期	報刊名稱	形式	使用語文	發行地
1999.2.25	日本新華僑報	旬刊 / 半月刊	中文	東京
1999.4.2	列島週末 （*Island Weekend*）	半月刊	中文	東京
1999.4.18	大富 / 大富報	每月兩期 （第 1、3 個週日出版）	中文	東京
2000.4	南華報	月刊	中日文	神戶
2000.6.22	華人週報 （*Chinese Weekly*）	週刊 （逢週四出版）	中文	東京
2000.1.18	法制與生活	月刊	中文	東京
2000.3.1	*Tokyo Yoyo*	月刊	中文	東京
2000.9.29	赤門華風		中日文	東京
2001.1	中國情勢	月刊	日文	東京
2001.8	中國經濟新聞	月刊	日文	東京
2001.12	聽聽中國語	月刊	中日文	東京
2002.12.25	陽光導報	雙週刊 / 週刊	中文	東京
2003.6.12	新華時報	週刊	中文	東京
2005	日中商報	半月刊	中日文	東京
2006	越洋聚焦——日本論壇	季刊	中文	東京
2007	中日交流	季刊	中日文	
2009.1.25	西日本僑報		中文	福岡
2010.10	現代中國報	月三刊	中日文	東京
2013.10	和華	季刊	日文	東京
2015.7	旅日	季刊	中文	東京

創刊或接辦者	停刊日期	備註
劉林、蔣豐。		
周彪		
張麗玲（電視台董事長）		
台灣籍人士		
杜笑岩		
		前身為《太平洋時訊》（*Pacific Times*）
東京大學 中國留學生		
中國通訊社		
徐靜波		
日中通訊社		
陽光新聞社		
林忠凡、張作人		
長城協力有限公司 / 程顯齊		
日本駐華大使館		
董発明		
郭均成		
亞洲太平洋觀光社		
劉荊生		

三　中國人在日本辦報活動年表

◎ 1871 年

· 本年，《中日友好條規》簽訂。

◎ 1876 年

· 本年，《華字新報》創刊於東京，在旅日華僑中發行，是近代最早在日本出版的中文報刊，1877 年仍有出版，其後情況不得而知。

◎ 1894 年

· 本年，中日甲午戰爭爆發，中國戰敗，次年與日本簽訂《馬關條約》。

◎ 1898 年

· 6 月 29 日（五月十一日），《東亞報》（旬刊）在神戶創刊，是以康有為、梁啟超為首的維新派人士在日本創辦的第一種中文刊物，總理為簡敬可，撰述有韓曇雲、康同文、韓文舉及日人角谷大三郎、春日韷、橋本海關、大橋鐵太郎等。同年 10 月出版至第 11 期後，因戊戌政變發生而停刊。

· 12 月 23 日（十一月十一日），《清議報》（旬刊）在橫濱創刊。經費由旅日華僑馮鏡如、馮紫珊、林北泉等負責籌集，實際上由梁啟超主編，是戊戌政變後維新派人士在海外的主要言論機關。1901 年 12 月 21 日停刊，共出版了 100 期。

◎ 1899 年

· 6 月 14 日（五月初七日），章太炎（炳麟）抵達日本，寄寓橫濱《清議報》社，繼續為該刊供稿。

◎ 1900 年

· 11 月 1 日（九月初十日），《開智錄》（半月刊）在東京創刊，是留日學生團體開智會的機關報。由鄭貫公、馮自由、馮斯欒創辦，鄭貫公主編，撰稿人有蔡鍔、秦力山等。初為油印，12 月 22 日後改為鉛印。隨《清議報》發行，每期發行約五百份。後因傾向革命，與《清議報》保皇立憲的旨趣不同，受維新派人士干預，約於 1901 年春停刊。

· 12 月 6 日（十月十五日），留日學生主辦的《譯書匯編》（月刊）在東京創刊。編輯兼發行人初署坂崎斌，第二年起改署胡英敏，實際負責人為戢元丞、楊廷棟、楊蔭杭、雷奮等。內容以譯介國外哲學、社會科學著作為主，馬君武、汪榮寶等人所寫的政治、歷史、經濟論文，也多在該刊發表。

◎ 1901 年

· 5 月 10 日（三月二十二日），《國民報》（月刊）在東京創刊。秦力山、戢元丞、沈翔雲、楊廷棟、馮自由、王寵惠等主持。以中文為主，間刊部分英文論說。這是留日學生創辦的革命報刊先驅，最早提出革命排滿、反對保皇立憲說。同年 8 月 10 日，出版至第 4 期後停刊。

· 12 月 21 日（十一月十一日），《清議報》第 100 期出版，刊登了梁啟超〈本館第一百冊祝辭並論報館之責任及本館之經歷〉，及編輯部輯錄的〈中國各報存佚表〉。該刊旋因報館失火而停刊。

· 本年，《大同學錄》在橫濱創刊，是華僑主辦的中文期刊。出版不久，於同年年底停刊。

·《亞洲時務匯報》（半月刊）在橫濱創刊，是華僑主辦的中文期刊。

◎ 1902 年

· 2 月 8 日（壬寅年正月初一日），《新民叢報》（半月刊）在橫濱創刊。創辦經費由梁啟超、馮紫珊、黃為之、鄧蔭南、陳侶笙等共同籌集，編輯兼發行人署馮紫珊，實際的主編是梁啟超。在介紹西方哲學、思想、歷史和社會、政治、經濟學說等方面，產生過很大的影響。初銷 2 千份，不到半年即增至 5 千份，最高銷數達 14 萬份，頗受到國內知識青年的歡迎。1907 年 11 月 20 日停刊，共出版了 96 期。

· 11 月 14 日（十月十五日），《新小說》（月刊）在橫濱創刊。編輯發行人署趙毓林，實際負責人為梁啟超。1906 年 1 月停刊，共出版了 24 期。

· 12 月 14 日（十一月十五日），湖南留日學生同鄉會主辦的《遊學譯編》（月刊）在東京創刊。編輯人有楊毓麟、陳天華、梁煥彝、樊錐、黃興、周家樹、周宏業、楊度等。內容以翻譯國外書刊上的文章為主，兼刊創作稿。1903 年 11 月 3 日（癸卯年九月十五日），出版至第 12 期後停刊。

◎ 1903 年

· 1 月 29 日（癸卯年正月初一日），湖北留日學生同鄉會主辦的《湖北學生界》（月刊）在東京創刊。該刊自同年 7 月出版的第 6 期起，改名《漢聲》。是傾向於民主革命的留日學生刊物。第 6 期起改名《漢聲》，同年 9 月 21 日出版第 7 期、第 8 期合刊後停刊。

· 2 月 17 日（正月二十日），浙江留日學生同鄉會主辦《浙江潮》（月刊）在東京創刊。是留日學生出版的重要革命刊物之一。同年 12 月出版至第 12 期後停刊。

· 2 月 22 日（正月二十五日），直隸留日學生同鄉會主辦《直說》（月刊）在東京創刊，杜羲等主編，清國留學生會館總發行。內容具有明顯的民主革命傾向。同年 3 月或 4 月停刊。

· 3 月，留日學生主辦的《浙江月刊》在東京創刊。同年 12 月出版至第 10 期。

· 4 月 27 日（四月初一日），江蘇留日學生同鄉會主辦的《江蘇》（月刊）在東京創刊。提倡民族主義，宣傳反清，有明顯的民主革命傾向，是留日學生主辦的重要革命報刊之一。1904 年 5 月 15 日出版至第 11 期、第 12 期合刊後停刊。

· 4 月 27 日（四月初一日），《譯書匯編》改名《政法學報》（月刊）繼續出版。內容減少了譯文，增加了留日學生自撰的論文，包括政治、經濟、歷史、哲學等方面。共出版了 11 期。

· 5 月 27 日（五月初一日），《政法學報》宣佈自下一期起，增設歐美通信專欄，「與歐美在留邦人特約按月報告彼中情形，為吾國作緊要通訊機關」。

· 7 月 24 日（六月初一日），《湖北學生界》自本日出版的第 6 期起，改名《漢聲》繼續出版，並與《湖北學生界》的期數相銜接。

· 9 月 21 日（八月初一日），《漢聲》自本日出版第 7 期、第 8 期合刊後停辦。

· 11 月 3 日（九月十五日），《游學譯編》自本日出版第 12 期後停辦。

· 12 月，《新白話報》（月刊）在東京創刊，由上海普益書局發行。留日學生主辦，所刊文字有強烈的反滿色彩。第 4 期至 6 期因延期過久，改印小說代替。1904 年 10 月出版第 8 期後停刊。

· 本年，《江西白話報》在東京創刊，江西留日學生主辦，曾為留日學生的革命組織軍國民教育會作過宣傳。出版不久即停刊。

· 朱霄青主辦的《芻報》在東京創刊。是革命派報刊，僅出兩期即被查封。

◎ 1904 年

· 9 月 24 日（八月十五日），日本東京演說練習會主辦的《白話》（月刊）在東京創刊，秋瑾主編。鼓吹推翻清政府，提倡男女平權，觀點與《新民叢報》對立。用干支紀年，以示抗清。共出版了 6 期，於 1905 年停刊。

· 9 月 29 日（八月二十日），《海外叢學錄》（月刊）在東京創刊。雲南籍留日學生主辦，以「資學識、開民智」為宗旨。

· 本年，《女子魂》在東京創刊，抱真女士（潘樸）主編。1905 年該刊仍在出版。

·《湖北地方自治研究會雜誌》（月刊）在東京創刊，至 1905 年共出版了 8 期。1908 年 11 月 15 日續辦，期數另起，至 1909 年 4 月停刊。

· 留日學生主辦的《日新學報》（月刊）、《湖南學生》（月刊）在東京創刊。另有《四新學報》（月刊）在東京創刊。

◎ 1905 年

· 1 月 3 日（甲辰年十一月二十八日），宋教仁等留日學生在東京越州館舉行集會，籌辦革命雜誌《二十世紀之支那》，參加籌備會的有宋教仁等十餘人。

· 2 月，留日學生主辦的《東京留學界紀實》（雙月刊）在東京創刊，中國留學生會館編輯發行。主要報導留日學生的動態，言論傾向於民主革命。

· 6 月 3 日（五月初一日），《二十世紀之支那》（月刊）在東京創刊，是湘、鄂、蘇、贛、粵等省留日學生聯合創辦的一份革命刊物。鼓吹民族主義。創刊號印有黃帝、華盛頓肖像，並用黃帝紀元作為紀年。同年 8 月 27 日出版第 2 期，因評論日本佔遼東半島事而被封禁。

· 7 月，山西留日同鄉會主辦的《第一晉話報》（月刊）在東京創刊，言論激烈，曾被山西當局禁止進口。1906 年 9 月出版至第 9 期後停刊。

· 8 月 20 日（七月二十日），中國革命同盟會在東京舉行成立大會，通過章程草案，並推舉孫中山為總理。會上還通過決議，以部分會員所創辦的《二十世紀之支那》作為該會的正式機關報。同月 27 日（七月二十七日），同盟會在江戶川亭舉行會議研究接辦《二十世紀之支那》的有關事宜，決定由黃興代表同盟會總部為接收者，宋教仁代表原創辦人為移交者，共同辦理交接事宜。當晚，剛在秀光舍印刷所印好的《二十世紀之支那》第 2 期，被東京警視廳全部沒收，勒令停刊。

· 9 月 3 日（八月初五日），《二十世紀之支那》的交接儀式在東京黃興的寓所舉行，由宋教仁代表原創辦人將《二十世紀之支那》雜誌社一切簿記、款項、圖書、印信、器具當面移交給同盟會的接收代表黃興，孫中山參加了移交儀式。

· 9 月 17 日（八月十九日），同盟會的幹部會議決定：即將出版的該會機關報命名為《民報》。

· 9 月 29 日（九月初一日），留日學生主辦的《醒獅》（月刊）在東京創刊，以反對專制政體、反對君主立憲為宗旨。共出版 5 期，1906 年 6 月停刊。

· 9 月，四川留日學生主辦的《鵑聲》白話報在東京創刊。同年 12 月 26 日（十二月初一日），翰林院侍讀學士惲毓鼎上疏清廷，要求查禁該報，並撤回留日四川官費生。出版兩期即被迫停刊。1907 年雷鐵崖、董修武、李肇甫等組織出版「再興第一號」。後改出《四川》。

· 秋，山東革命留日學生主辦的《晨鐘》（周刊）在東京創刊，蔣衍升、丁鼎丞主編。

· 11 月 26 日（十月三十日），同盟會的機關報《民報》（月刊）在東京創刊，以「民報六大主義」為中心內容。並與《新民叢報》展開筆戰。1908 年 10 月出版至第 24 期，被日本政府查封。停刊一年多後，由汪精衛在東京秘密出版了兩期。1910 年 2 月終刊，共出版了 26 期。

· 12 月 8 日（十一月十二日），《民報》主要編輯撰稿人之一陳天華，因抗議日本當局頒佈取締（意即管束）留學生規則，留下絕命書，在日本大森灣蹈海自殺。《民報》第 2 期受此影響，延期出版。

◎ 1906 年

· 1 月 17 日（乙巳年十二月二十三日），宋教仁偕何小柳赴東京新智社分社，會晤該社社長宮崎德太郎，擬聯繫委託該社上海分社代銷《民報》事宜，但對方以《民報》「內容太激烈」，沒有達成協議。

· 1 月 22 日（十二月二十八日），《民報》第 2 期出版。日本警方以奉使出國考察政治的載澤等清廷大臣即將到日，特派「巡查」人員駐守於民報社附近，監視在該報社工作的人員。

· 1 月，孫中山、黃興等同盟會領導人在東京約見雲南留日學生李根源等，建議他們籌辦雲南地方刊物，進行革命宣傳。《雲南》雜誌的籌備工作自此開始。

· 3 月 14 日（二月二十日），留日學生主辦的《法政雜誌》（月刊）在東京創刊，以介紹東西大家學說及本國名著為宗旨。同年 8 月 14 日，出版至第 1 卷 6 號。

· 3 月 20 日（二月二十六日），《民報》第 3 期印出，但因校對不善，錯誤甚多，被迫延期發行。

· 5 月 8 日，柳亞子、田桐主編的《復報》（月刊）創刊。此報在上海編輯，送日本東京印刷，再寄回上海發行。其前身是 1905 年江蘇吳江自治學社學生自治會油印的週刊《自治報》，第 68 期起改名《復報》。1907 年 10 月 2 日停刊。

· 6 月，《川漢鐵路改進會報告書》（月刊）在東京創刊，是留日四川籍學生組織的川漢鐵路改進會的會刊。1908 年秋停刊。

· 6 月，留日學生主辦的農桑學刊物《農桑學雜誌》（月刊）在東京創刊，宗旨為「闡明舊理，輸入新法」。1907 年停刊。

· 10 月 15 日（八月二十八日），《雲南》（月刊）在東京創刊，以揭露清廷黑暗、宣傳民主主義和反對帝國主義侵略為宗旨。宣稱「出死力以排去雲南監撫」，並出副刊「鎮礦危言」。1911 年 10 月停刊，共出版了 23 期。在留日學生刊物中，是出版時間最長的一種。

· 10 月 18 日（九月初一日），《洞庭波》（月刊）創刊於東京，湖南留日學生主辦。只出版了 1 期，其後改組為《漢幟》繼續出版。

· 11 月 16 日（十月初一日），留日學生主辦的《新譯界》（月刊）在東京創刊，自稱以「研究實學，推廣公益」為宗旨。

· 11 月 30 日（十月十五日），留日學生團體愛智會主辦的《教育》（月刊）在東京創刊，鼓吹教育救國，反對政治革命。出版了兩期後停刊。

· 12 月 2 日（十月十七日），《民報》在東京神田錦輝館召開一周年紀念會，由黃興主持，章太炎讀祝詞，孫中山發表題為〈三民主義與中國前途〉的演說，闡述三民主義和五權憲法思想。在會上發表演說的，還有田桐等人。此外，日本友人池亨吉、宮崎寅藏、北輝次郎、萱野長知等致賀詞。會間並為《民報》募集經費，共得七百餘元。

· 12 月 29 日（十一月十四日），《革命軍報》在東京創刊，刊有大量報導萍、瀏、醴起義的消息，以及在起義中發佈的〈中華民國軍政府檄文〉。僅出版 1 期。

· 12 月，河南留日學生主辦的《豫報》（月刊）在東京創刊，兼用文言、白話兩種文體。該刊由於編輯部成員的政治傾向不一致，既有鼓吹革命的文字，也有主張改革的文字。1908 年 4 月出版至第 6 期後停刊。

· 本年，留日學生杜羲等主辦的《直言》（日刊）在東京創刊。

·《鵑聲》（月刊）在東京創刊，四川留日學生雷鐵崖等主辦。宣傳民主革命，大部分文章用白話文寫成。

·《法政新報》在東京創刊。主要欄目有社說、憲法、民法、商法、刑法、訴訟法、國際法、監獄學等。

◎ 1907 年

· 1 月 1 日，《醫藥學報》（雙月刊）在東京創刊。留日學生組織的中國醫藥學會出版發行。內容以介紹醫藥方面的新理論、新學說為主。1909 年 2 月第 13 期起，改為月刊。1911 年 5 月出版至第 3 卷 8 期停刊。

· 1 月 14 日（十二月初一日），留日學生主辦的《法政學交通雜誌》（月刊）在東京創刊，以「研究法政、交換知識、提倡社會」為宗旨。共出版了 6 期，1907 年 5 月停刊。

· 1 月 20 日，《中國新報》（月刊）在東京創刊。楊度主編，是立憲派刊物。第 7 期起遷至上海，1908 年 1 月出版至第 9 期。另辦有《上海報》。

· 1 月 25 日（十二月十二日），《漢幟》在東京創刊，旨在光復祖國，鼓吹漢人革命。僅出版了兩期。

· 1 月，《官報》（月刊）在東京創刊，由清廷派駐東京的留學生監督處主辦。設有章奏、文牘、調查報告、經費報銷、學界紀事等欄。至 1910 年 12 月停刊，共出版了 50 期。

· 2 月 5 日（十二月二十三日），《中國新女界雜誌》（月刊）在東京創刊。留日河南女學生燕斌主編，以宣傳婦女解放、男女平等為宗旨。同年 7 月 5 日出版至第 6 期，日本警方以其所刊文章中，鼓吹「婦女實行革命應以暗殺為手段」，予以查禁。

· 2 月 20 日（正月初八日），《漢風》雜誌在東京創刊，但燾主編，內容以宣傳民主革命為主。

· 2 月 27 日（正月十五日），《法政學報》（月刊）在東京創刊，是留日學生中擁護立憲一派的刊物。至同年 7 月，共出版了 5 期。

· 2 月，《學報》（月刊）》在東京創刊。內容以介紹倫理、地理、博物、數學、化學、物理、英語、法制、經濟、生理衛生等各方面的知識為主，間中刊登有關時事方面的材料。1908 年 7 月出版至第 12 期停刊。

· 3 月 9 日（正月二十五日），《大江七日報》（週刊）在東京創刊。夏重民、黃增等主編，以推翻清朝統治為宗旨。

· 4 月 13 日，留日學生主辦的《牖報》（月刊）在東京創刊。言論主張傾向於君主立憲。

1908 年 8 月出版至第 9 期後停刊。

· 4 月 25 日（三月十三日），《民報》臨時增刊《天討》在東京刊行。

· 5 月，《醫藥新報》（月刊）在千葉創刊，中國醫藥學社發行。疑此刊即前述《醫藥學報》。

· 6 月 10 日（四月三十日），《天義報》（半月刊）在東京創刊。1908 年 3 月停刊。

· 6 月 11 日（五月初一日），留日學生團體中國國民衛生會主辦的《衛生世界》（月刊）在金澤市創刊，內容以介紹通俗性的醫療衛生知識為主。

· 6 月 29 日（五月十九日），《大同報》（月刊）在東京創刊，清宗室留日學生恆鈞及烏澤聲等主辦，內容以宣傳建立君主立憲政體和召開國會為主。出版了 7 期後停刊。

· 7 月 19 日（六月初十日），《遠東聞見錄》（旬刊，後改為半月刊）在東京創刊。內容側重有關中國問題的評論和報導。

· 8 月中旬，日本駐華臨時代理公使阿部守太郎在給日本外務大臣的報告中，認為《民報》所刊記事「措辭激烈反動，宜加取締」。

· 8 月 28 日（七月二十日），《秦隴報》（月刊）在東京創刊。是陝甘籍留日學生主辦的革命刊物，僅出版了 1 期，分為《關隴》與《夏聲》，於 1908 年出版。

· 9 月 4 日（七月二十七日），清政府照會日本駐華臨時代理公使阿部守太郎，要求日本政府查禁《民報》、《復報》、《大江》、《漢幟》、《鵑聲》、《洞庭波》、《天義報》、《無政府主義》八種在日本出版的「悖逆」報刊。

· 9 月 15 日（八月初八日），山西留日學生主辦的《晉乘》（月刊）在東京創刊，景定成、景耀月主辦。至 1908 年 6 月 5 日，共出版了 3 期。

· 10 月 1 日（八月二十四日），《東洋新報》在東京創刊，主張君主立憲。

· 10 月 2 日（八月二十五日），《復報》出版至第 11 期後停刊。

· 10 月 7 日（九月初一日），《政論》（月刊）在東京創刊。第 3 期起，遷往上海出版。梁啟超、蔣智由等主編，共出版了 9 期。

· 10 月 17 日（九月十一日），日本駐華臨時代理公使阿部守太郎就清政府要求查禁《民報》等八種革命報刊一事，報告日本外務大臣林董，建議日本政府對此類報刊「均須採取行政措施，設法加以禁止，至少亦須加以嚴格限制，不使有不穩之內容出現」。

· 11 月 15 日（十月初十日），廣西留日學生主辦的《粵西》（月刊）在東京創刊，是革命派刊物，專以開通知識、發揚民氣、改變社會、增進公益為宗旨。

· 12 月 5 日，留日四川籍同盟會會員主辦的《四川》（月刊）在東京創刊，吳永珊（玉章）任編輯發行人，出版至第 3 期，被日本政府封禁。第 4 期剛印好，即遭日本警視廳沒收。吳永珊被判半年徒刑，緩期執行。《四川》停刊。

· 12 月 20 日（十一月十六日），同盟會河南支部主辦的《河南》（月刊）在東京創刊。總編輯劉積學，發行人張鍾瑞，協助編輯工作的，有朱炳麟、曾昭文等。1908 年 12 月出版至第 9 期後停刊。

· 12 月 25 日（十一月二十一日），《民報》主編章太炎以腦病乞休，改由張繼、陶成章等代理編輯事務。

· 12 月，《二十世紀之中國女子》（月刊）在東京創刊，河南學生會出版，「恨海女士」主筆。1908 年 1 月出版至第 3 期停刊。

· 本年，《大江報》（月刊）在東京創刊，編輯及發行人為夏重民。

·《中國婦女界雜誌》在東京創刊。

· 留日學生本年在日本出版的刊物，計有《漢風》（湖北）、《漢幟》（湖南）、《晉乘》（山西）、《新女界》（河南）、《秦隴》（陝西）、《粵西》（廣西）、《大江月報》、《二十世紀之中國女子》、《大江七日報》、《河南》等。

◎ 1908 年

· 1 月 1 日（丁未年十一月二十八日），《雲南》雜誌刊行至第 13 期，雲南留日學生百餘人在東京麴町區富士見軒舉行週年慶祝會。李根源作了長篇報告，會上並決定由李根源及呂志伊負責紀念特刊《滇粹》的編輯出版事宜。

· 1 月 1 日（丁未年十一月二十八日），《滇話報》（月刊）在東京創刊。內容以愛國主義的宣傳為主。

· 1 月，四川地方自治研究會主辦的《自治叢錄》（季刊）在東京創刊。

· 2 月 2 日（戊申年正月初一日），西北籍留日學生主辦的《關隴》（月刊）在東京創刊，以「提倡愛國精神，濬瀹普通知識」為宗旨。本年 4 月出版第 2 期後停刊。

· 2 月 3 日（正月初二日），西北籍留日學生主辦的《國報》（月刊）在東京創刊，聲稱以「指導國民獨立，提倡地方自治」為主義。

· 2 月 16 日（正月十五日），《漢口中西報》刊出〈東京留學界雜誌紀聞〉，公佈十二家在日本出版的中文報刊的發行數字如下：《民報》1 萬 2 千萬份、《新女界》1 萬份、《雲南》5 千份、《復報》800 份、《衛生世界》600 份、《牖報》550 份、《天義報》500 份、《新譯界》300 份、《醫藥學報》300 份、《農桑雜誌》250 份、《中國新報》100 份、《政論》80 份。

· 2 月 26 日（正月二十五日），留日陝甘籍學生主辦的《夏聲》（月刊）在東京創刊。

1909 年 5 月出版至第 9 期後停刊。

· 2 月 29 日（正月二十八日），京師大學堂留日學生主辦的《學海》（月刊）在東京創刊，分甲乙兩編；甲編以文、法、政、商方面的內容為主，乙編以理、工、農、醫方面的內容為主。至本年 6 月，甲編出版了 5 期、乙編出版了 4 期停刊。

· 4 月 10 日（三月初十日），日人宮崎寅藏、武田范之、小室友次郎在東京創辦中文雜誌《東亞月報》，這是黑龍會機關刊物《黑龍》的改刊。共發行了 5 期，於 9 月 1 日停刊。

· 4 月 28 日（三月二十八日），劉師培主編的《衡報》在東京創刊（托名在澳門出版），每月發行 3 次，是中國早期無政府主義報刊之一。出版至第 11 期，日本允許登記，不料與《民報》同時被禁。

· 5 月 30 日（五月初一日），《教育新報》（月刊）在東京創刊，留日湖北教育會編輯發行，以「輸入關於教育之新知識，謀內地教育之完全發達」為宗旨。1909 年 4 月出版至第 3 期停刊。

· 5 月 30 日（五月初一日），《武學》（月刊）在東京創刊。東京武學編譯社出版，提倡振起民力和尚武精神。至 1909 年共出版了 14 期。

· 5 月，雲南留日學生主辦的《滇話》（半月刊）在東京創刊，全部用白話文寫作。1910 年 3 月併入《雲南》。按：一說《滇話》創於 1908 年 4 月，待查證。

· 7 月 8 日（六月初十日），留日學生主辦的《支那革命叢報》（半月刊）在東京創刊，內容側重有關革命的時事報導。

· 7 月 10 日（六月十二日），江西留日學生主辦的《江西》（月刊）在東京創刊，以「導引文明，啟發民智，鼓吹地方自治，圖謀社會公益」為宗旨。1909 年 6 月出版至第 4 期後停刊。

· 9 月，《雲南》另出版增刊《滇粹》1 冊。

· 10 月 19 日（九月二十五日），日本政府將第 24 期《民報》全部扣押，並禁止今後刊登類似文字。《民報》因此被迫停刊。

· 11 月 13 日（十月二十日），旅日梅縣籍華僑主辦的《梅州》雜誌在東京創刊，以海內外梅州籍人為對象，內容注意有關梅州地方情況的報導，支持民主革命。

· 11 月 13 日（十月二十日），《民報》在東京的社址被反對分子「放火」未遂。同日有部分留日學生在早稻田大學清國留學生部入口處散發油印傳單，就《民報》被禁事向日本當局進行猛烈攻擊。黃興、宋教仁等不贊成這個做法，曾對日本記者解釋，指出「並非全體革命黨員之意思」，希望日本國民勿產生誤解。

· 11 月 25 日（十一月初二日），東京地方法院開庭就《民報》事件對該編輯人兼發行人章炳麟進行公開審訊。宋教仁以「清語教授」名義，聲稱「與章炳麟並無任何關係」，經辯護律師花井皂藏申請，出庭擔任被告翻譯。次日再次開庭，最後公佈於 12 月 12 日上午 9 時宣判。

· 11 月 25 日及 30 日，東京《民報》社被變節份子汪公權兩次潛入投毒。社員湯增壁誤飲帶有「猛性毒劑」的茶水，送入鄰近醫院搶救，得免於難，時稱「毒茶案」。日本警署在留日學生中進行偵察，拘訊十數人，歷時半月，迄無要領。汪公權以投毒成功，傳聞得到清朝駐日使館 5 千元獎勵，返抵上海後，被光復會會員王金髮在上海四馬路擊殺。

· 12 月 12 日（十一月十九日），東京地方法院就《民報》違反《新聞紙案例》事件宣判：（1）所刊〈革命之心理〉一文違反《新聞紙案例》，判罰 50 元；（2）所刊〈本社簡章〉違反《新聞紙案例》，判罰 50 元；（3）編輯及發行人，發行所未作呈報，判罰 15 元；以上共判罰 115 元。原內務大臣發佈的封存《民報》第 24 號及禁止刊載與〈本社簡章〉、〈革命之心理〉主旨相同之文章的命令，仍然有效。《民報》方面，估計到即使上訴「亦無勝訴之希望」；即使復刊，其主義方針亦不能發表；加以內部意見分歧難以彌合，於是決定暫時休刊。

· 本年，《日華新報》（五日刊）在東京創刊，夏重民主編。由日本支持革命者出資，在言論上支持國內的民主革命。

· 留日的中國穆斯林在東京創辦伊斯蘭教刊物《醒回篇》（季刊），內容亦涉及政治。旋即停刊。

· 留日學生主辦的《法政新報》在東京創刊，該刊設有社說、憲法、行政、民法、商法、刑法、訴訟法、國際法等欄。

· 留日學生本年在東京出版的刊物，計有《四川》、《關隴》（陝西）、《夏聲》（陝西）、《江西》、《武學》、《國報》、《學海》、《日華新報》等。

◎ 1909 年

· 1 月，留日女學生主辦的《女報》（月刊）在東京創刊。僅見第 1 卷第 1 期。

· 3 月，《新女界》（月刊）在東京創刊。

· 6 月 1 日（四月十四日），《海軍》（季刊）在日本東京創刊。留日海軍同學會主辦，以「討論振興海軍方式，普及國民海上知識」為宗旨。

· 7 月，《湘路警鐘》（後改名《湘路危言》）在東京創刊。湖南留日學生組成的湖南鐵路研究社主辦，焦達峰主編。

· 8 月 5 日（六月二十日），留日學生主辦的《中國蠶絲業會報》（雙月刊）在東京創刊。其宗旨為「振興祖國絲業」，所載多國內各省蠶業情形與海外各國蠶絲製品銷行狀況。出版至第 14 期後停刊。

· 9 月 14 日（八月初一日），右翼留日學生團結諮議局事務調查會主辦的《憲政新志》（月刊）在東京創刊，張君勱主編，宣傳君主立憲。共出版了 12 期。

◎ 1910 年

· 1 月 1 日（己酉年十一月二十日），《民報》第 25 期出版，汪精衛主編，社址標明為法國巴黎濮侶街 4 號，實則仍在日本印刷發行。

· 3 月 10 日（正月二十九日），章太炎、陶成章在東京創辦《教育今語雜誌》（月刊），作為光復會的通訊機關。所刊文章皆「演以淺顯語言」。同年 8 月停刊。

· 3 月 10 日（正月二十九日），《中國商業研究會月報》在東京創刊，留日學生組織的中國商業研究會編輯。中、英文合刊，設論說、學說、調查、統計、英文等欄。後來改名《中國商業月報》，遷至上海繼續出版。1920 年 5 月停刊。

· 6 月 17 日（五月十一日），《南洋群島商業研究會雜誌》（季刊）在東京創刊，李文權主編。第 3 期後遷至北京出版。

· 7 月 20 日，《鐵路界》（雙月刊）在東京創刊，中國鐵路研究會主辦，張大義主編，是鐵路專業雜誌。

· 10 月，《中國實業雜誌》（月刊）在東京創刊，社長李文權。1917 年第 8 卷 8 期起，移至天津出版。1919 年停刊。

· 12 月，《浙湖工業同志會雜誌》在東京創刊，由浙湖工業同志會編輯出版。僅見第 1 期。

· 本年，《學林》（季刊）在東京創刊，章太炎主編。共出版了兩冊。

◎ 1911 年

· 3 月 10 日（二月初十日），《中國青年學粹》（雙月刊）在東京創刊，以中學生為對象，在國內發行，上海、成都等地均有代理發行的機構。

· 5 月，《留日女學會雜誌》（季刊）在東京創刊，唐群英主編。僅見 1 期。

◎ 1912 年

· 1 月，中華民國臨時政府在南京成立；2 月，清帝宣佈退位，中國帝制時代至此結束。

· 11 月，《軍聲》（月刊）在東京創刊，參加編輯工作的有蔣介石、張群、桂永清等人。1913 年 2 月出版第 4 期後停刊。

◎ 1913 年

· 4 月 15 日，國民黨駐日各支部聯合主辦的機關刊物《國民雜誌》（月刊）在東京創刊。7 月 15 日停刊，共出版了 4 期。

· 4 月，《讜報》（月刊）在東京創刊。原為共和黨旅日支部的機關刊物，旋因共和黨與民主黨合併為進步黨，該刊自第 3 期起，改為進步黨留日東京支部的機關刊物。

◎ 1914 年

· 5 月 10 日，《甲寅》（月刊）在東京創刊，章士釗主編，以「條陳時弊，樸實說理」為宗旨，積極支持反袁鬥爭。1915 年 5 月起，移至上海印刷出版。同年 10 月停刊，共出版了 10 期。

· 5 月 10 日，孫中山發起的《民國》雜誌在東京創刊。總編輯胡漢民，經理居正。7 月 8 日，中華革命黨成立，《民國》成為該黨的機關刊物。

· 7 月，國學扶危社主辦的《國學》雜誌在東京創刊。以「導揚國學」為宗旨，內容包括研究論文、古文作品兩大類。僅見 1 期。

· 9 月，《人籟》（半月刊）在東京創刊。

· 12 月，《民聲》雜誌在東京創刊。

◎ 1915 年

· 6 月，《郢中學報》在東京創刊，是湖北郢中（湖北江陵一帶）留日學生所辦的綜合性刊物。僅見第 1 期。

· 7 月，邵飄萍聯合留日同學共同創辦的東京通信社正式成立，社址在東京小石川區大富坂町十九番地。該社用中文向國內各報發稿，內容以國際及外交方面的新聞為主。

· 9 月，《神州學叢》（季刊）在東京創刊，是留日學生團體神州學會的機關刊物，李大釗主編，反對袁世凱盜竊國政、帝制自為。旋即停刊。

◎ 1916 年

- 5 月 15 日，中國留日學生總會主辦的《民彝》雜誌在東京創刊。李大釗曾一度擔任該刊的編輯工作，參加撰稿的有鄧初民等。1917 年 2 月出版第 3 期後停刊。
- 6 月 15 日，《民鐸》（季刊）在東京創刊。留日學生組織的中華學術研究會出版發行，李石岑主編。以「促進民智、培養民德、發揚民力」為宗旨，創刊後即被日本政府查禁。1918 年 12 月移至上海出版，1931 年 1 月停刊。
- 本年，《神戶華僑商業研究會季報》在神戶創刊。1917 年 10 月出版至第 7 期停刊。

◎ 1917 年

- 1 月，中國精神研究會主辦的《精神雜誌》（季刊）在神戶創刊。
- 3 月，《山東實業學會會誌》（季刊）在東京創刊，是山東旅日學生組織所辦。
- 4 月，丙辰學社的機關刊物《學藝》（季刊）在東京創刊，吳君毅主編。1920 年 3 月以後，改為月刊，遷上海出版，由商務印書館發行。
- 4 月，《中華藥學雜誌》（半年刊）在東京創刊，中華藥學會主辦。1918 年出版至第 3 期停刊。

◎ 1920 年

- 4 月，《實業雜誌》（年刊）在北海道創刊，中華民國留日北海道帝國大學同窗會編輯發行。1922 年 3 月出版至第 3 期停刊。
- 7 月 16 日，《台灣青年》在東京創刊，由台灣留日學生組織的新民會創辦。該刊在台灣集稿，從東京排印後，運銷台灣，並發行於中國大陸和海外僑胞。其宗旨為反對殖民文化侵略，追求民族文化革新，呼喚台胞自新自強，求得解放。1922 年 4 月 1 日出版的第 3 卷第 1 期起，改名《台灣》雜誌，擴充刊物內容和讀者範圍，分出漢文版和日文版。後又改名《台灣民報》。第 1 卷、第 2 卷各出版 5 期，第 3 卷出版 6 期，第 4 卷出版 3 期，共出版了 19 期。

◎ 1921 年

- 1 月 15 日，《教育》（季刊）在東京創刊，留日學生組織東京高等師範學校教育社所辦。1922 年 3 月出版第 3 期，停刊時間未詳。
- 12 月，《興化》（季刊）在東京創刊，興化雜誌社李祖蔚發行。

◎ 1922 年

· 1 月，黃天民主編《東亞醫學》在東京創刊。出版至第 5 期停刊。

◎ 1923 年

· 2 月，《留日學生學報》（雙月刊）創刊，由東京留日學生總會主辦。同年 4 月停刊，共出版了 2 期。
· 4 月 15 日，《台灣民報》（半月刊）在東京創刊，由台灣留日學生組織的新民會主辦。同年 11 月出版的第 9 期起，改為旬刊；1925 年 7 月 12 日起，改為週刊。1926 年 8 月 1 日，由東京遷至台灣發行第 1 號（總第 167 號），版面改為 8 開。1929 年 1 月 13 日，在台中成立株式會社台灣新民報社。林獻堂被推為首任董事長，留美歸台的羅萬俥任常務董事。
· 4 月，中國國民黨日本東京支部編輯《三五》在東京創刊，上海民國日報社發行。
· 5 月，《曙滇》（月刊）創刊，在東京編輯，寄上海印發。該刊由雲南留日學生張天放、寸樹聲等發起組織的曙滇雜誌社創辦，得到旅日、旅緬僑胞及省內外同鄉資助，以謀求雲南社會經濟的改造為宗旨。

◎ 1924 年

· 本年，《東工同窗》（年刊）在東京創刊，中華留日東京工業大學學生同窗會發行。至 1937 年 1 月，共出版了 14 期。

◎ 1925 年

· 3 月，《留日山西同鄉會年刊》在東京創刊，以研究學術、交換知識為宗旨。僅見創刊號。
· 6 月 1 日，中國國民黨東京支部主辦和編輯的《國民評論》（半月刊）在東京創刊。同年共出版了 3 期。

◎ 1926 年

· 本年，東京中華留日各界北伐後援會在東京編印《北伐》，支持廣州國民政府北伐。次年 1 月出版第 2 期。

◎ 1928 年

· 3 月，中國旅日青年社團所辦的《時代》在日本創刊，中華青年會主辦。

◎ 1929 年

· 1 月，留日學生社團在東京創辦綜合性刊物《雷聲》（月刊）。同年 5 月出版至第 5 期。

· 2 月，中文《周澤季刊》在東京創刊。

· 3 月，旅日華僑團體在東京創辦《中華民國》，主要發表政論性文章，批評國民黨的獨裁政治。同年 9 月出版至第 5 期。

· 5 月，中華留日青年會主辦《檢討》在東京創刊，初為半月刊，第 7 期以後改為月刊，至 1930 年 1 月共出版了 12 期。

· 本年，《中華民國留日東京工大學生同窗會學藝部月刊》在東京創刊。1931 年 2 月出版至第 12 期。

◎ 1930 年

· 11 月，《學術界》（季刊）在東京創刊，中華留日明治大學校友會編輯出版。1933 年 1 月停刊，1935 年復刊，卷期另起，至 1937 年 4 月終刊。

◎ 1931 年

· 12 月，《海外公論》（月刊）在東京創刊，中華留日基督教青年會主辦並編輯。

◎ 1932 年

· 11 月，《牛頓》（月刊）在東京創刊，朱光憲、王毅之、陳華洲、毛達庸編輯，以研究理工學術、提倡中國工業為宗旨。

· 12 月，《自然學會會刊》在東京創刊，由中國留日學生學術團體自然學會編輯和發行。1933 年 1 月，出版第 2 卷 2 號。

◎ 1934 年

· 1 月，《牛頓》從第 3 卷第 1 號起改名為《工業》。該刊由第 4 卷 10 號起，再改名《中國工業》。1936 年 1 月，遷至南京出版。

· 3 月，《河北留東年刊》在東京創刊，河北駐日留學生經理處出版發行。
· 本年，東京中華青年會大埔留日同學會會刊《大鐘》在東京創刊。

◎ 1935 年

· 1 月，東京中華青年會內山西留日同鄉會主辦《文化》在東京創刊，主題是評論國際經濟和政治。
· 5 月，《雜文》（月刊）在東京創刊，由「左聯」在日本的成員創辦。出版至第 3 號，被國民黨當局查禁。12 月出版的第 4 號起，改名《質文》。1936 年初移至國內印刷，而仍在日本編輯。11 月停刊。共出版了 8 期。
· 5 月，《詩歌》（月刊）在東京創刊，雷石榆編輯。同年 10 月出版的第 1 卷 4 號，闢有「聶耳紀念特輯」。
· 6 月，《留東新聞》（周刊）在東京創刊，傅襄謨主編。1937 年 1 月出版至第 59 號停刊。
· 7 月 1 日，留日學生所辦的綜合性學術刊物《留東學報》（月刊）在東京創刊。1937 年 5 月出版至第 3 卷 5 號。
· 7 月 15 日，《新興美術》在東京創刊，東京中華新興美術協會編輯發行。
· 7 月 18 日，《日文研究》在東京創刊。

◎ 1936 年

· 2 月 10 日，《現代農業》在東京創刊，東京農業大學中華留日同學會主辦。同年 12 月 10 日出版第 2 期。
· 4 月 1 日，李東美主編《時代文化》在東京創刊。
· 5 月，《小譯叢》（月刊）在東京創刊，東京中華留日學生會主辦，是綜合性譯文刊物。
· 7 月 1 日，《新經濟》在東京創刊，中華留日青年會新經濟學會編輯出版。
· 7 月，《理科論叢》（季刊）在仙台創刊，中華留日帝國大學理科同學會編輯和發行。同年 11 月出版第 2 期。
· 8 月 10 日，范德元、田夢嘉主編《言殿》（月刊）在東京創刊。
· 8 月 15 日，《文海》在東京創刊，中華留日青年會文海文藝社主辦。

◎ 1937 年

· 1 月 12 日，留日學生張健冬、王瑞符、簡泰梁等在東京出版的《留東新聞》被日本當局禁止發行，時已出版至第 49 期。該刊記者呂奎文被捕，罪名是販賣反日書籍，拘捕 10 日後，被驅逐回國。1 月 14 日，該社又被日警搜查，拘去 8 人查詢。

· 2 月 1 日，《學聯半月刊》在東京創刊，中華留日學生聯合會會刊。同年 5 月 15 日，改為《留東學生》。

· 3 月 1 日，旅日華僑及青年學生所辦的《留東周報》在東京創刊，余仲瑤編輯及發行。同年 5 月出版至第 11 期。

· 7 月 7 日，蘆溝橋事變發生，抗日戰爭爆發。

· 7 月，《中華民國四川留日同學會會刊》在日本創刊，創刊號為「四川建設專號」。

· 本年，《譯叢月刊》在東京創刊。

◎ 1938 年

· 11 月，大阪每日新聞社主辦並編輯的《華文大阪每日》在大阪創刊。

· 本年，華文刊物《遠東》在東京創刊。

◎ 1941 年

· 12 月，日本偷襲美國夏威夷珍珠港，太平洋戰爭開始。

◎ 1942 年

· 1 月，《新亞》（月刊）在東京創刊。

◎ 1945 年

· 戰前，《學林》（季刊）在東京創刊。

· 8 月，日本戰敗投降，第二次世界大戰結束。

◎ 1946 年

· 5 月，《華光》在東京創刊，東京中華民國華光社發行。

◎ 1947 年

· 5 月，《黃河》在大阪創刊，華人賈鳳池創辦並編輯。

◎ 1948 年

· 1 月 1 日，《華文國際》在大阪創刊。

· 本年，《華僑報》在東京創刊，東京華僑總會出版，是中日雙語刊物。

◎ 1952 年

· 11 月 29 日，《中華新聞》（亦作《中華周報》）創刊，是當時台灣駐日本大使館所辦，中日文合刊。

◎ 1954 年

· 3 月 1 日，東京華僑總會編《大地報》（週刊）在東京創刊。

· 11 月 1 日，《自由新聞》（原稱《自由中國新聞》）在東京創刊。

◎ 1956 年

· 7 月，《新亞洲》（月刊）在東京創刊。

◎ 1960 年

· 1 月，《東方文摘》（月刊）在東京創刊。

◎ 1961 年

· 1 月 23 日，《自由中華》（月刊）在大阪創刊。

◎ 1963 年

· 2 月 25 日，《揚華僑報》（週刊）在橫濱創刊。

· 本年，《太平洋經濟評論》（簡稱《太平洋經濟》）在東京創刊。

◎ 1966 年

· 6 月，《中興報》（半月刊，後改為月刊）在橫濱創刊。

◎ 1968 年

· 4 月 27 日，《東北研究》在橫濱創刊。

◎ 1960 年代

·《神戶中華同文學校通訊》（月刊）在神戶創刊。

◎ 1971 年

· 12 月 10 日，《社團法人神戶中華總商會報》在神戶創刊，社團法人神戶中華總商會文化委員會主編，是該會的機關報。

◎ 1973 年

· 2 月，《橫濱華僑通訊》（月刊）在橫濱創刊，是日本橫濱華僑總會的機關報。

◎ 1976 年

· 4 月，關西地區京都、大阪、神戶三市的華僑總會聯合創辦《關西華僑報》（月刊）。

◎ 1977 年

· 8 月 15 日，《橫濱華僑會報》（月刊）在橫濱創刊，日本橫濱華僑總會發行。

◎ 1980 年

· 12 月 25 日，《社團法人廣東同鄉會會刊》（簡稱《廣東同鄉會會刊》）在東京創刊。

◎ 1980 年代初

·《留日學志》在日本創刊，是台灣的留日同學會會刊。

◎ 1981 年

· 12 月，台灣留日學生在東京創辦《慶應華報》，是台灣在日慶應會的會刊。

◎ 1982 年

· 2 月 28 日，《台灣大眾》（月刊）在日本創刊，由獨立台灣會的代表史明創辦。

◎ 1983 年

· 1 月，《學林》（半年刊）在京都創刊，中國藝文研究會出版。

◎ 1984 年

· 6 月 1 日，《東京商報》（日報）在橫濱創刊。

◎ 1985 年

· 6 月 23 日，《華僑新報》（月刊）在東京創刊。

◎ 1986 年

· 1 月 1 日，《學園通訊》在橫濱創刊，橫濱中華學院出版。

◎ 1988 年

· 12 月 1 日，《留學生新聞》（初為月刊，後改半月刊）在東京創刊，中、日文並載，而以中文為主。

◎ 1989 年

· 2 月 1 日，《外國學生新聞》（月刊）在東京創刊，中、英、日三種語文並載。

· 4 月 14 日，《亞洲新聞》（半月刊）在橫濱創刊。初時以中文為主，後來中日文並載。

◎ 1991 年

· 5 月 1 日，《中國學生》（月刊）在東京創刊。

· 7 月 25 日，《新交流時報》（半月刊）在東京創刊，中日文各佔一半。

◎ 1992 年

· 4 月 12 日,《中日新報》(月報)在大阪創刊。

· 11 月 15 日,《中文導報》(週報)在東京創刊。

◎ 1993 年

· 1 月,《中日交流》(月刊)在東京創刊,中日文合刊。

· 4 月 15 日,《半月文摘》(半月刊)在東京創刊。

· 8 月 30 日,《東方時報》(月刊)在東京創刊,中日文並載。

· 10 月,《華人時報》(月刊)在東京創刊。

◎ 1994 年

· 2 月 3 日,《華僑之聲》在橫濱創刊。

· 7 月 16 日,《中日產業開發》(季刊)在大阪創刊,中日文並載。

◎ 1995 年

· 4 月 25 日,《華聲新聞》(月報)在東京創刊。

· 5 月 1 日,《東方》(月刊)在東京創刊。

· 5 月 25 日,《時報》(月報)在東京創刊。

· 11 月,《中國巨龍》中文版(月刊)創刊。

◎ 1996 年

· 3 月 15 日,《時代》(月刊)在東京創刊,是中國留日學生創辦的報紙。

· 8 月 1 日,《日本僑報》在琦玉縣川口市創刊。

◎ 1997 年

· 7 月 1 日,《華風新聞》(週刊)在東京創刊。

· 9 月 30 日,《唐人報》(半月刊)在東京創刊。

· 本年,《東方時報》(週刊)在東京創刊。

·《聯合週報》在東京創刊。

◎ 1998 年

· 3 月 26 日，《中國語世界》（週刊）在東京創刊。

· 本年，《台灣新聞》（月報）在東京創刊。

◎ 1999 年

· 2 月 25 日，《日本新華僑報》（旬刊）在東京創刊。

· 本年，《列島週末》（半月刊）在東京創刊。

◎ 2000 年

· 4 月，《南華報》（月報）在神戶創刊。

· 6 月 22 日，《華人周報》在東京創刊。

◎ 2001 年

· 8 月，《中國經濟新聞》（月刊）在東京創刊。

· 12 月，《聽聽中國語》（月刊）在東京創刊。

· 本年，《大富》電視報（半月刊）在東京創刊。

◎ 2002 年

· 12 月 25 日，《陽光導報》（雙週刊）在東京出版。

◎ 2003 年

· 6 月 12 日，《新華時報》（週刊）在東京創刊。

◎ 2005 年

· 本年，《日中商報》（月刊）在東京創刊。

◎ 2006 年

· 1 月，《新時代電腦資訊》（月刊）創刊。

· 本年，《越洋聚焦 —— 日本論壇》在東京出版。

◎ 2007 年

· 1 月，《第一雜誌》（月刊）創刊。

· 7 月 2 日，《中日交流》（季刊）由日中民間企業發展交流促進會出版，2008 年後由日中交流會出版。

◎ 2009 年

· 1 月 25 日，《西日本僑報》在福岡出版。

◎ 2010 年

· 10 月，《現代中國報》（月三刊）在東京創刊。

◎ 2015 年

· 7 月，《旅日》（季刊）創刊。

策劃編輯　梁偉基

責任編輯　梁偉基

書籍設計　吳冠曼

書　　名　瀛洲華聲：日本中文報刊一百五十年史

著　　者　周佳榮

出　　版　三聯書店（香港）有限公司

香港北角英皇道 499 號北角工業大廈 20 樓

Joint Publishing (H.K.) Co., Ltd.

20/F., North Point Industrial Building,

499 King's Road, North Point, Hong Kong

發　　行　香港聯合書刊物流有限公司

香港新界大埔汀麗路 36 號 3 字樓

印　　刷　美雅印刷製本有限公司

香港九龍觀塘榮業街 6 號 4 樓 A 座

版　　次　2020 年 1 月香港第一版第一次印刷

規　　格　16 開（168 × 230 mm）304 面

國際書號　ISBN 978-962-04-4574-3